भारतीय
ज्ञानपीठ

णाणं
पयासयं
वीर नि.सं. 2470
ई.सन् 1944
भारतीय ज्ञानपीठ

सन्तूर : मेरा जीवन संगीत

(संस्मरण)

सन्तूर : मेरा जीवन संगीत

पं. शिवकुमार शर्मा
एवं
ईना पुरी

अनुवाद
शैलेन्द्र शैल

भारतीय ज्ञानपीठ

लोकोदय ग्रन्थमाला : ग्रन्थांक 1123
ग्रन्थमाला सम्पादक
रवीन्द्र कालिया
सह-सम्पादक
गुलाबचन्द्र जैन

ISBN 978-81-263-4074-3

सन्तूर : मेरा जीवन संगीत (संस्मरण)
पं. शिवकुमार शर्मा

प्रथम संस्करण : 2012
मूल्य : 220 रुपये

प्रकाशक : **भारतीय ज्ञानपीठ**
18, इन्स्टीट्यूशनल एरिया, लोदी रोड, नयी दिल्ली-110 003

मुद्रक : विकास कम्प्यूटर ऐंड प्रिंटर्स, दिल्ली-110 032

रेखाचित्र : मनजीत बावा
आवरण सज्जा : ज्ञानपीठ कला प्रभाग

SANTOOR : MERA JEEVAN SANGEET
(Memoir)
by Pt. Shivkumar Sharma

Published by : **Bharatiya Jnanpith**
18, Institutional Area, Lodi Road, New Delhi-110 003

e-mail : jnanpith@satyam.net.in, sales@jnanpith.net
website : www.jnanpith.net

First Edition : 2012
Price : Rs. 220

अपने माता-पिता
केसरदेवी और पंडित उमादत्त शर्मा की
पावन स्मृति को
समर्पित

भूमिका

यदि संस्मरण जीवन में बहुत पहले लिखे जाएँ तो इतने मूल्यवान नहीं होते। जैसे कि रिल्के ने कहा है—दस अच्छी पंक्तियाँ लिखने से पहले आपको जीवन भर का विवेक और मिठास एकत्रित करनी होगी। ''एक कविता के लिए... अनजान पड़ोस की गलियों, किसी अनपेक्षित मिलन, लम्बे अर्से से प्रत्याशित वियोग, बचपन के वे दिन जिनका रहस्य अभी तक अबूझ है, शान्त दिन, बन्द कमरों और सागर के किनारे की सुबहों, स्वयं सागर को, सिर के ऊपर ऊँचे भागती हुई, सितारों के साथ उड़ती हुई उन रातों के बारे में सोच पाना जरूरी है... और केवल स्मृतियाँ ही पर्याप्त नहीं होतीं : जब वे हमारे अपने रक्त में, एक झलक और इशारे में, अनाम और अपने आप से अभिन्न होती हैं, तभी हम उनको दूसरों के लिए अभिव्यक्त कर सकते हैं।''

इस पुस्तक का शुभारम्भ पं. शिवकुमार शर्मा के साठवें जन्मदिवस पर हुआ। जब उनका परिवार, मित्र और शिष्य इस महत्त्वपूर्ण पड़ाव को मनाने के लिए एकत्रित हुए; शिव जी ने सोचा कि अब वह घड़ी आ गयी है जब उन्हें अपने संस्मरण लिखने चाहिए। अपने स्वभावानुसार जब वे भविष्य के बारे में सोच रहे थे, उनके आसपास सब लोग उसी पल की खुशी में खोए हुए थे। उनके वरिष्ठतम शिष्य, सतीश व्यास ने उस अविस्मरणीय संगीतमयी शाम का आयोजन अपने गुरु की षष्ठिपूर्ति के लिए किया था। भारतीय संगीत के मूर्धन्य कलाकार नेहरू केन्द्र में इसका आनन्द उठाने के लिए एकत्रित हुए थे। पंडित जी ने संस्मरण लिखने का यह कार्यभार मुझे क्यों सौंपा, यह वे स्वयं ही जानते हैं। शायद इसका एक कारण यह था कि जितने वर्षों से हम एक-दूसरे को जानते थे, उनमें उन्होंने पाया कि वे मुझसे खुलकर बात कर सकते हैं। साधारण रूप से परिचित लोग अक्सर भ्रमवश उन्हें अन्य आम लोगों की अपेक्षा उदासीन और विलग समझते थे। पर आज तब मैं अपनी प्रथम भेंट के बारे में सोचती हूँ तो मुझे याद आता है कि वे एक स्नेही और सम्प्रेषण-प्रिय व्यक्ति प्रतीत हुए थे।

शिव जी में मैंने एक बढ़िया किस्सागो पाया। जब मैं उनके स्वच्छ और सुवासित संगीतकक्ष में बैठकर नोट्स ले रही थी तो मेरा मन एक बार किसी दूसरे देशकाल में विचरण कर रहा था। मेरी आँखों के सामने बहुत पुराने समय के संगीतकारों की प्रतिकृतियाँ और सीपिया चित्र उभरकर आये। आश्चर्य और पूर्वोल्लास का ऐसा बोध हुआ कि लगा जैसे मैं अपने बचपन में लौट आयी हूँ। जब मैंने शिव जी के साथ यात्रा की और उन स्थानों को पहली बार देखा जिनके बारे में उन्होंने मुझे बताया था तो वे मुझे पहचाने से लगे। हम उनका पुराना पारिवारिक घर देखने और उनकी बहन सहित परिवार के विभिन्न सदस्यों से मिलने जम्मू गये। शिवरात्रि पर वाराणसी में हम रंगीन मिजाज़ तबलावादक पं. किशन महाराज और शहनाई के जादूगर उस्ताद बिस्मिल्लाह खान से मिले। कोलकाता में हम उस्ताद अली-अकबर खान, उस्ताद विलायत खान, पं. वी.जी. जोग, पं. ए.टी. कानन, पं. अजय चक्रवर्ती और उन अन्य कलाकारों से मिले, शिव जी जिनके पाँचवें दशक के अन्त में निकट थे। चेन्नई में हम पं. बालमुरली कृष्ण और पुणे में पं. भीमसेन जोशी से मिले। हम पं. जसराज और किशोरी अमोनकर को मुम्बई में और उस्ताद अमजद अली खान से दिल्ली में मिले। यह तेजस्वी लोगों की एक लम्बी सूची है।

चूँकि शिव जी स्पिकमैके और आई.टी.सी. संगीत रिसर्च एकेडेमी से एक लम्बे समय से जुड़े हुए हैं, मैं उनके साथ इन दोनों संस्थाओं द्वारा आयोजित कार्यक्रमों में अजमेर, जयपुर, हैदराबाद, आई.आई.एम. कोलकाता आदि भी गयी। केवल शिव जी ही नहीं, अधिकांश संगीतकार बहुत बढ़िया किस्सागो हैं। कई शामें इन मूर्धन्य कलाकारों के बीते समय के संस्मरण सुनने में बीतीं।

पं. हरिप्रसाद चौरसिया से भेंट बहुत विशेष थी। एक रिकॉर्डिंग के बाद देर शाम को वे राजीव अपार्टमेंट्स स्थित शिव जी के निवास पर आये। जैसे-जैसे रात बीतती गयी, मैंने शिव जी और हरि जी के बीच का अद्भुत बन्धन देखा। उनके किस्से सुनते हुए मैं हँसते-हँसते लोट-पोट हो गयी। हरि जी के संगीत की तरह उनका परिहास भी श्रोताओं को रुला देता है।

शिव जी उन विरले कलाकारों में से हैं जिनकी प्रतिभा का विस्तार शास्त्रीय संगीत और फिल्म-संसार दोनों में एक-सा है। शिव जी और हरि जी ने यश चोपड़ा की कई फिल्मों में संगीत दिया था। मैं उनसे और उनकी पत्नी पैम से भी मिली, जिन्होंने उदारतापूर्वक अपना समय मुझे दिया और उन छोटी-छोटी बातों की जानकारी दी जिनके कारण उनके किस्से और अधिक दिलचस्प और प्रामाणिक हो गये। अमिताभ बच्चन सदा की तरह वाकपटु थे।

जब मैं इन महान् संगीतकारों, रचनाकारों, छात्रों, मित्रों और परिजनों से

मिली, मुझे लगा कि जैसे मैं शिव जी के साथ उनका अतीत फिर से जी रही हूँ और एक गवाक्ष से बीते हुए दिनों को फिर जीवित होते देख रही हूँ। काइलेडोस्कोप के इन बिम्बों ने जिन चरित्रों को साकार किया उनमें मैंने शिव जी के बचपन के अनजान आस-पड़ोस, अप्रत्याशित मुलाकातों, बिछोह और समझौतों, एक सपने की पीड़ा और हर्ष दोनों को देखा। हालाँकि यह विवरण शिव जी के व्यस्त जीवन के महत्त्वपूर्ण पलों पर केन्द्रित है, पर यह उनके द्वारा सन्तूर को शास्त्रीय वाद्ययन्त्र बनाने और केवल सूफियाना मौसिक़ी में प्रयुक्त होनेवाले एक अदना कश्मीरी वाद्ययन्त्र को अकेले ही इस ऊँचे मुक़ाम तक पहुँचाने की कहानी भी है। शास्त्रीय संगीत में प्रचलित मनोवृत्ति को देखते हुए इस इंसान को सफलता के लिए विपरीत परिस्थितियों में संघर्ष करना पड़ा—और वे सफल भी हुए।

संस्मरण लिखने के चार वर्षों के दौरान बहुत कुछ घटित हुआ। साक्षात्कारों को टेप पर रिकॉर्ड किया गया, फिर उन्हें प्रतिलिखित करने और सम्पादन के बाद वर्तमान रूप में लिखा गया।

मैं शिव जी के विवरण रिकॉर्ड करने मुम्बई ही नहीं गयी, अपितु प्रामाणिकता के लिए और तथ्यों तथा तारीखों को सही रूप से लिखने के लिए देश भर में उनके साथ-साथ घूमी। जैसे-जैसे मैंने शिव जी के परिवार को जाना, राहुल को रिचर्ड क्लेडरमैन और यश चोपड़ा के सहयोग से अपने आप को एक सन्तूरवादक ही नहीं बल्कि एक संगीतकार के रूप में भी आगे बढ़ते देखा। जब मयूरी और रोहित की प्यारी-सी बिटिया अनन्या पैदा हुई तो शिव जी दादा बन गये। अल्लाहरखा खान, नुसरत फतेह अली खान और प्रतिमा बेदी जैसे पुराने मित्र चल बसे। 2001 में शिव जी को भारत के राष्ट्रपति ने पद्मविभूषण से अलंकृत किया।

इस संस्मरण को लिखने में बहुत से लोगों ने महत्त्वपूर्ण योग दिया है। मैं आई.टी.सी. के अध्यक्ष वाई.सी. देवेश्वर की कृतज्ञ हूँ जिनके उदार सहयोग के बिना मैं यह पुस्तक न लिख पाती। आशा करती हूँ कि मैं उनकी अपेक्षाओं पर खरी उतरी हूँ। आई.टी.सी. रिसर्च एकेडेमी ने तीस वर्षों से शास्त्रीय संगीत के प्रोत्साहन के क्षेत्र में बहुमूल्य कार्य किया है। अपने ऐतिहासिक अभिलेखों का उपयोग करने की अनुमति के लिए मैं एकेडेमी की आभारी हूँ। पुस्तक प्रकाशन में पैंग्यूइन के सी.ई.ओ और प्रकाशक डेविड डेविडार की ऋणी हूँ। डेविड जैसे प्रकाशक के साथ काम करना मेरा सौभाग्य है और मैं अपने आपको दुगनी भाग्यशाली मानती हूँ क्योंकि मैं उन्हें एक मित्र भी कह सकती हूँ। मैं पेंगुइन की टीम का अपने समय और परिश्रम के लिए और विशेषकर क्रिस्तीन सिप्रियानी जो स्वयं एक संगीतज्ञ हैं, का धन्यवाद करती हूँ जिन्होंने इस पुस्तक का सम्पादन अत्यन्त संवेदनशीलता और योग्यता के साथ किया है। बेना सरीन ने उत्कृष्ट कलात्मक

मशविरे दिये। हेमाली सोढ़ी के साथ काम करना सुखकारी अनुभव था, विशेषकर उनका कभी हार न माननेवाला उत्साह!

चार वर्षों की व्यस्त यात्राओं के बाद मैं डलडौज़ी स्थित मनजीत बावा के बेतरतीब घर और स्टूडियो पहुँची। चीड़ से सुगन्धित वनों और मनजीत के शान्तिदायक सहयोग और मशविरे ने मुझे अपने बिखरे हुए विचारों और नोट्स को संचित करने और शिव जी की कहानी को लिखने के लिए प्रेरित किया। मैं मनजीत के समय; प्रोत्साहन और सर्वोपरि उनके कलात्मक योगदान, जिससे पुस्तक की चाक्षुष अपील बढ़ी है, के लिए आभारी हूँ। मनजीत के अलावा न्यूयार्क से छुट्टियों पर आयी हुई तिलोत्तमा थरूर ने सबसे पहले पांडुलिपि पढ़कर अत्यन्त लाभदायक सुझाव दिये। इसके बाद डॉ. चन्द्रशेखर मुखर्जी ने सदा की तरह बहुत प्रोत्साहित किया। पांडुलिपि को बेहद ध्यान से पढ़ने का समय निकालने के लिए मैं शेखर की कृतज्ञ हूँ। मैं गौतम घोष और रुद्रनील चौधरी का भी धन्यवाद ज्ञापन करना चाहती हूँ, जिन्होंने बहुभाषीय टेप्स का आरम्भिक प्रतिलेखन किया और मेरे बिखरे हुए पन्नों को एक सुव्यवस्थित ढंग से टंकित किया।

अन्त में मैं शिव जी के परिवार, जो इन वर्षों में मेरा भी परिवार हो गया, की अतीव आभारी हूँ। मैं मनोरमा भाभी, रोहित, मयूरी और राहुल के स्नेह और आवभगत को सदा याद रखूँगी। और अन्त में मैं अपने परिवार—माता-पिता, कृष्णा और सुरेन्द्रनाथ पुरी तथा कोंची और समीर दासगुप्ता को उनके प्यार के लिए और अपने पति रवि और बेटे अर्जुन को अपनी सारी उपलब्धियों में उनके निष्ठापूर्ण सहयोग के लिए धन्यवाद देती हूँ।

—ईना पुरी

अनुवादक की बात

मैं पं. शिवकुमार शर्मा के संगीत का एक लम्बे अर्से से प्रशंसक रहा हूँ, पर उनसे औपचारिक भेंट मई, सन् 2000 में हुई। मैं स्पिकमैके से नया-नया जुड़ा था और इसके स्वयंसेवी रूप से परिचित हो रहा था। पंडित जी को चंडीगढ़ और हिमाचल प्रदेश में स्पिकमैके के अन्तर्गत कार्यक्रम प्रस्तुत करने थे। स्पिकमैके के संस्थापक डॉ. किरण सेठ ने मुझसे पूछा कि क्या मैं उस दौरे पर उनके साथ जाकर पूरी व्यवस्था देखने का दायित्व लेना चाहूँगा। यह मेरे लिए एक सुअवसर था। पंडित जी, उनके प्रतिभाशाली संगतकार स्वर्गीय शफात अहमद खान और मैं मई की एक गर्म दोपहर शताब्दी द्वारा चंडीगढ़ पहुँचे। अगले चार दिन शिमला में रहकर पंडितजी ने कई संस्थाओं में प्रदर्शन किये। इनमें राज्यपाल के ऐतिहासिक निवास पर स्थानीय अन्ध विद्यालय के छात्रों के लिए प्रदर्शन भी शामिल था। प्रदर्शनों के बाद शाम को हम इकट्ठे माल पर घूमते जहाँ सैलानी पंडित जी के ऑटोग्राफ लेने और फोटो खिंचवाने के लिए बार-बार उन्हें रोकते। वे बड़े धैर्यपूर्वक इन सबको अनुगृहीत करते रहे। इन चार दिनों के सान्निध्य में उनसे संगीत और आध्यात्मिकता पर वार्तालाप हुआ और एक कलाकार के सच्चे रूप के दर्शन हुए। मैंने उनमें अध्यात्म और निर्वाण की खोज में निमग्न एक साधक देखा।

फिर सन् 2002 में उनके अंग्रेजी में लिखे और पेंगुइन द्वारा प्रकाशित संस्मरण 'जर्नी विद ए हंड्रेड स्ट्रिंग्स—माई लाइफ इन म्यूजिक' का विमोचन समारोह हुआ। पंडित जी ने स्पिकमैके के सभी कार्यकर्ताओं को आमन्त्रित किया। मैं भी उनमें से एक था। पुस्तक अत्यन्त लोकप्रिय हुई और भारत के एक मूर्धन्य संगीतकार के मानस और दर्शन से हम सब परिचित हुए। ये संस्मरण ही नहीं, सन्तूर को शास्त्रीय संगीत के वाद्ययन्त्र के रूप में स्थापित करने के लिए उनके संघर्ष की कहानी भी है। पुस्तक पढ़कर मुझे इसका हिन्दी अनुवाद करने की उत्कट इच्छा हुई ताकि यह हिन्दी के एक विशाल पाठक वर्ग तक पहुँच सके। उचित अवसर पाकर मैंने पंडित जी और ईना जी से सन् 2009 में इसके अनुवाद की अनुमति

ले ली। फिर भारतीय ज्ञानपीठ के प्रबन्धन्यासी श्री अखिलेश जैन और निदेशक श्री रवीन्द्र कालिया से इसके प्रकाशन का अनुरोध किया। उनकी तत्काल स्वीकृति के लिए मैं उनका और भारतीय ज्ञानपीठ का अत्यन्त कृतज्ञ हूँ। ज्ञानपीठ के मुख्य प्रकाशन अधिकारी डॉ. गुलाबचन्द्र जैन का भी आभारी हूँ जिन्होंने बड़े मनोयोग से इस पुस्तक का सम्पादन किया। मैं अपनी पत्नी उषा का भी आभारी हूँ जिसने अनुवाद के लिए उत्साहित किया और कई शब्दों के उपयुक्त हिन्दी पर्याय सुझाये।

लेखक के विचारों को ईमानदारी से एक भाषा से दूसरी भाषा में अनूदित करना एक दायित्वपूर्ण कार्य है। यह जटिल और किसी हद तक कष्टसाध्य भी है। पुस्तक सहृदय पाठकों के हाथों में सौंपते हुए मुझे हर्ष का अनुभव हो रहा है। अपने दायित्व के निर्वाह में मैं कितना सफल हो पाया हूँ इस पर पाठकों की प्रतिक्रिया की प्रतीक्षा रहेगी।

—शैलेन्द्र शैल

अनुक्रम

सन्तूर : मेरा जीवन संगीत

एक

मोहक गीत

शिव जी मुझसे बहुत बाद पैदा हुए—लगभग दस से भी अधिक वर्ष बाद, और जब वे पैदा हुए तो घर पर बहुत खुशियाँ मनाई गयीं। वे एक सुन्दर बालक थे, बहुत ही गोरे और सिर पर घने घुँघराले बाल। मेरे पिता जी सदा उन्हें अपने पास रखते थे, अपने शिष्यों को पढ़ाने के समय भी।

शिव जी एक आज्ञाकारी और अत्यधिक धार्मिक बालक थे। वे पूरे मनोयोग से पूजा-पाठ करते थे और पूरा गायत्री मन्त्र उन्हें कंठस्थ था। वे तब तक तबला बजाते रहते जब तक उनकी हथेलियों पर छाले न पड़ जाते। पिता जी ने उन्हें पड़ोस के अशिष्ट बच्चों के साथ खेलने से बचाकर रखा और विद्यालय में संगीत सिखाते हुए भी अपने साथ रखा।

शिव जी संगीतकारों की संगति में बड़े हुए, एक ऐसा संसार जिसका लड़की होने के कारण मैं हिस्सा नहीं थी। मैंने सितार सीखा अवश्य पर पन्द्रह वर्ष की आयु में विवाह हो जाने के कारण उसे जारी नहीं रख पायी। मेरे कश्मीर में अपने ससुराल चले जाने के बाद भी शिव जी गर्मियों में नियमित रूप से मेरे पास आते रहे। मैं अपने छोटे भाई को इतना स्नेह और ख्याति पाते देखकर बहुत गर्व का अनुभव करती हूँ। मुझे आज भी याद है कि पिता जी ने केसर और शहद से नवजात शिशु की जिह्वा पर ओऽम् का चिह्न बनाया था। मुझे अभी भी याद आता है कि मैं अपने गोलमटोल और सुन्दर छोटे भाई को अपनी बाँहों में लिए हुए उसकी नन्ही किलकारियाँ और हँसी सुनती थी। मेरे माता-पिता और मैं उस समय

बहुत गर्व का अनुभव करते थे, पर वह आज के गर्व की तुलना में कहीं नहीं था, जब मैं अपने छोटे भाई पं. शिव कुमार शर्मा को पद्मविभूषण से सम्मानित किये जाते देखती हूँ।

—सरला रैना

पं. शिवकुमार शर्मा की बहन

जम्मू

मेरे पिता हमारे घर में संगीत लेकर आये। उनसे पहले मेरे दादा जी जम्मू-कश्मीर के राजा प्रताप सिंह के राजकीय मन्दिर में राज पुरोहित थे।

बीसवीं शताब्दी के मोड़ पर किसी ब्राह्मण परिवार या किसी सम्भ्रान्त घर के बेटे को संगीत सीखते नहीं सुना था। राज दरबार और आचार संहिता के संरक्षक शास्त्रीय संगीतकारों को हेय समझते थे क्योंकि नर्तकियाँ या बाई जी ही कला का संरक्षण और सम्पोषण करती थीं। यह असन्तोषजनक स्थिति पं. विष्णु दिगंबर पलुस्कर जैसे संगीतकारों के अथक प्रयासों से बाद में पूरी तरह बदल गयी। इन्होंने विद्यालयों की स्थापना की और अच्छे परिवारों के लोगों को संगीत के मूलभूत सिद्धान्त सीखने के लिए प्रोत्साहित करके शास्त्रीय संगीत को पहले जैसी उत्कृष्टता पर पहुँचाया। उन्होंने रूढ़िवादी समाज को वैदिक काल में अवस्थित भारतीय संगीत की शुद्धता और पवित्रता सिखायी।

मैं यह इसलिए बता रहा हूँ ताकि इस बात का अहसास हो सके कि सन् 1900 में एक पंडित के घर जनमे मेरे पिता के लिए इस प्रकार के सामाजिक विरोध के चलते संगीत को अपनाना कितना कठिन था। यह और भी कठिन था क्योंकि मेरे दादा के दरबार और महाराजा से घनिष्ठ सम्बन्ध थे। ऐसा नहीं था कि राजा साहब स्वयं संगीत के विरुद्ध थे अपितु वे इसके बिल्कुल विपरीत थे। राजदरबार ने उस्ताद बड़े गुलाम अली खां, नज़ाकत अली और सलामत अली के दादा और पं. जसराज और पं. मणिराम के पिता जैसी प्रख्यात प्रतिभाओं को संरक्षण दिया।

स्वाभाविक था कि ललित कलाओं में रुचि रखनेवाले और एक सहज ही प्रभावित होनेवाले किशोर, मेरे पिता इनसे और गहराई से जुड़ें। जब उन्होंने महान् संगीतकारों को सुना तो संगीत सुनने की इच्छा और भी प्रबल हो गयी। परिणाम अवश्यम्भावी और पूर्व-निर्दिष्ट था—वे संगीत सीखने के लिए कटिबद्ध थे। पर जब उन्होंने अपना मन बना लिया और जब उनका संकल्प दृढ़ हो रहा था, उन्हें

मन–ही–मन पता था कि वे पिता के कोपभागी होंगे और उनका प्रयास आरम्भ होने से पहले ही विफल हो जाएगा। उन्होंने अपनी शिक्षा आरम्भ कर दी पर अपने नये गुरु को इसे तब तक गुप्त रखने को कहा जब तक स्वयं उन्हें विश्वास न हो जाये कि उन्होंने सही राह चुनी है। ऐसा उन्होंने पिता और अपने बीच टकराव और तनाव की स्थिति से बचने के लिए किया। उनके गुरु महान् तबला वादक सरदार हरनाम सिंह थे जिन्हें वह किशोर इसलिए जानता था क्योंकि वे अक्सर दरबार में तबलावादन करते थे।

मेरे पिता एक समर्पित शागिर्द थे जो अपनी संगीत की तालीम दादा जी को पता चलने से पहले शीघ्रातिशीघ्र पूरी कर लेना चाहते थे। मेरे पिता पकड़े जाने के भय से पूरे मनोयोग से संगीत सीखने लगे। उनके गुरु जी प्रति पाठ दस रुपये लेते थे जो उन दिनों एक शाही रकम होती थी। पर पिता जी ने कभी आपत्ति नहीं की। एक और मुसीबत यह थी कि गुरु जी बड़े अनुशासनप्रिय और तुनकमिजाज़ थे। इसके लिए वे इतने कुख्यात थे कि युवा शिष्य उनकी कक्षा से दूर ही रहते थे कि कहीं उनकी कोप–दृष्टि उन पर न पड़ जाये। अपनी सनक में वे विचित्र माँग रख देते थे।

एक बार उन्होंने मेरे आशंकित पिता को शराब की एक बोतल लाने को कहा। ब्राह्मण किशोर ने बिना किसी हिचकिचाहट के उनकी माँग पूरी कर दी। इस दब्बू प्रतिक्रिया पर सरदार हरनाम सिंह अपने इस विनीत शिष्य की ओर मुड़े और गरजे, "तुम एक प्रतिष्ठित परिवार से हो, तुम्हारे पिता का राज्य में इतना मान–सम्मान है, फिर क्यों तुम मेरी बदमिजाज़ी और अनुचित माँगों को सहन करते हो?"

आदर से सिर झुकाये मेरे पिता ने उत्तर दिया, "श्रीमान् जी आप मेरे गुरु हैं। आपकी आज्ञा का पालन करना और अपने अहम् का त्याग करना मेरा कर्तव्य है।" ऐसा था मेरे पिता का उत्साह और अपने गुरु के लिए इतना पवित्र सम्मान तथा किसी भी मूल्य पर संगीत सीखने की चाह। इस गहन और अविकल प्रेम के कारण यह स्वाभाविक था कि वे शीघ्र ही तबलावादन की कला में निपुण हो गये।

श्रेष्ठता की खोज में और गायन सीखने के लिए सन् 1920 के आसपास वे बनारस गये जो उस समय शिक्षा का केन्द्र था। यहाँ एक और महान् गायक पं. बड़े रामदास की छत्र–छाया में उन्होंने ध्रुपद, धमार, खयाल, ठुमरी, टप्पा, चैती आदि की बारीकियाँ केवल गुरु जी को सुनकर ही सीख लीं। उन दिनों की परम्परानुसार वे गुरु जी के साथ रहे जिन्होंने अपने किशोर शिष्य से न कभी पूछा और न छानबीन की कि वह इतनी दूर किसलिए आया है।

बनारस में छह-सात महीने के बाद मेरे पिता गुरु जी के साथ संगीत समारोहों में जाने लगे। गुरु जी ने कभी उन्हें अपनी आवाज़ परखने के लिए नहीं कहा; पर अचानक उनका भाग्य चमक उठा। एक बड़े कार्यक्रम से कुछ ही घंटे पहले पं. बड़े रामदास को पता लगा कि प्रतिभाशाली तबलावादक पं. कंठे महाराज अस्वस्थता के कारण नहीं आ पाएँगे। उनके स्थान पर एक अनुभवहीन तबलावादक आया। जब वह कठिन पंचम स्वरी (पन्द्रह ताल का लयात्मक चक्र) के साथ ताल न बिठा पाया तो महान् संगीतकार बेहद नाराज़ हुए। जैसे ही पंडित जी क्रोधित हुए और उनका मिजाज़ बिगड़ा, मेरे पिता ने धीरे से अपनी सेवाएँ प्रस्तुत कीं। गुस्से से तमतमाए बड़े राम जी गुर्राये, ''क्या तुम्हें तबला बजाना आता है?'' मेरे पिता ने अधीरता से कहा, ''हाँ''। इस तरह अचानक ही किशोर शिष्य को गुरु जी की संगत करने का अवसर मिल गया और वे बहुत प्रभावित हुए। उनकी प्रशंसा करते हुए पं. बड़े रामदास ने मेरे पिता जी को अगले ही दिन से संगीत सिखाना आरम्भ कर दिया और वे बड़े रामदास जी के सच्चे शागिर्द बन गये। अपने अध्यवसाय की सफलता के बाद मेरे पिता, जो अब पं. उमादत्त शर्मा कहलाने लगे थे, जम्मू लौट आया और शिष्यों को पढ़ाने और आमन्त्रण पर अपना संगीत प्रदर्शन करने लगे। वे जम्मू कश्मीर के पहले ऐसे संगीतकार थे जिनका प्रसारण लाहौर रेडियो से नियमित रूप से होने लगा। उन दिनों ऑल इंडिया रेडियो पर आमन्त्रित किया जाना गौरव की बात थी क्योंकि केवल मूर्धन्य संगीतकार ही आमन्त्रित किये जाते थे। घर पर परिस्थितियाँ वैसी ही बनी रहीं। युगों से चली आ रही रीति के अनुसार और मेरे दादा जी की आज्ञानुसार पिता जी को साधना और रियाज़ के लिए अलग समय रखना पड़ता था। मेरे पिता ने उनकी मृत्यु के बाद भी उनकी इच्छा का पालन किया।

ऐसा कहा जाता है कि मेरे दादा जी इतने आध्यात्मिक थे कि उन्होंने अपनी मृत्यु की भविष्यवाणी भी कर दी थी। यह किस्सा कुछ इस तरह है—जब राज पुरोहित ने अपने युवा बेटे उमादत्त का विवाह निश्चित कर दिया तो वे शीघ्र ही सारे प्रबन्ध कर लेना चाहते थे। जब भावी बहू के परिवार में अचानक एक मृत्यु हो गयी तो उसके परिवार वाले विवाह को स्थगित करना चाहते थे। पर मेरे दादा जी ने दुराग्रहपूर्वक घोषित कर दिया कि विवाह एक महीने के भीतर हो जाना चाहिए, इससे एक भी दिन ऊपर नहीं। जब चिन्तित सम्बन्धियों और मित्रों ने पूछा कि वे इतनी ज़िद क्यों कर रहे हैं तो उन्होंने शान्तिपूर्वक उन्हें बताया कि एक महीने के बाद वे जीवित नहीं होंगे। उनकी भविष्यवाणी ठीक उस दिन सही निकली।

मेरे पिता को दादा जी के बारे में एक और विचित्र कहानी बताने का शौक

था। दादा जी को मन्त्रों का विस्तृत ज्ञान था और वे आध्यात्मिक साधना का अभ्यास करते थे। अपनी असमय मृत्यु से पहले वे अपने बेटे को यह ज्ञान देने की प्रक्रिया में थे। पर जब उनका निधन हुआ तो वे आधे मन्त्र तक ही पहुँच पाये थे। अबोध्य रूप से उसके बाद हर रात दादा जी पिता जी के सपनों में आते और मूल पाठ को पुस्तक समाप्त होने तक एक-एक अध्याय करके पढ़ाते। उसके बाद दादा जी पिता जी के सपनों में कभी नहीं आये। मुझे आध्यात्मिक शक्तियों में विश्वास है और मुझे यकीन है कि मेरे पिता एक उदात्त आत्मा थे जिन्होंने अपने पिता से रहस्यमय गुण उत्तराधिकार में पाये थे।

दादा जी के स्वर्गवास के बाद मेरे पिता को राजपुरोहित के पद का प्रस्ताव आया था पर संगीत उनका सच्चा प्यार था। वे एक ओर ज्योतिष, आयुर्वेद और आध्यात्मिक पुस्तकों की ओर आकर्षित थे तो दूसरी ओर उन्हें कुश्ती-घुड़सवारी, तैराकी और शारीरिक व्यायाम का भी शौक था। पढ़ने-लिखने में उनकी रुचि के साथ-साथ वे एक साधक योगी भी थे। घर में सुन्दर पत्नी के रूप में सुख शान्ति थी। वे चूल्हे चौके का ध्यान रखती थीं और अनगिनत शिष्यों और मित्रों के लिए खाना भी बनाती थीं। गुरु शिष्य परम्परानुसार शिष्य घर पर ही रहकर संगीत सीखते और वैदिक ग्रन्थों का अध्ययन करते थे। मुझे याद है कि घर युवा विद्यार्थियों से भरा रहता था। कुछ तो इतने निर्धन थे कि उनके आवास और खान-पान के अतिरिक्त सर्दियों में पिता जी अपना ओवरकोट और गर्म कपड़े भी उन्हें दे देते थे।

वास्तव में जो बात मुझे अच्छी तरह याद है—वह है उनका जम्मू से लगाव। कोई भी प्रलोभन उन्हें अपने प्रिय शहर से अधिक दिनों तक दूर नहीं रख सका—लाहौर के फिल्म संगीतकारों के गायन और अभिनय करने के लाभप्रद प्रस्ताव भी नहीं।

एक स्मृति जो मेरे मस्तिष्क में अभी तक अंकित है, वह है पिता जी का एक समारोह में प्रदर्शन के लिए लाहौर जाना। मैं शायद छः या सात वर्ष का रहा हूँगा जब मैंने स्टेशन तक उनके साथ जाने का निर्णय लिया। मुझे अच्छी तरह याद है कि मैं पिता जी के साथ ताँगे में बैठने के लिए इतना अधीर था कि मैंने जूते पहनने की चिन्ता भी नहीं थी। जैसे ही गाड़ी स्टेशन पर आयी, मैंने पिता जी से लाहौर जाने की याचना की। कोई डाँट या तर्क मुझे विचलित नहीं कर सका। पिताजी के साथ जा रहे एक स्वामी जी में मुझे एक अप्रत्याशित मित्र मिल गया जिन्होंने उन्हें विश्वस्त कर दिया कि मेरे जाने से कोई बड़ी समस्या नहीं आयेगी और मेरा साथ जाना ठीक ही है। इस तरह मैं लाहौर पहुँच गया-हर्ष और प्रसन्नता से भरा पर नंगे पाँव... यह मेरे जम्मू से बाहर किसी भी शहर

में पहली यात्रा थी। वह यात्रा रोमांचकारी थी—गाड़ी की सवारी, रंगों से सराबोर लाहौर की गलियाँ और अनारकली बाज़ार की स्वादिष्ट सुगन्ध। पर मेरी खुशी के पलों में अचानक व्यवधान आ गया जब पिता जी उसी रात अचानक बीमार पड़ गये। वह एक गर्म दिन था और हमने सारा दिन अपने लिए नये कपड़े और जूते खरीदने में बिताया था। तापाघात ने उन्हें बुखार से जकड़ लिया। अनाश्वस्त मुझे अपने भय और एक अकेले छोटे बच्चे की सीमाएँ याद हैं। मैं चौकस रहा और पिता जी की प्यास बुझाने के लिए उन्हें पानी के घूँट पिलाता रहा। अन्ततः सुबह हुई और पिता जी इतने स्वस्थ हो गये कि समारोह में अपना संगीत प्रदर्शन कर सके। मेरे छोटे हाथ को अपनी बड़ी हथेली में लेकर उन्होंने हौले से कहा, "तुम्हारा साथ में आना पहले से ही नियत था ताकि तुम बीमारी में मेरी सेवा कर सको। इसीलिए स्वामी जी ने आग्रह किया था।"

मेरे पिता ने बचपन ही नहीं युवा जीवन में भी मुझ पर प्रगाढ़ प्रभाव छोड़ा। दिशा निर्देशन, अध्ययन और सहायता में वे सदा मेरा सम्बल बने रहे। पिताजी ने सबसे पहले मुझमें संगीतप्रेम पहचाना। मैं मुश्किल से खड़ा हो पाता था जब उनके रियाज़ को बड़े मनोयोग से सुनकर उनके स्वर से स्वर मिलाने का प्रयास करता था। बचपन की स्मृतियों में एक सूत्र की तरह जो बिम्ब बार-बार उभरता है वह है—लम्बे, भव्य और राजसी पिता जो सदा मेरे साथ रहे—सहृदय और सहनशील। पिता जी और उनसे पहले दादा जी बहुत धार्मिक और धर्मपरायण व्यक्ति थे और शिवभक्त भी (उन दिनों जम्मू कश्मीर में आम तौर पर शैव मार्ग प्रचलित था)। अपनी पहली सन्तान, एक बेटी के जन्म के बाद नौ ऊसर वर्षों तक मेरे माता-पिता के और कोई सन्तान नहीं हुई। मेरे जन्म से पहले एक कट्टर शिवभक्त पिता जी ने बहुत कठिन उपवास रखे और शिवजी की नियमित पूजा की। जन्म के समय मेरा नाम शिवचन्द्र रखा गया था जो बाद में बदलकर शिव कुमार कर दिया गया।

जब मैं लगभग पाँच वर्ष का था पिताजी ने मुझे शास्त्रीय गायन में दीक्षा देना आरम्भ किया। मुझमें एक संगीतकार बनने की क्षमता देखकर वे बेहद गर्वित हुए और मुझे तो जैसे पंख लग गये। मेरी रगों में प्रसन्नता की लहर-सी दौड़ जाती जब मैं गायन करता या तबला बजाता। पिता जी दोनों में पारंगत थे और उन्होंने मुझे गायन और तबलावादन साथ-साथ सिखाये। संगीत की स्वर लहरी सदा बजती रहती क्योंकि घर में सुबह से शाम तक कोई-न-कोई गाता या वाद्ययन्त्र बजाता रहता।

वास्तव में एक समय तो दो बेसुरे गायकों के बीच कर्णभेदी-प्रतिस्पर्धा उत्पन्न हुई जो निरन्तर पिता जी को अपने गायन की श्रेष्ठता दिखाने घर आते

रहते। एक नवयुवक ने शेखी बघारी कि वह तानसेन की तरह गा सकता है तो दूसरे ने अपनी तुलना बैजू बावरा से कर डाली। दोनों एक जैसे निकृष्ट थे और हमें उनके भौंकने से हुई शोरगुल में वृद्धि के कारण आवारा कुत्तों को भगाना पड़ा था।

उस आयु में मुझे अपनी मनमानी करने के लिए छोड़ दिया गया क्योंकि मुझसे नौ साल बड़ी बहन का विवाह पन्द्रह वर्ष की आयु में हो गया था। मैंने अपना समय सितार, सरोद, वायलिन या हारमोनियम आदि वाद्ययन्त्रों से प्रयोग करते हुए बिताया। आश्चर्य है कि मैं बहुत शीघ्र सीख जाता था। उस बड़े घर के किसी भी कोने में मैं वायलिन या सरोद बजाता, गाता या तबले पर अभ्यास करता रहता। मेरे पिता को मुझे कभी भी रियाज़ के लिए कहना नहीं पड़ा। मैं तो पहले से ही संगीत को समर्पित एक भक्त था और इन मोहक वाद्ययन्त्रों की ध्वनियों में पूरी तरह से खोया रहता था। कभी-कभी मैं स्कूल के बाद खेलने भी जाता था पर मेरा मन सदा कहीं और रहता और अपनी वास्तविक रुचियों में समय बिताने के लिए शीघ्र ही घर लौट आता। मैं इतना समर्पित था और अपनी धुन में इतना खोया हुआ कि कई बार मुझे समय का ध्यान ही नहीं रहता। मैं अपने कमरे में बन्द कई-कई घंटे अपने संगीत में डूबा रहता और अपनी ही दुनिया में खोया रहता। मेरी माता जी दरवाज़े को खटखटाती और मुझे डाँटती हुई वाद्ययन्त्र बजाना बन्द कर सबके साथ भोजन करने को बुलातीं। मैं अपने संगीत कक्ष में जल्दी लौटने के लिए अनमना-सा उनकी आज्ञा मानकर जल्दी-जल्दी भोजन समाप्त करता।

मैं जब आठ-नौ वर्ष का था, मैंने विभिन्न प्रकार का संगीत रेडियो, ग्रामोफोन रिकार्डों और उस्ताद अमीर खान, पं. दिलीप चतुर्वेदी और उस्ताद अब्दुल अज़ीज़ खान बीनकार जैसे महान् संगीतकारों को पिता जी द्वारा आयोजित समारोहों में सुनना आरम्भ कर दिया। उन दिनों महान् संगीतकार रेडियो पर भी गाते-बजाते थे। जब भी मुझे समय मिलता, मैं उस्ताद बड़े गुलाम अली खान, उस्ताद करीम खान, उस्ताद फैज़ खान, उस्ताद रजब अली खान, पं. विष्णु दिगम्बर पलुस्कर, केसर बाई केरकर, सिद्धेश्वरी देवी, रोशनारा बेगम, पं. ओंकारनाथ ठाकुर, रसूलन बाई का गायन सुनता, उस्ताद अलाउद्दीन खान, उस्ताद हाफिज अली खान और पं. राधा मोहन मोएत्रा को सरोद पर, पं. कंठे महाराज को तबले पर उस्ताद विलायत खान, पं. रविशंकर, उस्ताद इनायत खान, उस्ताद मुश्ताक अली खान को सितार पर, उस्ताद बिस्मिल्लाह खान को शहनाई पर, पं. पन्नालाल घोष जी को बाँसुरी पर और गोपाल मोहन जी को सारंगी पर सुनता। मैं इन महान् कलाकारों को सुनने का अवसर ढूँढ़ता और उन दिनों ऑल इंडिया रेडियो अकसर इनका संगीत

सुनाता। मैं रेडियो से चिपका हुआ इन कलाकारों के निर्मल स्वरों को आत्मसात् करता। सौभाग्यवश हमारे पास एक रिकार्ड प्लेयर भी था और मैंने कई सुखद पल पिता जी के बड़े संग्रह से इनको सुनते हुए बिताये। अपने विशेष पसन्दीदा उस्ताद बड़े गुलाम अली खान की जादुई आवाज़ में केदार और जैजैवन्ती सुनना मुझे अभी तक याद है। मैं उनकी तानों की जटिलता और उनके सहज गायन से इतना सम्मोहित हुआ कि उसी रिकार्ड को बार-बार बजाता रहता।

भारतीय शास्त्रीय संगीत में इतनी गहरी रुचि के साथ-साथ मैं लोक और फिल्म संगीत से भी परिचित था। यद्यपि मैं इन गीतों के शब्दों और रोमांस की बारीकियों को समझने के लिए बहुत छोटा था पर इनकी धुनें मेरे मन में एक अबूझ लालसा जगा देती थीं। मैं भावुक हो जाता था और मेरी आँखों में आँसू आ जाते थे। मुझे याद है, नवम्बर या दिसम्बर की शान्त और शीत के तुषार से पगी रातों में जब घर में अँधेरा होता और सभी सो रहे होते तो मैं धीरे से खुली छत पर चला जाता। शायद बंजारों के गीत या लाउडस्पीकर पर फिल्मी संगीत बहकर शहर भर में फैल रहा होता और मैं चाँदनी में नहाया रात के जादू से मन्त्रमुग्ध एक कोने में दुबककर बैठा रहता।

वे पल अब भी मेरे आसपास हैं—मखमली अन्धेरे में जगमगाते तारे, शहर में बलखाती तवी नदी का दृश्य, दूर बर्फ से ढँके पहाड़ों पर वैष्णो देवी, हिमाचल प्रदेश की सुरम्य चोटियाँ, चीड़ के पेड़ों की गन्ध से पगी बयार और आग के इर्द-गिर्द बंजारा गायकों के गीत खामोशी में मेरे पास चले आते। मैं इन पलों को कभी नहीं भूलूँगा, ये समय का ऐसा भाग हैं जो मेरे अवचेतन की परिधि में बसा है। ऐसी स्मृतियाँ एकान्त के विरल क्षणों में मुझे सहारा देती हैं।

अन्य धुनें जो मुझे अच्छी तरह याद हैं—वे हैं घर का काम करते हुए या कामकाज निपटाने के बाद मेरी माँ गाया करती थीं। डोगरा शादी के गीत सुनने में बहुल कर्णप्रिय थे और मैं सब कुछ छोड़कर उन्हें सुनने लगता क्योंकि माँ की आवाज़ अद्भुत थी। बहुत वर्षों बाद ये धुनें मुझे याद आयीं, जब मैंने हरि जी के साथ मिलकर हिन्दी फिल्मों में संगीत दिया। इनमें से एक का प्रयोग मैंने फिल्म 'चाँदनी' के विवाह गीत के लिए किया। मैं पाश्चात्य शास्त्रीय संगीत का भी दीवाना था और हर रात 9.30 बजे ऑल इंडिया रेडियो के दिल्ली बी पर सुनता था। मैं महान् संगीतकारों बैख, बीथोवन और मोत्सार्ट की सिंफनियों पर भी मोहित था।

इतने प्रकार के संगीत से प्रभावित होने के बावजूद कोई भी सन्तूरवादक नहीं था जिससे मैं सन्तूर सीख सकता। यदि मैं सन्तूर सुनना चाहता तो केवल कश्मीरी सूफियों अब्दुल्ला तिब्बत वक्काल और मुहम्मद कलीमवाफ को ही सुन

पाता जो उस प्रकार का संगीत नहीं बजा रहे थे जो अन्ततः मैंने बजाया। वास्तव में उनकी शैली में परिवर्तन करने का दायित्व मुझ पर आ गया। इसलिए मैं एक असाधारण स्थिति में था।

हम जम्मू के एक बढ़िया भाग दरबारगढ़ रोड पर रहते थे। हमारे पड़ोसी मन्त्री या महाराजा के सम्बन्धी थे। मेरा स्कूल, हरि सिंह हाई स्कूल घर से पन्द्रह मिनट की दूरी पर था जो एक पहाड़ी पर भव्यता से स्थित था जहाँ से तवी नदी और दूर वैष्णो देवी के पहाड़ी पूजास्थल का बढ़िया दृश्य दिखायी देता था। क्योंकि मेरी सारी शक्ति संगीत में ही लग जाती थी मैं एक योग्य छात्र नहीं था। अधिकतर विषयों में मैं जैसे तैसे पास हो जाता था पर गणित मेरी सबसे बड़ी कमज़ोरी था। मैं इस विषय को हृदय से घृणा करता था और गणित के सख्त अध्यापक के क्रोध से डरता था जिसने मुझे पढ़ाई में बुरे प्रदर्शन के लिए सारी कक्षा के सामने डाँट दिया था।

मैं अब उनसे समानुभूति रखता हूँ क्योंकि सौ में से दो अंक या फिर इससे भी बुरा शून्य अक्षम्य थे। मैं इस सज्जन से दूर रहने के लिए किसी भी सीमा तक चला जाता था और उनके प्रति मेरा भय स्कूल समाप्त कर लेने के बहुत बाद तक बना रहा।

आप मुझे लगे झटके की कल्पना कर सकते हैं जब कई वर्षों बाद मैं दिल्ली में हो रहे युवा महोत्सव में अपने विश्वविद्यालय का प्रतिनिधित्व कर रहा था। मैं अचानक उसी अध्यापक के सामने पड़ गया। एक पल में स्कूल की सज़ा और बेंतों का प्रहार मेरी स्मृति में कौंध गया। जब मैंने उन्हें देखा तो मैं दूसरी दिशा में जा रहा था। पर मैं चकित रह गया जब वे मेरे पास आए और मुझसे कहा—''इतनी कठोर सज़ा देने के लिए मुझे क्षमा कर दो। यदि मुझे तुम्हारी दूसरी योग्यता का पता होता तो मैं गणित में और अच्छे अंक लाने के लिए इतनी ज़िद न करता। ज़ाहिर है कि तुम्हारी प्रतिभा कहीं और है और मेरी शुभकामनाएँ तुम्हारे साथ हैं।''

मैं अकेला और अन्तर्मुखी था और एक ऐसे घर में पल बढ़ रहा था जिसमें कोई और बच्चा नहीं था। मेरी बहन के विवाह के पहले भी हमारी आयु के अन्तर ने हमें कभी घनिष्ठ भाई-बहन नहीं बनने दिया। स्कूल और संगीत में मेरा अधिकांश समय बीता और इन दोनों के बीच छोले पूरी बेचनेवाला ही मेरा एकमात्र आकर्षण था। अकसर मैं मसालेदार चटनी और छोले पूरी का लंच करता। मुझे खेल में अधिक आनन्द नहीं आता था, विशेष रूप से ऐसे भागदौड़ वाले खेल जो अन्य लड़कों को पसन्द थे। जम्मू तब किसी और युग का भाग था। राजपरिवार को बहुत आदर-सम्मान से देखा जाता था और राजभवन मेरे बाल-

मन को सबसे भव्य प्रासाद लगता था। कोई भी राजमहल के आसपास के भाग को नंगे सिर पार नहीं कर सकता था क्योंकि यह अनादरपूर्ण समझा जाता था। छोटे बच्चे भी अपने अपने सिर कमीजों या छोटे शालों से ढँक लेते थे। मेरा अधिकांश समय अपने बरामदे में चहलकदमी करते बीतता जहाँ से मैं आस-पास के संसार को देखता—प्रातः होते ही गलियों का धुलना, महारानी की गायों का नदी के तट पर घास चरने जाना और सुन्दर वस्त्रों से सुसज्जित नागरिकों का बाज़ार की ओर जाना।

इस तरह से मेरे आरम्भिक दिन अपनी पढ़ाई, अपने संगीत पाठ और विभिन्न प्रकार के संगीत से परिचय में बीतते। उस समय भी संगीत के प्रति मेरा लगाव एक धुन की तरह सवार रहता। संगीत ही मेरा प्राण वायु और जीवन था। सौभाग्यवश मेरे पिता ने मेरे इस जुनून को बढ़ावा दिया। मैं अपने लक्ष्य के प्रति और अपनी रुचि में मग्न रहने के लिए स्वतन्त्र था। रियाज़ इतना सख्त था कि मुझे वही तान और तिहाई कई-कई बार बजाने पड़ते। कई बार चार-पाँच घंटों के बाद मैं थोड़े अवकाश के लिए व्याकुल हो उठता।

विश्व की खोज

जब मैं बारह वर्ष का था, संयोगवश मैंने पहली बार जम्मू-कश्मीर का सूफियाना संगीत सुना, जिसके साथ एक वाद्ययन्त्र बज रहा था जिसे वे सन्तूर कहते थे। मैं इससे अधिक आकर्षित नहीं हुआ और न ही इसने मुझे अधिक प्रभावित किया। जैसे ही मैंने इसे सुना, इसे अपने ख्यालों से निकाल दिया; इस बात की कल्पना किये बिना कि मेरे जीवन में इसकी क्या भूमिका निर्दिष्ट थी। मैं गाता और तबला बजाता रहा।

जब मेरे पिता रेडियो जम्मू के उच्च पद पर आसीन थे, हमारे मुख्यमन्त्री बख्शी गुलाम मुहम्मद, जो शिष्ट और परिष्कृत व्यक्ति थे और संगीतानुभावी थे तथा मेरे पिता को अत्यधिक पसन्द करते थे, ने उनका स्थानान्तरण थोड़े समय के लिए रेडियो श्रीनगर में कर दिया। उन्होंने पिता जी की नियुक्ति इसलिए की ताकि वहाँ के संगीतकार पिता जी के संगीत ज्ञान और अनुभव से सीख सकें। वहाँ कश्मीर में मेरे पिता ने पहली बार सन्तूर सुना और वे उसकी ध्वनियों पर पूर्णतः मुग्ध हो गये। मेरी जानकारी के बिना उन्होंने एक वाद्ययन्त्र खरीदा और प्रयोग करने लगे कि उस पर शास्त्रीय संगीत बजाया जा सकता है। जब मैं चौदह वर्ष का था, एक दिन अचानक वे घर लौटे और मुझे विचित्र आकार का मलमल में लिपटा एक बक्सा दिया। डरते-डरते उसे मैंने खोला तो उसमें एक सन्तूर पाया। मैं आश्चर्यचकित रह गया। मुझे एक झटका और लगा जब उन्होंने मुझे दृढ़ता से कहा—"आज से यह तुम्हारा वाद्ययन्त्र होगा।"

मैं पूरी ईमानदारी से स्वीकार करता हूँ मैं कोई अधिक उत्साहित नहीं हुआ। मैं इस बात से निराश था कि मुझे अपने पहले के सभी प्रयास एक ऐसे नये अनजान यन्त्र के लिए छोड़ने पड़ेंगे जिसने मुझे उत्तेजित भी नहीं किया था। पर मेरे पिता का निश्चय दृढ़ था। उन्होंने सन्तूर में बड़ी सम्भावनाएँ देखीं और बहुत गम्भीरता से कहा, "बेटा मेरे शब्द याद रखना, शिवकुमार शर्मा और सन्तूर आनेवाले वर्षों

में एक-दूसरे के पर्याय हो जाएँगे। शून्य से आरम्भ करने का साहस रखो, तुम एक अन्वेषक के रूप में जाने जाओगे।''

उनका विश्वास ऐसा था कि मैं मान गया। अन्य वाद्ययन्त्रों के अनुभव के कारण मैंने शीघ्र ही सन्तूर बजाने का कौशल सीख लिया। पर मुझे इस यन्त्र की ध्वनि से अधिक आनन्द नहीं मिला। यह अब तक सूफियाना संगीत के साथ ही बजाया जाता था। मैंने बहुत लगन से रियाज़ आरम्भ कर दिया। इस नये यन्त्र में एक चुनौती थी। क्या मैं इसे उन ऊँचाइयों तक ले जा पाऊँगा जिनकी पिता जी ने भविष्य में कल्पना की थी। एक ओर मैं सन्तूर में निपुणता प्राप्त करने का प्रयास कर रहा था और दूसरी ओर मैं जम्मू-कश्मीर में उच्चकोटि के तबला वादक के रूप में अपनी पहचान बना रहा था। मैं रविशंकर जी, राधिका मोहन मोइत्रा, सिद्धेश्वरी देवी और बेगम अख़्तर की संगत कर रहा था जो विशेष रूप से मुझे बुलाते थे और मेरी पहचान बन रही थी। यह एक कठिन स्थिति थी। सन्तूर के अभ्यास के लिए समय निकालने के लिए मुझे तबला बजाने के निमन्त्रण ठुकराने पड़े। मैं और कर ही क्या सकता था? अपने पिता के निर्णय को चुनौती देने का कभी सोचा ही नहीं। कुछ मामलों में वे सख्त थे और घोर अनुशासनप्रिय। मुझमें उनका विरोध करने का साहस नहीं था। वे मेरे गुरु भी थे और मैंने बहुत छोटी आयु में सीख लिया था कि गुरु के आगे समर्पण करना पड़ता है। मेरी माता जी ने इस स्थिति को पहचान लिया था और उन्हें मुझसे सहानुभूति थी पर हम दोनों पिताजी से भयभीत थे उनके गुस्से से डरते थे। हम अपने आपको इस बात से दिलासा देते कि वे जो भी फैसला लेते हैं, वही शायद उत्तम होता है। यदि उन्हें इस बात पर दृढ़ विश्वास था कि सन्तूर ही मेरी सफलता की कुंजी है, तो यही सही है।

मैंने धीरे-धीरे सन्तूर पर ध्वन्यात्मक विशेषताएँ निकालनी आरम्भ कर दीं। धीरे-धीरे मेरी प्राथमिकताएँ सन्तूर की ओर मुड़ गयीं, जैसा पिता जी की इच्छा थी। सत्रह वर्ष की आयु में मैं रेडियो जम्मू के लिए तबला और सन्तूर दोनों बजा रहा था। तकनीक पर निपुणता प्राप्त करने के बाद मैंने जाना कि सन्तूर में लय और धुन दोनों का पूर्ण सन्तुलन था। सन्तूर एक संगीतात्मक वाद्ययन्त्र है जिसको कलम से बजाया जाता है। इतने वर्षों में मैंने सन्तूर में परिवर्तन कर इसे भारतीय शास्त्रीय संगीत की आवश्यकताओं को ध्यान में रखते हुए इसकी ध्वन्यात्मक विशेषता को बढ़ाया है। हालाँकि सन्तूर का उद्गम स्रोत कश्मीर है, मैं जम्मू का डोगरा हूँ और मेरी शैली दोनों राज्यों के संगीत के अंशों को समाहित करती है। मेरा पहाड़ी, कश्मीर घाटी से नहीं डोगरा लोक संगीत से प्रभावित है जिसे मैंने बचपन से गाँववालों, लोक संगीतकारों और अपनी माँ के मुँह से सुना है।

मुझे अकसर लोग कश्मीरी समझ लेते हैं—शायद इसलिए कि मैं यह भाषा धाराप्रवाह बोल लेता हूँ और सन्तूर बजाता हूँ जो एक पारम्परिक कश्मीरी वाद्ययन्त्र है। क्योंकि बचपन में मैं अपनी सारी गर्मियाँ कश्मीर में बिताता था, मैं उस राज्य से पूरी तरह परिचित हूँ। मुझे क्षोभ है कि अब मैं वहाँ इतना नहीं जा पाता, जितना पहले जाया करता था। मैंने अपने कश्मीरी मित्रों से न केवल कश्मीरी संस्कृति, संगीत और साहित्य सीखा है, अपितु वहाँ के सामिष भोजन के ज़ायकेदार खाने, विशेष रूप से वाज़वान के बारे में भी जाना है। मेरे माता-पिता सख्त डोगरा शाकाहारी ब्राह्मण थे, पर उन्होंने मुझे कभी रोका नहीं और मुझे कभी उनसे छुपाने की आवश्यकता नहीं पड़ी। मेरी पढ़ने की आदतें भी ग्रहणशील थीं। मैंने भारतीय दर्शन और वेदान्त सीखा है और आज भी उर्दू बड़ी आसानी से पढ़ सकता हूँ।

चूँकि मैं संगीत को समर्पित था, कॉलेज में मैंने पढ़ाई की ओर अधिक ध्यान नहीं दिया। मेरा सबसे अधिक खुशी का पल वह था, जब मैंने जाना कि गणित अनिवार्य नहीं है। मैंने इतिहास, अर्थशास्त्र, अँग्रेजी और संस्कृत को चुना। मुझे लगा कि संस्कृत पढ़ना आवश्यक था क्योंकि इससे मुझे संगीत पर प्राचीन ग्रन्थ और मूल-पाठ पढ़ने में सहायता मिलेगी। मेरा तर्क था कि पिताजी मेरे पास होने और स्नातक हो जाने पर ही सन्तुष्ट हो जाएँगे। मेरी ऊर्जा अभ्यास, संगीत रचना करने और छोटी सभाओं में बजाने में लग गयी।

गाँधी मेमोरियल कॉलेज, जम्मू के प्राध्यापकों को अधिक चिन्ता नहीं थी क्योंकि वे युवा महोत्सवों में मेरे जीते हुए पुरस्कारों पर गर्व करते थे। मेरे कॉलेज जीवन का एक दिलचस्प भाग था—एक मित्र मंडली जो मेरे इर्द-गिर्द इकट्ठा हुई। कुछ लड़के संगीत सुनने मेरे घर पर आते और मेरे प्रयासों की बड़े उत्साह से प्रशंसा करते थे—"ओह आप बहुत अच्छा बजाते हैं—वाह वाह!" मैं इस आदर से बहुत प्रसन्न और गर्व का अनुभव करता था। इतना आदर और श्रद्धा बहुत अच्छे लगते थे। और फिर मैं तो एक संगीतकार था। ये लड़के जो दूसरों को तंग करते और निर्बलों को प्रभावित करने के लिए बल का प्रदर्शन करते, मुझे अपना गुरु मानते। वे मेरे सामने सिगरेट भी न पीते। कॉलेज ने मुझे पहली बार लड़कियों से मिलने जुलने का अवसर प्रदान किया जो उस समय के रूढ़िवादी समाज में अन्यथा नहीं होता था। अन्तर्राज्यीय युवा महोत्सव में मिले स्वर्ण पदक के कारण 1956 में मैं लड़कियों और लड़कों दोनों में जाना जाने लगा। उन्होंने मेरे सम्मान में एक बड़ा आयोजन कर दिया। मुझसे पहले कॉलेज में कोई शास्त्रीय संगीतकार नहीं था और मेरी तबले पर निपुणता के कारण मेरे सहपाठियों को लगा कि अन्य कॉलेजों के सामने हमारा कॉलेज थोड़ा आगे था।

अन्तर्राज्यीय युवा समारोह के बाद जम्मू कश्मीर के शिक्षामन्त्री गुलाम

मुहम्मद सादिक ने राज्य के प्रतिनिधि के रूप में मेरी उपलब्धि की सराहना की। उन्होंने मुझे एक ओर ले जाकर पूछा कि क्या वे किसी रूप में मेरी सहायता कर सकते हैं। मैंने तुरन्त उन्हें एक संगीत-क्लब चलाने के लिए 10,000 रुपये देने को कहा। हमारी प्रसन्नता का ठिकाना न रहा जब उन्होंने इस राशि की स्वीकृति दे दी। हमें अपने प्रिंसिपल से कॉलेज का एक कमरा इस काम के लिए उपयोग में लाने की स्वीकृति मिल गयी। उन्होंने सितार, तबला और हारमोनियम आदि भी दिलवा दिये। उसके बाद मैं कॉलेज से भगोड़ा बने बिना, जी भरकर अभ्यास कर सका।

गर्मी की छुट्टियों का अर्थ था, और अधिक अभ्यास क्योंकि उनमें मैं अपनी बहन के पास श्रीनगर चला जाता था। वहाँ बगीचे में मैं हरियाली के बीच घंटों बैठकर सन्तूर बजा सकता था और गीतों को लिपिबद्ध कर सकता था। मैंने रेडियो श्रीनगर से प्रसारण भी किये और धीरे-धीरे कुछ नियमित श्रोता भी आकर्षित हो गये।

आज पीछे मुड़कर देखने पर लगता है कि वे प्रियकर वर्ष थे—कॉलेज और पढ़ाई से दूर—गुलमर्ग, पहलगाम और श्रीनगर में बितायी वे लम्बी, सुस्त गर्मियाँ जब मैं अपने आप में खोया संगीत में व्यस्त रहता था। पहाड़, पेड़, खुला आकाश, फूल और पक्षियों ने ऐसा सुन्दर नन्दन कानन बनाया कि मैं पुस्तकों और पढ़ाई की ओर लौटना ही नहीं चाहता था। मेरा सारा अस्तित्व अपनी कला द्वारा प्रकृति की समरसता को आत्मसात् करने और परमशक्ति तक पहुँचने में लगा हुआ था।

1947 के विभाजन के बाद दंगे हो गये। तब मैं केवल नौ वर्ष का था। सन्देह, रोष और घृणा मेरे चारों ओर फैल गये और विभाजन के बारे में मेरी जानकारी ने मेरे समय को धुँधला कर दिया। तनाव और साम्प्रदायिक जातिभेद ने अपना सिर उठा लिया और मुझे शहर के उन असुरक्षित हिस्सों में बसे मित्रों से मिलने को मना कर दिया गया। मेरे पिता ने मुस्लिम विद्यार्थियों और पेशेवर संगीतकारों को पढ़ाना, खाना-पिलाना और घर पर बुलाना जारी रखा। पर घर के बाहर का शान्त वातावरण टुकड़े-टुकड़े होकर बिखर रहा था और आशाएँ नष्ट हो रही थीं। दंगों ने शहर को हिलाकर रख दिया और भूखी लपटों ने घरों और पास-पड़ोस को निगल लिया। विभाजन के दुःस्वप्न ने हमें शहर के जाने पहचाने चिह्नों से भी काटकर रख दिया। जब कर्फ्यू की घोषणा होती तो मार्शल लॉ के अधीन हमें अपनी सलामती के लिए घरों के अन्दर रहने का आदेश था।

हमने इतनी भयानक और खूनी मुठभेड़ें देखीं कि मुझे लगा जैसे सारी दुनिया अचानक बुरी तरह से पागल हो गयी है। रेलगाड़ियों में यात्रियों की जगह लाशें थीं और आकाश गोलियों की आवाज़ और घायलों की चीख-पुकार से भर गया

था। खामोशी भी संकटपूर्ण थी क्योंकि किसी को पता नहीं था कि अँधेरे और विवेक शून्य चुप्पी का परिणाम क्या होगा। घर पर हमारा खाना सादा और निम्नस्तर का हो गया क्योंकि पिता जी अपनी थोड़ी-सी रसद को अपने विद्यार्थियों के साथ बाँटते रहे। उन्होंने एक मुस्लिम लड़के को शरण भी दी जो दंगाइयों से बच निकला था। हमने उसे कई दिनों तक छुपाए रखा और अन्त में उसे पाकिस्तान भेजने में सफल हो गये।

हमारे घर के सामने के पत्थर पर लिखा था -'सियालकोट-26 मील।' पर वह सियालकोट जहाँ हम अकसर जाते थे और जहाँ से मेरी बहन ने अपने विवाह के लिए दुल्हन का जोड़ा और अन्य साज़ो-सामान खरीदा था, अब पाकिस्तान में था।

घर पर एक त्रासदी तब घटी जब कबाइलियों ने कश्मीर पर आक्रमण कर दिया और मेरी बहन और बहनोई वहाँ फँस गये। सौभाग्यवश वे वहाँ से कुछ निजी सामान के साथ भाग निकलने में सफल हो गये। पर अब सुरक्षा की सारी भावना समाप्त हो गयी और हमें भयभीत छोड़ गयी। अन्त में भारतीय सेना ने शान्ति स्थापित की और हमारा मानसिक सन्तुलन लौट आया। फिर महाराजा हरि सिंह चले गये और डोगरावंश का राज्य समाप्त हो गया। शेख अब्दुल्ला को जम्मू-कश्मीर का पहला प्रधानमन्त्री घोषित किया गया। अपने जीवन में हमने पहली बार संगीत की उपेक्षा की और अपने देश को साम्प्रदायिकता की आग में जलते हुए देखा। रातोंरात शरणार्थी शिविर और विशेष सुविधा प्राप्त हम लोगों ने शरणार्थियों के घावों पर मरहम लगाने के लिए जो कुछ भी बन पड़ा, किया। पड़ोस के घर, दुकानें और व्यापारी जिनसे हम लम्बे अर्से से सौदा खरीदते आये थे, गायब हो गये। उनके मालिक या तो बचकर भाग निकले या फिर बुरी तरह से मार डाले गये। लाहौर जहाँ मेरे पिता कई बार प्रदर्शन के लिए गये, अब हमारे लिए निषिद्ध क्षेत्र हो गया और उन्हें अपने जीवन भर के मित्रों से मिलना-जुलना छोड़ना पड़ा।

जैसे ही जीवन सामान्य हुआ, पिताजी को रेडियो श्रीनगर के समकक्ष काम कर रहे महत्त्वपूर्ण जम्मू रेडियो स्टेशन के संगीत विभाग के अध्यक्ष पद के लिए आमन्त्रित किया गया। मैं जम्मू स्टेशन के बच्चों के कार्यक्रम के लिए तबला बजाने लगा। स्कूल एक बार फिर से आरम्भ हो गया।

आयु क्रोध का जुनून भी कम कर देती है। आज जब मैं अपने देश को पाकिस्तान के साथ व्यर्थ की लड़ाइयों में उलझते देखता हूँ तो मेरे मन में दहकती क्रोध की ज्वाला पहले से शान्त पाता हूँ। मैं आशा और प्रार्थना करता हूँ कि यह विवेकहीनता एक दिन समाप्त हो जाएगी। दोनों देशों को अपने भीतर झाँककर देखना चाहिए और लाखों समस्याओं—गरीबी, बेरोज़गारी, एड्स का भय और अन्य

बीमारियों को दूर करना चाहिए। हम अपने संसाधनों को हथियारों पर कैसे खर्च कर सकते हैं जबकि लाखों लोग अभी भी भूखे हैं। हमें अपना धन बाढ़, अकाल, भूकम्प और अन्य प्राकृतिक आपदाओं से लड़ने में लगाना चाहिए। क्या हम कभी भी विवेक से काम ले पाएँगे? आज धर्म एक मुद्दा बन चुका है और हर राज्य कुछ बेईमान सत्तालोलुप लोगों द्वारा अपहृत कर लिया गया है जो अपनी मनमानी करने के लिए कुछ भी कर सकते हैं। हम संगीतकारों का संगीत ही धर्म है और हम किसी साम्प्रदायिक विभाजन को नहीं मानते।

अचानक ही फरवरी, 1955 में डॉ. कर्ण सिंह (जो मेरे पिता से गायन सीख रहे थे) के कहने पर मुझे हरिदास संगीत सम्मेलन में बजाने के लिए बम्बई आमन्त्रित किया गया। कर्ण सिंह के पिता महाराजा हरिसिंह उस महोत्सव के महत्त्वपूर्ण संरक्षक थे। शायद इसीलिए डॉ. कर्ण सिंह का सुझाव कार्यक्रम के संयोजक ब्रजनारायण ने तत्परता से मान लिया। मैं पहली बार बम्बई यात्रा पर निकल पड़ा।

सम्मेलन में बड़े गुलाम अली खाँ, उस्ताद अमीर खान, पं. ओंकारनाथ ठाकुर, पं. विनायक राव पटवर्धन, पं. पन्नालाल घोष, उस्ताद बिस्मिल्लाह खान, उस्ताद अलाउद्दीन खान, उस्ताद अली अकबर खान, पं. रविशंकर, उस्ताद विलायत खान (तबले पर उस्ताद अल्लाह रखा खान), उस्ताद हबीबुद्दीन खान, उस्ताद करमतुल्ला खान, पं. किशन महाराज, पं. अनोखेलाल और पं. सामता प्रसाद जैसी महान् विभूतियाँ भाग ले रही थीं। मैं इस विराट सम्मेलन का भाग होने की प्रतीक्षा कर रहा था। इतने महानुभावों के बीच होना कितना आह्लादकारी था। पर मैंने एक शर्त रखी—मैं तबला और सन्तूर दोनों बजाना चाहता था वैसे भी मैं सबसे छोटा कलाकार था। मेरे लिए ऐसी माँग रखना बड़े साहस का काम था। यह चाँद को छूने जैसा था।

संयोजक कुछ भी सुनने को तैयार नहीं थे। गम्भीर बहस के बाद उन्होंने मुझे चेतावनी दी—'यह शास्त्रीय संगीत के लिए सबसे बढ़िया मंच है। तुम सबसे युवा ही नहीं हो, तुम्हारा वाद्ययन्त्र भी सुधी श्रोताओं के लिए बिलकुल नया है। अपनी योग्यता दिखाओ और ढिठाई में अपना अवसर न गँवाओ।' पर मैं अपनी ज़िद पर अड़ा रहा और मेरे संकल्प और विश्वास के आगे उन्होंने अपना विचार बदल दिया। अन्त में उन्होंने अनमने से कहा—"तुम्हारे पास तीस मिनट हैं। जैसा चाहो करो—एक बजाओ या दोनों, तुम्हारी मर्ज़ी।"

अपनी बात मनवाने के बाद मुझे और दिक्कतें आयीं—मुझे एक सारंगीवादक की आवश्यकता थी जो तबले के साथ संगत कर सके और एक तबलावादक जो सन्तूर के साथ संगत कर सके। यह एक कठिन काम था चूँकि प्रत्येक संगतकार

पहले से ही बुक था। यह सही मायने में मेरे लिए भाग्यशाली दिन था—एक बुजुर्ग सारंगीवादक जो वहीं बैठा था थोड़ी झिझक के साथ मेरी संगत करने पर सहमत हो गया। अगली समस्या एक तबलावादक ढूँढ़ने की थी। किसी ने भी मेरी विनती नहीं सुनी; आखिर मैं था ही कौन? तभी ग्रीनरूम की गहमागहमी में एक सज्जन मेरे पास आये और कहा—"मैं राधू बाबू (राधिका मोहन मैत्रा) के साथ संगत करने वाला हूँ लेकिन मैं उसके बाद तुम्हारे साथ संगत करूँगा!" ये शंकर घोष थे, जो अपने आपमें एक माने हुए कलाकार थे। शायद उन्होंने मुझे दिल्ली के एक कॉलेज समारोह में बजाते हुए सुना था।

इस तरह मंच तैयार हो गया और जैसे ही सुन्दर मखमली पर्दा उठा, कुछ लोगों को विचित्र लगा होगा। अब सोचता हूँ तो जो दृश्य उस शाम मैंने प्रस्तुत किया, उसके बारे में सोचकर होठों पर आज भी मुस्कान आ जाती है। मेरा युवा विश्वास ऐसा था कि मैं देश के सबसे गुणी श्रोताओं के सामने अपना लोहा मनवा लेना चाहता था। मैं मंच पर अपने सन्तूर और तबले के साथ आया। मैंने सन्तूर बगल में रख दिया और एकल तबला बजाने लगा। मैं अपने तय समय के पूरे आधे घंटे तक बजाता रहा। श्रोताओं की वाहवाही मुझे और अच्छा बजाने की प्रेरणा देती रही। तब मैंने अपना सन्तूर निकाला उसे सम पर लाया और पूरे एक घंटे तक बम्बई के श्रोताओं से खचाखच भरे कावसजी जहाँगीर हाल में राग यमन बजाया। किसी उत्तेजना का कोई प्रश्न ही नहीं था, दूरदराज़ जम्मू के इस युवक ने दृढ़ संकल्प और पूरे मनोयोग के साथ बजाया और शेष ईश्वर पर छोड़ दिया।

जब मैंने बजाना समाप्त किया और ऊपर देखा तो तालियों की गड़गड़ाहाट ने मेरा स्वागत किया। लोग खड़े होकर चिल्ला रहे थे 'एक बार और, एक बार और'। मैंने आशंकित संयोजकों की ओर पीछे मुड़कर देखा जो मुझे फुसफुसाते हुए और बजाने को कह रहे थे अन्यथा लोग और उत्तेजित हो जाएँगे। पर मैं उठ खड़ा हुआ। भीड़ को शान्त करने के लिए संयोजन समिति ने वादा किया वे मेरा एक कार्यक्रम अगले दिन रखेंगे। संयोजकों और श्रोताओं के दबाव के बावजूद मैंने और क्यों नहीं बजाया? ऐसा मैंने सिद्धान्त के लिए किया। उस दिन मैंने अपने तय समय से अधिक बजाया था और श्रोताओं को अपनी योग्यता ही नहीं सिद्ध की बल्कि संयोजकों तक अपना दृष्टिकोण भी पहुँचाया। यह एक समारोह के लिए पर्याप्त था।

उस रात को स्मरणीय बनाने के लिए अभी और बाकी था। जैसे ही मैं ग्रीनरूम की ओर बढ़ा, दस पन्द्रह लोगों के समूह ने आगे आकर मेरी पीठ थपथपायी और अपना आभार प्रकट किया। उनमें से एक जाने-पहचाने चेहरे ने मुझे ठेठ डोगरी में आशीर्वाद दिया और कहा कि यह जानकर कि जम्मू का एक

युवा कलाकार आज बजा रहा है, मैं विशेष रूप से तुम्हें मिलने आया हूँ। ये महान् तबला जादूगर अल्लाहरखा खान थे। मैं हक्का-बक्का रह गया। मैं उनके रिकार्डों और प्रदर्शनों का आरम्भ से ही बहुत बड़ा प्रशंसक रहा हूँ और वे मेरे सामने खड़े होकर मुझे शाबाशी दे रहे थे। उत्तर में मैं केवल यही कह पाया (मैंने अपने संस्कार भूल कर उनके पाँव भी नहीं छुए)—आप इतनी अच्छी डोगरी कैसे बोलते हैं? हँसते हुए उन्हीं ने बताया कि वे मूलतः जम्मू के रहनेवाले हैं और केवल डोगरी में ही बोलते हैं। उसी समय जीवन भर की मित्रता स्थापित हो गयी और अल्लारखा खान साहब सन् 2000 में अपनी मृत्यु तक एक प्रिय मित्र बने रहे।

बाकी रात धुँधली-सी गुज़री—मेरा पहला बड़ा प्रदर्शन और मेरा पहली बार बम्बई आना। काफी बढ़िया कार्यक्रमों में मैं देश की सांस्कृतिक राजधानी और पारखी लोगों के बीच बैठा। सभी अँधेरे सभागार में ध्यानपूर्वक सुन रहे थे। मैं जम्मू जैसे छोटे शहर की लय का आदी था और यह सब मेरे लिए बेहद उत्तेजक था। मैं उस समय नहीं देख पाया था कि बम्बई भविष्य में मेरा घर होगी।

अगले दिन सोकर उठते ही मेरे ठिकाने पर एक सुरुचि सम्पन्न महिला मिलने आयीं। ये मधुरा शान्ताराम थीं, उस समय के प्रसिद्ध फिल्म निदेशक वी. शान्ताराम की बेटी। वे मेरे लिए अपने पिता का एक सन्देश लायी थीं—'क्या मुझे उनकी अगली फिल्म 'झनक-झनक पायल बाजे' में सन्तूर बजाने में रुचि होगी? अन्य शास्त्रीय संगीतकार भी बजाएँगे।' बम्बई में अपने पहले प्रदर्शन के बाद इतनी जल्दी यह निमन्त्रण पाकर मैं फूला न समाया। पर मुझे उनका यह प्रस्ताव ठुकराना पड़ा। मेरी अन्तिम परीक्षा केवल पन्द्रह दिन दूर थी और मैंने सोचा कि घर पहुँच कर दिन-रात तैयारी करना मेरी प्राथमिकता थी। वैसे भी मेरे पास पढ़ने के लिए समय नहीं होता था और अकसर गम्भीर छात्रों से उन पाठों के नोट्स लेकर तैयारी करनी थी, जो मुझसे छूट गये थे। फिर भी मैंने मधुरा को अपना पता लिखा दिया और कहा कि यदि यह प्रस्ताव परीक्षा के बाद भी खुला रहेगा तो मैं सहर्ष स्वीकार कर लूँगा।

संगीत समारोह एक मीठी याद भर था। परीक्षा के अगले दिन मुझे बम्बई के राजकमल स्टूडियो से एक तार मिला—वी. शान्ताराम ने 'झनक झनक पायल बाजे' के पार्श्व संगीत के लिए मेरी शीघ्र उपस्थिति के लिए लिखा था। अतः मैंने अपना सामान बाँधा और बम्बई के लिए एक बार फिर रवाना हो गया—इस बार एक नये कार्यभार को सँभालने।

शान्ताराम जी के साथ मैं उनके संगीत-निर्देशक वसन्त देसाई से मिला।

भीड़-भाड़वाले सेट, बड़े-बड़े कार्ड बोर्ड और प्लाईवुड के अग्रभाग, इधर से उधर भाग रहे अभिनेता और अभिनेत्रियाँ, जम्मू के सिनेमा हॉल जिसमें मैं अकसर स्टॉल में बैठकर आँखें फाड़े आम हिन्दी फिल्म के भव्य और महँगे दृश्य देखता था—एक-दूसरे से कितने भिन्न थे। इन सबके बीच होना वास्तव में बहुत विस्मयकारी था।

अन्य बहुत से लोगों की तरह वसन्त देसाई ने सन्तूर सुनना तो दूर कभी देखा तक न था। उन्होंने मुझे एक टुकड़ा बजाने को कहा। जब मैं लगभग एक घंटे के लिए (राग अब याद नहीं) बजा चुका तो उन्होंने कहा—मैं तुम्हारे लिए संगीत रचना नहीं करूँगा। फिल्म देखो और स्वयं निर्णय लो कि तुम्हारे दृश्य के लिए क्या उपयुक्त होगा। मुझे विश्वास है तुम बढ़िया बजाओगे। यह झील में कश्ती पर एक रोमांटिक दृश्य था जिसका पूरा मूड सन्तूर के सुरों ने बहुत सुन्दरता से पकड़ा था। जो धुन मैंने सोची थी वह चाँदनी में बहते पानी के बिम्ब के लिए बिलकुल उपयुक्त थी। शीघ्र ही मुझे कुछ और संगीत रचनाएँ करने के लिए कहा गया। स्टूडियो में एक सप्ताह के भीतर ही मैंने यह काम पूरा कर लिया।

उस समय शान्ताराम जी को पारस माना जाता था—उनकी सभी फिल्में बॉक्स ऑफिस पर सफल हुई थीं। फिल्म जगत् उनकी पूजा करता था, सभी उनकी बात मानते थे। उनकी सफलता का कुछ कारण फिल्म निर्माण के सभी क्षेत्रों में उनकी सक्रिय रुचि थी। उदाहरण के लिए, जब वसन्त देसाई ने उन्हें बताया कि मैंने अपनी संगीत रचना स्वयं की है तो उन्होंने उसे सुना, कुछ छोटे बदलाव सुझाये और धुन को उसी समय रिकार्ड कर लिया गया। जैसे ही मैं जाने के लिए उठा, शान्ताराम जी ने मुझसे मेरे भविष्य की योजना के बारे में पूछा। मैंने पूरी ईमानदारी से उत्तर दिया कि मैं किसी निर्णय से पहले बी.ए. पास करने की प्रतीक्षा कर रहा था।

इस पर उन्होंने थोड़ी अधीरता से पूछा—"बी.ए. करने के बाद क्या?" मैंने उत्तर दिया कि मैं संगीत साधना में लगा रहूँगा। "अभी क्यों नहीं"—उन्होंने कहा—"मैं तुम्हें अपनी अगली फिल्म का संगीत निर्देशक बनने का प्रस्ताव रखता हूँ। और हो सकता है तुम उसमें अभिनय भी करो।"

मैं तब युवा था। पीछे मुड़कर देखता हूँ तो लगता है उस स्थिति में एक व्यक्ति के लिए यह काफी बड़ा प्रलोभन था। आखिर शान्ताराम जी का बड़ा नाम था और उस समय मेरे जीवन में एक फिल्म मुझे प्रसिद्धि के शिखर पर ले जा सकती थी। पर मैं इस प्रस्ताव को स्वीकार नहीं कर सकता था क्योंकि मेरा लक्ष्य कुछ और था। मुझे अपने पिता के विश्वास पर खरा उतरना था और सन्तूर को एक शास्त्रीय वाद्ययन्त्र के रूप में स्थापित करना था। मुझे अपना यह सपना पूरा

करना था और कुछ भी मायने नहीं रखता था। शततन्त्री के साथ मेरी यात्रा अभी-अभी आरम्भ हुई थी।

मैं यह स्वीकार करता हूँ कि हरिदास संगीत सम्मेलन से मुझे मिली-जुली प्रतिक्रिया मिली। हालाँकि आम श्रोता ने कार्यक्रम का आनन्द उठाया पर संगीत समीक्षक और शास्त्रीय संगीतकार सन्तूर के बारे में संशयकारी थे। पारखियों को सन्तूर अपने स्वरूप में सीमित लगा—केवल एक लोक वाद्ययन्त्र जो सूफियाना गायन की संगत के योग्य था। मुझे और अधिक परिश्रम करना पड़ेगा। मैं सिद्धान्तवादियों को गलत प्रमाणित करने और सन्तूर को शास्त्रीय संगीत के क्षेत्र का अभिन्न अंग बनाने के लिए कटिबद्ध था।

जम्मू में मेरे कॉलेज के मित्र मेरे फिल्म अनुभव से रोमांचित हो रहे थे। कई सोचते थे कि मुझे बम्बई में ही रहकर और अधिक परिश्रम करना चाहिए था। पर पिताजी मेरे लौट आने के निर्णय से प्रसन्न थे। मैंने अपनी संगीत शिक्षा इस लक्ष्य को लेकर फिर से आरम्भ कर दी कि सन्तूर को अन्य शास्त्रीय वाद्ययन्त्रों की पंक्ति में ला खड़ा करना है।

सम्मेलन में मैं एक और युवा संगीतकार से मिला जो पहली बार प्रदर्शन कर रहा था—वे थे जसराज जी! हम उसी समय एक-दूसरे को पसन्द करने लगे और आज तक घनिष्ठ मित्र हैं। जो चीज हमें पास लायी वह थी हमारी आयु—हम लोग समकालीन थे और अपने शहर जम्मू और कलकत्ता से बाहर पहली बार प्रदर्शन कर रहे थे।

इसके तुरन्त बाद पिताजी ने जम्मू में एक बहुत बड़ा संगीत सम्मेलन आयोजित किया! मैंने ऐसे ही बातों-बातों में सुझाया कि कलकत्ता में मेरे नये मित्र जसराज जी को उनके भाई मनीराम जी के साथ आमन्त्रित किया जाये। जब पिताजी को ज्ञात हुआ कि उनके पिता मोतीराम जी दरबार के दिनों के उनके प्रिय मित्र हैं—उन दोनों ने एक साथ तबला बजाया हुआ था तो उनको अपने मित्र के बेटों को बुलाकर बहुत प्रसन्नता हुई। इस तरह जसराज जी और मैं फिर मिले और हमारी मित्रता और भी घनी हो गयी क्योंकि वे दोनों हमारे घर पर ही ठहरे।

इसके तुरन्त बाद, 1957 में उन्होंने मुझे प्रतिष्ठित अखिल भारतीय सम्मेलन में बजाने के लिए कलकत्ता बुलाया। कार्यक्रम का सीधा प्रसारण हुआ और मैं उस्ताद बिस्मिल्लाह खान जैसे शीर्षस्थ कलाकार के साथ बजाकर गौरवान्वित हुआ। तबले पर मेरी संगत प्रसिद्ध तबलावादक पं. अनोखेलाल जी कर रहे थे। प्रदर्शन बेहद सफल रहा—मुझे कई पदक मिले और अगली सुबह कई उत्सुक संगीत प्रेमी यह देखने आ गये कि देखें पिछली रात आकाशवाणी कार्यक्रम में कौन-सा वाद्ययन्त्र सुना था।

उन दिनों संगीतकारों के लिए पदक एक परम्परा थी। प्रदर्शन के लिए पुरस्कार श्रोता देते थे जिनमें से कुछ राजघराने से होते थे। नेपाल के महाराणा ने मुझे एक स्वर्णपदक दिया और भद्रलोक ने जिन्होंने एक बिलकुल नये वाद्ययन्त्र का आनन्द उठाया था, मुझे कई नकद पुरस्कार भी दिये। अन्त में मुझे प्रतिष्ठित इनायत खान पदक मिला जो हर वर्ष एक उभरते हुए वाद्ययन्त्र वादक को दिया जाता था। जसराज जी और मनीराम जी दोनों मेरी सफलता से बहुत प्रसन्न हुए क्योंकि मैं उनके निमन्त्रण पर ही कलकत्ता गया था। उन्होंने गर्व से मेरा परिचय अपने मित्रों और अभिभावकों से कराया।

हालाँकि वे मुझसे छह-सात वर्ष बड़े थे, मैं जसराज जी को अपना मित्र एवं समकालीन मानता था क्योंकि हमने अपनी-अपनी संगीत यात्रा लगभग उसी समय आरम्भ की थी। सच्चे मित्रों की तरह हमने एक-दूसरे को बढ़ावा ही नहीं दिया, यह भी सुनिश्चित किया कि जम्मू और कलकत्ता के हमारे भिन्न-भिन्न श्रोता हम दोनों से परिचित हो जाएँ। हमारे एक जैसे पेशे के बावजूद हममें कोई द्वेष नहीं था। एक बार मुझे आकाशवाणी से सीधे प्रसारण करना था पर मेरा संगतकार किसी कारणवश एक बड़ी रुकावट बन रहा था। समय बीत रहा था और मैं एक उलझन में था। मैं उप-स्टेशन निदेशक रोशनअली साहब के पास सहायता के लिए गया। उन्होंने कुछ देर के लिए सोचा और फिर अचानक उनके चेहरे पर चमक आ गयी। वे जसराज जी की ओर मुड़े और कहा—"तुम मदद करो, इसके साथ तुम संगत करो।" मैं इसलिए भी चकित रह गया क्योंकि मुझे पता था जसराज जी कितने बढ़िया तबलावादक हैं।

बाद में रोशन साहब ने मुझे बताया कि जसराज जी ने अपनी संगीत शिक्षा तबले से ही आरम्भ की थी। एक दिन, पंजाब में एक संगीत सम्मेलन में एक गायक के अपमान से वे इतने अधिक आहत हुए कि उन्होंने उसी समय प्रण किया कि वे एक गायक के रूप में शिखर तक पहुँचेंगे। उनके भाई और एक अन्य गायक एक राग की विशेषता के बारे में बहस कर रहे थे। युवा जसराज जी ने झट से अपने विचार रखे। वरिष्ठ संगीतकार ने उसी समय खंडन किया और कहा कि वे चुप रहें और अपने तबले पर ध्यान दें। जसराज जी उस घटना को कभी भुला नहीं पाये और स्वयं एक महान् गायन बने।

भाग्य से ऐन मौके पर मेरी संगत करने के उपकार को मैं बहुत वर्षों बाद लौटा पाया। जसराज जी को एक महत्त्वपूर्ण सम्मेलन में उस्ताद बड़े गुलाम अली खाँ और पं. मल्लिकार्जुन मंसूर के चहेते तबलावादक निजामुद्दीन साहब की संगत में गाना था। जैसे ही मैं गायन का आनन्द लेने बैठा, मुझे ग्रीनरूम से ज़रूरी बुलावा आया। तबलावादक नहीं पहुँच पाये थे इसलिए जसराज जी चाहते थे कि मैं तबले

पर उनकी संगत करूँ। मैंने प्रतिकार किया पर उन्होंने मेरी एक न सुनी और इतने वर्षों बाद मैंने अपने मित्र के साथ तबले पर संगत की।

हमने बहुत अच्छा समय बिताया—एक ही कमरे में रहना, सारी-सारी रात सम्मेलन सुनना और एक-दूसरे से अपने मन की बात कहना। कलकत्ता के दिनों का एक जादुई पल था—अमीर खाँ साहब का गायन सुनना। उनका गायन इतना उत्तम था कि उन्होंने हमें मन्त्रमुग्ध कर दिया। पौ फट रही थी और उनके गायन से पूरी तरह तृप्त होकर हमने जाने का निर्णय लिया। अचानक घोषणा हुई कि अगला गायन पं. ओंकारनाथ ठाकुर का होगा। क्या करते अनिर्णय में झूलते हम बाहर की ओर जा ही रहे थे कि ओंकारजी के पहले स्वर आकाश की ओर उभरे। उनकी आवाज़ से अभिभूत हम वहीं ठिठककर खड़े रह गये, आगे नहीं बढ़ पाये और महान् कलाकार को अन्त तक सुना। हम संगीत में इतना तन्मय हो गये कि फिर से बैठना भी भूल गये।

विकल्प

सम्मेलन और 'झनक झनक पायल बाजे' के बाद मैं नियमित रूप से सन्तूर बजाने लगा—पहले बम्बई में और फिर कलकत्ता में। यह सुविधाजनक था क्योंकि मैं अपने माता-पिता के साथ जम्मू में रह रहा था। उनका एकमात्र पुत्र होने के नाते मैं उनके कल्याण के लिए जिम्मेदार था और मैं इसी तरह जम्मू में रहते चले जाने के लिए तैयार था। तब भाग्य ने एक विचित्र मोड़ लिया और दूसरा निर्णय लेना पड़ा।

उन दिनों संगीत को नियमित पेशा नहीं माना जाता था, इसलिए जब जम्मू रेडियो ने मुझे संगीत प्रस्तुतकर्ता के पद के लिए कहा तो पिता जी ने सोचा कि मुझे यह पद स्वीकार कर लेना चाहिए। एक विकल्प और था—मैं जम्मू के नये संगीत विद्यालय में पढ़ाने का कार्य कर सकता था। इन दोनों में से किसी में भी मेरी रुचि नहीं थी क्योंकि मैं संगीत को अपना पूरा समय और एकाग्रता देना चाहता था। मेरे पिता मेरी इस सोच के लिए जिम्मेदार थे। वे कहा करते थे—बेटा, मीठी-मीठी बातों और चापलूसी की ओर ध्यान न दो। अपनी अन्तरात्मा की आवाज़ सुनो। तुम स्वयं निर्णय लो। अपने पिछले प्रदर्शन को और बेहतर करने का प्रयास करो। सदा विनम्र बने रहो।

इन शब्दों का मुझ पर इतना प्रभाव पड़ा कि उन्हीं दिनों जब मुझे मुख्यमन्त्री निवास पर प्रदर्शन के लिए बुलाया गया तो मैंने निर्णय लिया कि संयोजक यह सही नहीं कर रहे हैं कि मैं तो फर्श पर बैठूँ और अतिथि कुर्सियों पर विराजमान हों। जले पर नमक छिड़कने के लिए कार्यक्रम का छिछोरा प्रस्तुतकर्ता मुझसे बुरी तरह से पेश आया और मेरे वाद्ययन्त्र को भी बहुत भद्दे ढंग से उठाया। यह मेरे लिए काफी था। मैं उठा और हॉल से बाहर आ गया। अतिथि—जिनमें विधायक, मन्त्री और राज परिवार के सदस्य थे—मेरे लिए कुछ नहीं थे। मेरे वाद्ययन्त्र का अपमान किया गया था और मैं परिणाम की परवाह न करते हुए अपनी नाराज़गी प्रकट करना चाहता था।

इन घटनाओं को छोड़कर जम्मू में जीवन सामान्य था। मेरे तबले की बहुत माँग थी। मुझे पता नहीं था कि माता-पिता के घर पर सुरक्षित और चिन्तामुक्त जीवन के ये अन्तिम दिन होंगे।

पाँचवें दशक के अन्त में, मुझे रेडियो स्टेशन से ज़रूरी बुलावा आया क्योंकि पं. रविशंकर चाहते थे कि मैं उनके साथ तबले पर संगत करूँ। रवि जी उस समय दिल्ली में रहकर राष्ट्रीय वाद्यवृन्द का संचालन करते थे। उन्हें तबलावादकों की कोई कमी नहीं थी। वास्तव में जिस तबलावादक ने उनके साथ अभ्यास किया था, वह जम्मू में ही था। पर रवि जी ने मुझे अपने साथ अभ्यास करने को कहा और मेरे प्रदर्शन से बहुत प्रसन्न हुए। अतः मैंने कार्यक्रम में उनके साथ संगत की।

बाद में वे घर आये और रात्रिभोज के पश्चात् उन्होंने मेरा सन्तूरवादन सुनने का आग्रह किया। वे सन्तूर में बहुत रुचि रखते थे और उन्होंने बहुत से तकनीकी प्रश्न मुझसे पूछे। क्या मैं सन्तूर पर तिहाई बजा सकता हूँ? अन्य लयात्मक पेचीदगियाँ कैसी हैं? मुझे एक बड़ा लाभ यह था कि पिताजी ने कठिन लयों को लिपिबद्ध करने और एक सामंजस्य बनाये रखना सिखाया था। यह मेरे पिताजी ने अपने गुरु जी पं. बड़े रामदास जी से सीखा था। रवि जी ने इस सामंजस्य के प्रति मेरी गहरी समझ पहचान ली थी और मेरी शैली को सराहा भी था। चूँकि वे स्वयं लयात्मक पेचीदगियों के गुरु थे, उनकी प्रशंसा पाकर मुझे अत्यन्त प्रसन्नता हुई।

इसके तुरन्त बाद मुझे रेडियो स्टेशन पर एक बार फिर बुलाया गया। इस बार मुझे ठाकुर जयदेव सिंह के साथ सन्तूर बजाना था। वे आकाशवाणी के प्रमुख संगीत प्रस्तुतकर्ता थे और एक आदरणीय संगीतशास्त्री भी थे। मुझे दो-तीन घंटे सुनने के बाद उन्होंने कहा कि उन्हें आश्चर्य है कि आकाशवाणी ने मुझे केवल 'बी हाई' ग्रेड ही दिया है—ए-ग्रेड नहीं जिसके मैं योग्य था। मैंने कुछ नहीं कहा पर हैरान रह गया जब पन्द्रह दिनों के बाद ही उन्होंने मुझे राष्ट्रीय कार्यक्रम में प्रदर्शन के लिए लिखा। मैं आमन्त्रित श्रोताओं के सम्मुख प्रदर्शन के इस अवसर पर फूला न समाया। मैंने अनुबन्ध पर हस्ताक्षर किये और उसी समय डाक द्वारा भेज दिया। मेरा दिल खुशी से उछल रहा था। पर मेरी खुशी कुछ समय की ही थी क्योंकि मुझे एक और रूखा पत्र मिला जिसमें कार्यक्रम के रद्द किये जाने के बारे में लिखा था। कोई कारण नहीं बताया गया था। मुझे बहुत निराशा हुई और शायद मेरे माता-पिता को भी। पर मुझे पता था कि मुझे सख्त बनना है और निराशाओं का सामना करना है। मैंने सोचा सफलता सदा आसान नहीं होगी, मुझे और अधिक परिश्रम करना होगा।

बाद में रोशन अली साहब ने मुझे इस अनुबन्ध के अचानक रद्द किये जाने के बारे में समझाया। ऐसा लगता है कि जयदेव जी मुझे कार्यक्रम में बुलाने के लिए बहुत उत्सुक थे और परामर्श समिति को सुझाया था कि मुझे ए-ग्रेड मिलना चाहिए। पर वरिष्ठ सलाहकारों ने उनकी सिफारिश को ठुकरा दिया। उन्होंने कहा कि सन्तूर एक सम्पूर्ण वाद्ययन्त्र नहीं है। शिव कुमार शर्मा को सन्तूर पर आलाप में निपुणता प्राप्त कर लेनी चाहिए। तभी वह अपने आपको राष्ट्रीय कार्यक्रम में प्रदर्शन के योग्य समझे।

मैं जनता की राय का कभी सकारात्मक और कभी नकारात्मक उतार-चढ़ाव देखने का आदी हो गया। सन्तूर की ध्वनि जयदेव जी जैसे संगीत शास्त्रियों और रविशंकर जी जैसे संगीतज्ञों को तो प्रभावित कर सकती थी पर फिर भी यह अन्य कई राय बनानेवालों को स्वीकार्य नहीं थी! मैं क्या कर सकता था?

जो वाद्ययन्त्र मैं उस समय बजाता था, वह वही था जो कश्मीरी लोक संगीत में प्रयुक्त होता था। मैंने उसकी ध्वन्यात्मकता को बढ़ा लिया था, अत: एक पूर्वग्रह रहित श्रोता को वह कोमल और लयात्मक लगती थी। पर अन्य तकनीकी आवश्यकताओं जैसे मुख्यतया मींड़ की उपस्थिति का अभाव था। आलाप के लिए लम्बे नोट्स चाहिए थे और अटूट पदबन्धों की निरन्तरता बनाये रखना आवश्यक था। अपनी कलम से भारतीय शास्त्रीय संगीत के लिए अनिवार्य इस मुख्य तत्व में मुझे अभी निपुणता प्राप्त करनी थी। इसलिए मेरे समीक्षक कुछ सीमा तक सही थे जब वे कहते थे कि सन्तूर असम्बद्ध ध्वनियाँ उत्पन्न करता था।

मुझे कभी-कभी लगता है कि मेरे सन्तूर बजाने के प्रति इस संयमित प्रतिक्रिया के कई और भी कारण थे। हालाँकि मेरे गुरु, मेरे पिता एक विद्वान संगीतकार थे जो संगीत के मर्मज्ञ थे और अपने समकालीनों यथा—पं. दिलीप चन्द्र बेदी और उनके गुरुभाई गोपाल मिश्र जी, महादेव प्रसाद जी, सिद्धेश्वरी देवी, मोतीराम जी और डागर साहब आदि में सम्मानित थे पर वे न तो एक जाने-माने कलाकार थे और न ही अधिक सम्पर्क वाले व्यक्ति थे। मैं किसी प्रतिष्ठित घराने का वंशज नहीं था, अपने पिता द्वारा प्रशिक्षित था जो स्वयं अपने परिवार में संगीत में रुचि रखनेवाले पहले व्यक्ति थे। एक जन्मजात संकोची स्वभाव वाला एवं अन्तर्मुखी व्यक्ति होने के कारण मैं अपने प्रचार और ढोल पीटने से दूर रहा। इससे कोई सहायता नहीं मिली।

मैं अपनी ही उपलब्धियों की अपेक्षाओं के कारण तीव्र मानसिक पीड़ा से ग्रसित था। अपने आलोचकों के अतिरिक्त मुझे अपने पिता जी के मित्रों की भली सम्मति भी सुननी पड़ती थी। उन्हें लगता था कि मुझे सन्तूर छोड़कर कोई अन्य वाद्ययन्त्र बजाना चाहिए। इससे मुझे शीघ्र सफलता और आगे जाकर प्रसन्नता

मिलेगी। ये कृपापूर्ण शब्द मुझे और गहरे में सालते थे। लोगों ने समझाया कि मैं सितार, सरोद और शहनाई को भी मन से प्यार करता था और पं. रविशंकर, उस्ताद अली अकबर खान, उस्ताद विलायत खान और उस्ताद हाफिज़ अली साहब को सुनने मीलों लोकल गाड़ियों और बसों में सफर करता था, पर इसका यह अर्थ नहीं था कि मैं अपने वाद्ययन्त्र को छोड़ दूँ और इनका कोई वाद्ययन्त्र बजाना आरम्भ कर दूँ। यह जातिवाद जैसा था। ये महान् वाद्ययन्त्र जैसे राजसी घरानों के ब्राह्मण हों और सन्तूर या बाँसुरी एक निम्नस्तरीय यन्त्र।

इस सबके चलते, पिता जी को मेरी सफलता पर पूरा विश्वास था और मुझे बिना किसी बात की परवाह किये अपनी राह पर चलते रहने को कहा। वे मेरा सम्बल थे और जरा-सा भी संशय या अनिश्चितता जो मुझे मेरे बुरे दिनों में घेरे रहते थे, को सदा दूर करते रहते थे। मुझे रहीमुद्दीन डागर जैसे महान् कलाकारों ने भी बड़ा हौसला दिया। एक बार जब हम लोग श्रीनगर में थे तो डागर साहब, जिस घर में हम सभी ठहरे थे, किसी निजी बैठक में गायन करने वाले थे (उन दिनों परम्परा थी कि वरिष्ठ कलाकार जब भी जम्मू या श्रीनगर आते थे तो थोड़े से संगीत प्रेमियों के लिए अपने किसी शागिर्द के घर पर संगोष्ठी करते थे)। जब हम गायन की प्रतीक्षा कर रहे थे तो उन्होंने अचानक मुझे ढूँढ़ निकाला और गायन का माहौल बनाने के लिए मुझे पहले बजाने को कहा। मैं भौंचक्का रह गया और कई प्रकार के बहाने बनाने लगा—श्रोताओं को पसन्द नहीं आएगा, संगत के लिए तबला नहीं है, मेरा वाद्ययन्त्र ऊपर कमरे में है उसे सुर में लाने के लिए समय लगेगा। पर उन्होंने मेरी एक न सुनी।

लगभग एक घंटे के लिए मैंने तबले के बिना आलाप बजाया। जब मैंने बजाना बन्द किया तो पूरी खामोशी थी। तब चारों ओर से प्रशंसा होने लगी। मेरे प्रदर्शन की प्रशंसा करते हुए डागर साहब ने कहा कि मेरे संगीत ने उन्हें इतना अभिभूत कर दिया है कि अब उनकी गाने की इच्छा ही नहीं रही। ज़रा मेरी परेशानी की कल्पना कीजिए। हालाँकि मैं डागर साहब की इस प्रतिक्रिया से प्रसन्न था पर इन श्रोताओं के सामने ऐसा करते हुए मुझे रोमांच हो रहा था। आखिर वे सब उनको सुनने के लिए एकत्रित हुए थे। श्रोताओं को बताते हुए कि उनके कान और हृदय अभी तक मेरे संगीत की ध्वनि से भरे हुए थे, वे बिना पखावज के उसी राग में एक ग़ज़ल सुनाने के लिए मान गये। ध्रुपद के निपुण कलाकार, व्याख्याता के मुँह से ऐसी प्रशंसा ने वास्तव में मुझे और उत्साह से भर दिया।

मैंने अपना सारा समय रियाज़ और सन्तूर की तकनीक को और परिष्कृत करने में लगा दिया। इस दिनचर्या से अवकाश तभी मिलता जब मैं बम्बई, दिल्ली और कलकत्ता में प्रदर्शन के लिए जाता। उन दिनों यात्रा करना काफी कष्टप्रद

था क्योंकि तब जम्मू या कश्मीर से कोई गाड़ी नहीं चलती थी। हमें अमृतसर या पठानकोट के लिए बस पकड़नी होती और फिर वहाँ से अपने गन्तव्य स्थान के लिए रेलगाड़ी। अत: जब कभी भी मुझे आमन्त्रण मिलता, तैयारियाँ बहुत पहले से आरम्भ हो जातीं। मेरी माता जी मेरे प्रमुख कार्यक्रमों में भाग लेने पर गर्व और प्रसन्नता का अनुभव करतीं। वे मेरा खाना और कपड़े तैयार करतीं और एक ताँगेवाला मुझे बस अड्डे तक छोड़ आने के लिए आ जाता। मैं उन दिनों अकसर कलकत्ता जाता था और दो या तीन सप्ताह के लिए जसराज जी के घर पर ठहरता था। पंजाबमेल द्वारा अमृतसर से यात्रा बहत्तर घंटे लेती।

कलकत्ता में कार्यक्रमों की भरमार थी—प्रदर्शन, संगीत सभाएँ और गोष्ठियाँ। आज के सभागार नहीं थे। एक सिनेमा हॉल को समारोह के लिए प्रयुक्त किया जाता। वह इतना भर जाता कि लोग बाहर पूर्व भाग और लॉबी में यहाँ तक कि सड़क और ट्राम की पटरियों तक फैल जाते जहाँ लाउडस्पीकारों द्वारा संगीत पहुँचाया जाता। वे जादुई पल थे—इस आन्दोलन का भाग होना, कलकत्तावासियों को शॉल और अन्य गर्म कपड़ों के नीचे ठंडी रातों की धुँध भरी हवा में विख्यात कलाकारों को सुनने के लिए एकत्रित होते देखना अपने आपमें एक अनुभव था। जसराज जी और मनीराम जी के साथ मैं सभी कार्यक्रमों में गया और प्रत्येक कार्यक्रम के हर पल को जिया।

एक ऐसी यात्रा में मुझे भयंकर ज्वर ने जकड़ लिया जो उतरने का नाम ही न ले। अपनी बीमारी से जूझते हुए मैं हर शाम एक-न-एक कार्यक्रम में बजाता रहा। इससे मेरी हालत सुधरी नहीं। अन्त में मैंने ऐलोपैथिक दवाइयाँ लीं पर फिर भी कोई आराम नहीं मिला। कलकत्ता के मेरे मित्र चिन्तित होने लगे, तब एक विचित्र घटना घटी—मुझे पिता जी का एक संक्षिप्त-सा पत्र मिला जिसमें लिखा था कि उन्हें मेरी बीमारी का पता है। उन्होंने यह भी लिखा कि मैं जो दवाइयाँ ले रहा हूँ उन्हें तुरन्त बन्द कर दूँ और कुछ आयुर्वेदिक दवाइयाँ लेना आरम्भ कर दूँ। मैंने उनकी बतायी दवाइयाँ खाना आरम्भ किया और शीघ्र ही स्वस्थ हो गया। जब मैं जम्मू लौटा और पिता जी से पूछा कि उन्हें मेरी बीमारी का कैसे पता लगा तो उन्होंने केवल इतना कहा—''ध्यान द्वारा। जब मैं ध्यान लगाता हूँ तो मुझे पता लग जाता है।''

मेरे पिता एक गम्भीर आध्यात्मिक व्यक्ति थे जो प्रतिदिन घंटों प्रार्थना और ध्यान में लगाते थे। वे मितभाषी थे पर वे चाहते थे कि उनके आदेश का पालन किया जाये। उनकी आज्ञा न मानकर मुझे बहुत पीड़ा होती थी। एक बार कलकत्ता यात्रा से लौटने पर मैंने ऐसा ही किया जब उन्होंने मेरे भविष्य के विषय में फिर से पूछा।

आकाशवाणी जम्मू में संगीत प्रस्तुतकर्ता या जम्मू संगीत विद्यालय में अध्यापक, उनके लिए दोनों पद आर्थिक सुरक्षा प्रदान करनेवाले थे जिसका मेरे जीवन में अभाव था। मेरे पिता भी अपने निर्वहन के लिए राज पुरोहित और रेडियो जम्मू दोनों में नौकरी कर रहे थे और वे चाहते थे कि मैं भी वैसा ही कुछ करूँ। यही जीवन में एक ऐसा अवसर था कि मैंने पिताजी की आज्ञा का पालन नहीं किया। मैं नौ से पाँच की नौकरी के लिए बना ही न था। मैं किसी भी कीमत पर अपना पूरा ध्यान संगीत में लगाना चाहता था। इससे हमारे बीच संघर्ष की स्थिति उत्पन्न हो गयी और आज भी जब मैं उनको मानसिक आघात पहुँचाने के बारे में सोचता हूँ तो दुखित हो उठता हूँ। एक सुबह इतनी बहस हुई कि उन्होंने गुस्से में चुनौती देते हुए कहा कि यदि संगीतकार के रूप में मुझे अपने भविष्य पर इतना विश्वास है तो किसी बड़े शहर में जाकर अपनी क्षमता को आज़माऊँ।

तत्काल मैंने कह दिया—"मैं ऐसा ही करूँगा।" और इस तरह मैं अपने बचपन के सुरक्षित स्नेह भरे और जाने पहचाने घर को छोड़कर बम्बई की अजनबी और नयी दुनिया में आ गया। आरम्भिक गुस्से के बाद पिता जी को मुझे जाते देखकर क्षोभ हुआ क्योंकि मैं ही वर्षों से उनके जीवन का केन्द्र था—उन्होंने मुझे संगीत जीवन के मूल्य और पाठ सिखाये थे। वे असहनशील थे कभी-कभी तो अविवेकशीलता की सीमा तक (जब एक बार बेचारी माता जी ने भोजन उनकी पसन्द का नहीं बनाया था तो उन्होंने थाली फेंक दी थी)। पर मुझे वे बेहद प्यार करते थे। हम एक ही थाली में खाते थे और कभी-कभी तो वे स्वयं हमारे लिए स्वादिष्ट व्यंजन बनाते थे। मुझे जाते हुए देखकर उन्हें बहुत मानसिक पीड़ा हुई। पर एक बार जब मैंने निर्णय ले लिया था तो पीछे मुड़कर देखना असम्भव था।

मेरी माता जी ने जो सदा ही स्नेहमयी, सहनशील और नम्र थीं, मेरा पक्ष लिया और पिता जी को मुझे जाने और अपना भाग्य आज़माने के लिए मना लिया। परिवार की पहली संकट की घड़ी में मेरे पिता को जिनकी भयंकर गर्जना से हम सब डरते थे, माता जी ने ढाढ़स बँधाया और उन्हें आश्वस्त किया। वे माता जी जिनकी उपस्थिति केवल रसोईघर तक ही सीमित थी, जहाँ वे रात-दिन शिष्यों, मित्रों, ज्योतिषियों, पहलवानों और संगीतकारों के लिए खाना बनाती रहती थीं। एक बार, बस इसी एक बार उन्होंने कोमल स्वर में कहा—"इसे जाने दो, यह इसका जीवन है इसे रोको मत। और पिता जी ने जो सदा से जिन्दादिल थे और महानायक जैसे, माता जी की बात सुनी और चुपचाप मान गये। उनकी लड़ने की सारी शक्ति क्षीण पड़ गयी थी और उनका गुस्सा ठंडा पड़ गया था। 1960 में मैं बाईस वर्ष का था जब मैंने अपना सामान बाँधा और अपने प्रिय संगीत जगत् में अपना भविष्य बनाने बम्बई के लिए रवाना हो गया।

आरोहण

जैसे ही मैं भीड़वाली गाड़ी से उतरा तो मुझे लगा जैसे मैं मानवता के गहरे भँवर में फेंक दिया गया हूँ। उस सुबह एक बड़ा पागल हजूम बम्बई सेंट्रल स्टेशन पर इधर-से-उधर भाग रहा था। गर्मी, धूल, मक्खियों, भिखारियों, यात्रियों और फेरीवालों के कारण मेरा सिर चकराने लगा। उस समय अपने जीवन का लेखा-जोखा करते हुए मुझे लगा कि मैं वास्तव में जीवन के चौराहे पर खड़ा हूँ। मेरे पीछे किशोरावस्था का एक सुरक्षित घर था और देखभाल करनेवाले स्नेही माता-पिता, जिन्होंने मुझे मुस्कराते हुए विदा किया हालाँकि उनकी आँखों में आँसू थे। आगे मेरा भविष्य था—धुँधला और अस्पष्ट।

मैं पल भर के लिए अकेला खड़ा था। मैंने अपने आपको उस दिन से अधिक कभी अलग-थलग नहीं पाया। न कोई मित्र, न कोई ठिकाना, न नौकरी और न ही धनराशि, पर फिर भी मैं मुस्कराता रहा—विशेष रूप से पिता जी के शिष्य केवल के सामने जिसे उन्होंने मेरी देखभाल के लिए मेरे साथ भेजा था। मैं बड़ी शान से फिटन स्टैंड गया और एक घोड़ाबग्घी किराये पर ले ली। केवल महानगर के दृश्यों और आवाज़ों को आत्मसात कर रहा था, मैं ध्यानपूर्वक किसी किफायती रहने के ठिकाने की खोज में था। शीघ्र ही मैंने एक गन्दा-सा बोर्डिंग हाउस देखा जिसका नाम बड़ी शान से कश्मीर होटल रखा गया था और निर्णय लिया कि यह हमारे लिए उपयुक्त होगा (क्योंकि यह बहुत सस्ता था)। केवल और मैं दोनों बहुत मितव्ययी थे और दादर के शेरे पंजाब ढाबे में दाल, सब्जी और रोटी भरपेट खाते थे। एक खाना केवल सवा रुपये का आता था, अतः यह हमारा नियम हो गया।

तब कठिन समय आया। 500 रुपये की मेरी छोटी-सी पूँजी शीघ्र ही समाप्त हो जाएगी, अतः मुझे कोई नौकरी ढूँढ़नी थी। मैं सदा से ही संकोची और मितभाषी था और अजनबियों से बात करने में हिचकिचाता था। अतः मैंने आकाशवाणी बम्बई से आरम्भ किया क्योंकि मुझे रेडियो का पर्याप्त अनुभव था। मैंने इस आशा से

वहाँ अपना नाम पंजीकृत कराया कि भविष्य में वे मुझे कार्यक्रमों के लिए बुला लेंगे। फिर मैं आशावादिता के साथ एच.एम.वी. की ओर चल दिया। वहाँ मुझे पता चला कि श्री जे.एन. जोशी जो नये कलाकारों को अनुबन्धित कर रहे थे, मुझे जम्मू में खोज रहे थे। मैंने अपना पहला ई.पी. रिकार्ड (दोनों ओर साढ़े छह-छह मिनट) रिकार्ड किया। छह महीने के भीतर ही मुझे दूसरे रिकार्ड के लिए बुलाया गया जो एक एल.पी. था। मैंने इस बार राग ललित और कलावती रिकार्ड किये।

सभी प्रयास करते हुए मैं संगीत निर्देशक वसन्त देसाई से भी मिला जिनके लिए मैंने 'झनक झनक पायल बाजे' में सन्तूर बजाया था। उन्होंने मुझसे कहा कि तुममें स्वयं संगीत निर्देशक बनने की क्षमता है, अतः दूसरों के लिए बजाकर अपने आपको हीन मत करो। मैंने उन्हें आश्वासन दिया कि मेरा वास्तविक मिशन सन्तूर को शास्त्रीय संगीत के क्षेत्र में स्थापित करना था, अतः मैं उस लक्ष्य प्राप्ति के लिए गुजारे भर का काम ढूँढ़ रहा हूँ। मैंने रोशन अली साहब, जो अब बम्बई आल इंडिया रेडियो के सहायक स्टेशन निदेशक थे, से भी अपनी मित्रता फिर से स्थापित की। रोशन साहब एक गम्भीर संगीत शास्त्री और गुणी थे पर उनका परिहास बोध बहुत शरारती था और कभी-कभी अजीब-सी हरकतें करते थे। एक बार उन्होंने एक निहायत अजनबी से हास्यपूर्ण बातचीत आरम्भ कर दी यह जताते हुए कि वे उन्हें अच्छी तरह से जानते हैं। अपनी सफलता से बल पाकर वे और भी निडर हो गये और बैसाखी के सहारे लँगड़ाकर चल रहे एक व्यक्ति से बोले, "अरे दिलीप, क्या हुआ, क्या तुम्हारे पैर पर चोट लग गयी है? कोई शरारत कर रहे थे क्या?" इस बार उन्हें झटका-सा लगा और हमारा मनोरंजन हुआ जब उस व्यक्ति ने उन्हें बढ़िया गालियाँ दीं और जाते-जाते कह गया—"ओ भले मानस, मैं बचपन से ही लँगड़ाकर चलता हूँ।"

एक बार दो संगीतकारों में राग ललित को लेकर गम्भीर बहस चल रही थी, दोनों यह जताना चाहते थे उसे दूसरे से अधिक पता है। एक ने कहा ललित में कोमल धैवत सही है जबकि दूसरा कह रहा था कि शुद्ध धैवत सही है। अपने झगड़े को निपटाने के लिए वे संगीत के ज्ञाता के रूप में रोशन साहब के पास गये। उन्होंने उनसे कहा, "अल्लाहमियाँ ने तुम्हें एक राग ईमान दिया है, एक राग भोपाली और एक मालकौंस। यदि उन्होंने अपनी महानता में दो राग ललित दिये हैं तो उनकी मर्ज़ी को लेकर झगड़ क्यों रहे हो? दोनों रूपों का आनन्द उठाओ।"

एक बार जब मैं रोशन साहब से मिलने रेडियो बम्बई गया तो वहाँ मैं पं. वी.जी. जोग से भी मिला। वे मुझसे बहुत बड़े थे पर उनके स्नेह और विनोदप्रियता ने मुझे तत्काल आकर्षित कर लिया। जोग साहब उन वरिष्ठ संगीतकारों

में से पहले थे जिन्होंने सन्तूर पर रचनात्मक प्रतिक्रिया की। उस्ताद अल्लाह रखा खान साहब जो मुझसे 19 वर्ष बड़े थे, की तरह जोग साहब के साथ भी मेरी मित्रता निःस्वार्थ थी। हमलोग एक-दूसरे से मज़ाक करते और अच्छा खाना पसन्द करते थे।

इस तरह इन दिलचस्प लोगों की संगति में बम्बई मुझे रास आ गयी। पर मेरी कोई नियमित आय नहीं थी और सादा जीवन के बावजूद मेरी पूँजी घटकर पन्द्रह रुपये रह गयी। मेरी आय एच.एम.वी द्वारा दी गयी थोड़ी-सी रायल्टी थी और मैं पैसों के लिए चिन्तित था। मैं पिता जी से सहायता लेने के बारे में सोच ही रहा था कि मुझे संगीत निर्देशक रोशन का फोन आया। मेरे मित्र सारंगीवादक रामनारायण जी ने मेरी दशा देख ली थी और उन्होंने रोशन जी से बात की। इस तरह मैंने थोड़े पैसे कमाये और दिवालिया होने से बच गया। मैं फिर से कह रहा हूँ कि मेरा फिल्म जगत् में कभी-कभार काम करना केवल अपने खाने और किराये भर के लिए था। अभी भी मैं अपना बाकी का समय रियाज़ में लगाता था। जब रोशन जी ने मुझे एक अन्य बढ़िया संगीतकार निर्देशक जयदेव जी से मिलवाया तो उन्होंने झट मुझे देवानन्द की फिल्म 'हम दोनों' के लिए अनुबन्धित कर लिया। बाद में यह फिल्म बेहद सफल हुई।

पर फिल्मी जगत् के आलीशान सेट और घरों से कश्मीर होटल के अपने अँधेरे कमरे में लौटकर आना बहुत उदास कर देता था। मेरे रहने की जगह बहुत मनहूस और टूटी-फूटी थी। इसी समय, पिताजी ने सदा की तरह सहायता की पेशकश की। उन्होंने मुझे अपने एक शिष्य के, जो हिन्दी फिल्मों में अभिनय करने अभी-अभी बम्बई आया था, फ्लैट में चले जाने को कहा। अपने एतराज़ के बावजूद मैं केवल को लेकर चर्चगेट रहने चला गया। ऐसी व्यवस्था थी कि पिता जी का वह शिष्य कमरे के इकलौते पलंग पर सोता और केवल, मैं और जम्मू का एक अन्य सहयोगी बंसीलाल जो स्वयं अभिनेता बनने आया, फर्श पर सोते। यह कश्मीर होटल की उखड़ती दीवारों और निरन्तर शोर से एक सुखकर परिवर्तन था। यहाँ कमरा दिनभर मेरे पास था जहाँ मैं शान्तिपूर्वक रियाज़ कर सकता था। पर मकान मालिक को मेरे यहाँ रहने पर एतराज़ था क्योंकि मेरे संगीत की आवाज़ उसकी दोपहर की नींद को भंग करती थी। जब उसने अपनी नाराज़गी जतायी तो मुझे बहुत अपमानजनक लगा। मैंने अपना सामान बाँधा और केवल के साथ कश्मीर होटल लौट आया।

कुछ दिनों बाद जोग साहब एक दोपहर को आए और सामान लेकर अपने एक शिष्य के घर चलने को कहा। उसके पास दो कमरे थे और उसे हमारे साथ रहने से कोई समस्या नहीं थी। जोग साहब का यह प्रस्ताव ठुकराना अशिष्ट होता।

मैं वहाँ चला आया पर इस शर्त पर कि अपने हिस्से का आधा किराया 250 रुपये मैं दूँगा। यहाँ आकर मेरा रहन-सहन अच्छा हो गया। केवल की बदौलत मुद्दतों बाद मुझे घर के खाने का सुख मिला। मन की शान्ति के कारण मेरे रियाज़ के सत्रों को भी लाभ मिला। मेरे कमरे का साथी बहुत खुश मिजाज़ था। वह मुस्कराता हुआ आता-जाता और संगीत निर्देशन को आगे बढ़ाने के लिए अजीब किस्म के लोगों को शाम को खाने पर बुलाता। यह मेरे लिए बहुत अच्छा समय था। मेरे कमरे के साथी की एक ही माँग थी कि मैं अपने हिस्से का किराया समय से पहले दे दूँ। यह मेरे लिए कोई बड़ी समस्या नहीं थी क्योंकि मुझे अच्छा काम मिल रहा था। मुझे रिकार्डिंग के बहुत से अनुबन्ध मिल रहे थे पर समारोहों में प्रदर्शन के आमन्त्रण अधिक नहीं थे।

पं. रविशंकर से दुबारा भेंट से मेरे जीवन में बहुत अन्तर आ गया। जब वे अभ्यास करते और रिकार्ड करते तो मैं तबले पर संगत करता और मैंने 'गोदान' फिल्म संगीत में सन्तूर बजाया। हाँ, घर पर विचित्र घटनाएँ होने लगीं। एक बार मैं रविजी के साथ रिकार्डिंग से लौटा तो अपने साथी को घर की सारी बत्तियाँ बुझाकर बैठे देखकर हैरान रह गया। मेरे प्रश्नों को टालते हुए उसने कहा कि मोमबत्ती के प्रकाश में बहुत अच्छा विश्राम मिलता है। मैंने अनुमान लगाया कि कहीं कुछ गलत है। वास्तव में बिजली काट दी गयी थी। अगले दिन उसका म्यूज़िक सिस्टम गायब था। अन्त में उसने स्वीकार किया कि उसने एक भी बिल का भुगतान नहीं किया है। अत: लेनदार उसके पीछे लगे थे। हमें घर छोड़ना पड़ेगा। उस शाम मैंने रवि जी से अभ्यास सत्र से जल्दी आने की प्रार्थना की और उनको सारी स्थिति से अवगत कराया। उन्होंने तुरन्त मुझे मालाबार हिल में अपने अपार्टमेंट में आकर रहने के लिए कहा। मैं अपने ठिकाने पर पहुँचा तो पाया कि मुझे सामान बाँधने का कष्ट नहीं करना पड़ेगा—सीढ़ियाँ भी नहीं चढ़नी पड़ेंगी। मेरा और केवल का सारा सामान सड़क पर बिखरा पड़ा था और केवल असहाय-सा पास में खड़ा था। मैंने उससे पूछा कि क्या तुमने सब कुछ ले लिया है। उसने गम्भीरता से कहा, "हाँ गुरु जी, बस थोड़े से आलू और बन्दगोभी रसोई में पड़ी है।" मैं अपनी हँसी रोक नहीं पाया। ऐसी स्थितियों में भी परिहास ढूँढ़ पाने ने ही मुझे वर्षों तक आशावान बनाये रखा।

अत: मैं रवि जी के सुन्दर और सजे हुए घर गया और कुछ दिन वहाँ रहा। रवि जी एक स्नेही और अतिथियों की आवभगत करने वाले आतिथेय थे। उन्होंने मुझे आराम से रखा और अपने नौकर को अच्छा खाने बनाने को कहा क्योंकि उन्होंने जम्मू में हमारे घर के खाने का स्वाद चख रखा था। मैं वहाँ पन्द्रह-बीस दिन रहा और रवि जी अकसर बम्बई से बाहर कार्यक्रमों के लिए आते-जाते रहे।

अन्त में मैंने पक्का इरादा कर लिया कि अपना घर किराये पर ले लूँगा। मैं अपने यायावरी अस्तित्व से तंग आ चुका था और मुझे अपना घर चाहिए था। यह कोई आसान बात नहीं थी क्योंकि कोई भी समझदार मकान मालिक एक अनिश्चित और अनियमित आयवाले अविवाहित व्यक्ति को फ्लैट किराये पर नहीं देना चाहता। दलाल के साथ कई फ्लैट लेने के असफल प्रयासों के बाद मैंने यह काम अपने हाथ में ले लिया और उससे कहा कि अगले फ्लैट के मालिक से मैं स्वयं बात करूँगा।

अगला स्थान चौदहवीं सड़क बांद्रा में शान्ति विला था। मैं मकान मालिक के पास गया और अपनी पैरवी की। अपना अविवाहित होना, काम आदि सब कुछ साफ-साफ बता दिया। यह जीवन का सबसे कठिन साक्षात्कार था। पर अन्त में उसे मेरी ईमानदारी पर भरोसा हो गया और केवल और मुझे वह फ्लैट ग्यारह महीने के लिए मिल गया।

मैं अपने नये जीवन से अभ्यस्त हो गया, पर घर की याद अभी भी आती थी। जम्मू जैसे छोटे शहर में पले बढ़े होकर नये जीवन के तौर-तरीकों से समझौता करना आसान नहीं था। भीड़भाड़ वाले महानगर का शोरगुल मेरे लिए अभी भी नया था। मैं अपने पिता जी के साथ एक ही थाली में भोजन करना और माता जी की स्नेहपूर्ण उपस्थिति का अभाव अनुभव कर रहा था। फिर भी मैं प्रसन्न था। केवल खाना बनाता था और मैं घर की ओर से निश्चिन्त था। अपना पलंग एक विलास की चीज़ थी, ऐसी छोटी-छोटी चीज़ें मुझे प्रसन्नता देती थीं। अन्त में जीवन नियमित हो गया—रहने, रियाज़ करने और सोने के लिए एक स्थान मिल गया।

अन्त में पिता जी का एक और शिष्य केवल के स्थान पर मेरे साथ रहने आ गया क्योंकि पिता जी अभी भी मेरे बम्बई में अकेले रहने को लेकर चिन्तित थे। इस शिष्य का नाम कृष्णलाल वर्मा था और वह बम्बई में मुझसे तबला सीखने आया था। गुरुकुल परम्परा के अन्तर्गत—शिष्य गुरु के पास रहकर गुरु के घर के कामकाज करता है और गुरु उसे शिक्षा देता है और उसकी मूल आवश्यकताएँ पूरी करता है। कृष्ण ने घर की देखभाल और खाना बनाने की पेशकश की। बंसीलाल ने, जो मेरे साथ कुछ समय वार्डन रोड पर रहा था, जब मेरी सुधरी हुई हालत के बारे में सुना तो वह भी हमारे साथ आकर रहने लगा। वह अभी भी फिल्मों में अपना भाग्य आजमा रहा था।

महीनों ढाबे का खाना खाने के बाद घर में बना खाना खाकर मुझे बहुत प्रसन्नता हुई। भोजन मेरे जीवन का एक महत्त्वपूर्ण भाग रहा है। मेरे माता-पिता दोनों को अच्छा भोजन बनाने और खाने का शौक था। मैं बचपन में एक प्रकार

के भोजन का आदी हो गया था। बम्बई में बना बनाया भोजन खा-खाकर मैं घर में माँ के भोजन के लिए तरसता था।

आर्थिक रूप में मेरे लिए यह अभी भी कठिन समय था। मेरी सारी कमाई किराये और बिजली के बिल देने में लग जाती थी और मैं बहुत कम बचा पाता था। एक दोपहर मेरे पास फूटी कौड़ी भी नहीं थी और मुझे कुछ समझ नहीं आ रहा था। हमें भूख लग रही थी और मैं कृष्ण को बता नहीं पा रहा था कि मेरे पास पैसे बिलकुल नहीं थे। न ही मैं मित्रों से उधार माँगना चाहता था और न ही घर पर पैसों के लिए लिखना चाहता था। अचानक घंटी बजी और दरवाजा खोलते ही मैंने पोस्टमैन को खड़ा पाया। वह 13.75 रुपये का एक चेक लेकर आया था जो एक रिकार्डिंग की रॉयल्टी थी जिसके बारे में मैं भूल चुका था। इस तरह मुझे एक अस्थायी राहत मिल गयी और हमने शेरे पंजाब ढाबे में भरपेट खाया।

एक अन्य दिन जब जेब बिलकुल खाली थी तो रोशन अली साहब ने एक बहुत ही प्रभावशाली लेखक और 'मदर इंडिया' पत्रिका के सम्पादक बाबूराव पटेल के लिए प्रदर्शन का प्रबन्ध किया। रोशन साहब सोच रहे थे कि श्री पटेल को मेरा संगीत पसन्द आएगा तो उसके बारे में लिखेंगे। अतः मुझे कोई फीस नहीं मिली। मेरे प्रदर्शन के बारे में प्रशंसा से भरे लेख लिखे गये और उन्होंने एक अन्य कार्यक्रम रखवाया जिसके कारण मुझे पहली फैन मेल मिली।

जब मैं प्रचार के लिए एक प्रदर्शन से लौटा तो कृष्ण ने मुझे 20 रुपये थमाये। पूछने पर उसने बताया कि यह टैक्सी का किराया था। आयोजकों ने मुझे कोई फीस नहीं दी थी—केवल टैक्सी का किराया भर दिया था। मुझे पूरी गरीबी से बचाने के लिए यह भी ईश्वर की देन थी। इन्हीं अनुभवों के कारण मैं अपने आपको भाग्यशाली मानता रहा हूँ और ईश्वर के बिलकुल पास। कोई वस्तु या व्यक्ति मेरा मार्गदर्शन और रक्षा करता रहा है... शक्ति प्रदान करता रहा है।

इसी समय मैं सन् 40-50 के प्रसिद्ध संगीत निर्देशक पं. हुस्नलाल-भगतराम जी, दो भाइयों के परिवार के निकट आया। लोकप्रिय संगीत निर्देशक शंकर जो शंकर जयकिशन के नाम से जाना जाता था, इनका सहायक निर्देशक था और संगीतकार खय्याम हुस्नलाल जी के शिष्य। मुझे उनके घर पर हुस्नलाल जी को गाते और वायलिन बजाते हुए और भगतराम जी को हारमोनियम बजाते हुए सुनकर समय बिताना अच्छा लगता था। इन भाइयों से मेरी मित्रता इसलिए भी गहरी हो गयी कि उनके गुरु पं. दिलीपचन्द्र बेदी, मेरे पिताजी के प्रिय मित्र थे जो अकसर जम्मू में हमारे घर पर ठहरते थे।

यहाँ पं. दिलीपचन्द्र बेदी सम्बन्धी एक घटना बताने के लिए मुझे विषयान्तर

करना पड़ेगा। एक बार जब मैं बहुत छोटा था तो पिताजी ने इस प्रतिभाशाली पर तुनकमिजाज़ी संगीतकार की जिम्मेदारी मुझे सौंप दी। महाराजा ने उन्हें जम्मू बुलाया था और संगीत प्रदर्शन सात बजे आरम्भ होना था। पाँच बजे के काफी देर बात वे आदमकद शीशे के सामने खड़े हुए अपनी पगड़ी को ठीकठाक कर रहे थे पर वह ढीठ ठीक आकार में नहीं बँध रही थी। उन्होंने कितनी ही प्रकार से प्रयत्न किया पर गाँठ टेढ़ी होती रही। पंडित जी पूरी तरह से धीरज खो बैठे थे और मेरी फटी हुई आँखों के सामने गुस्से में आकर उन्होंने पगड़ी दूर पटक दी। पैर पटकते हुए और गुस्से से तिलमिलाये उन्होंने कमरे से बाहर आने से इनकार कर दिया। मेरी ओर देखकर उन्होंने कहा कि कार और ड्राइवर को वापिस भेज दो और सबको बता दो कि संगीत कार्यक्रम रद्द हो गया है। डरते हुए मैं धीरे से बाहर गया, शीशा मेरा घबराया हुआ प्रतिबिम्ब दिखा रहा था। मैं पिता जी के पास गया और हकलाते हुए उन्हें सारी बात बतायी।

मुझे हैरानी हुई जब पिता जी ने एक ठहाका लगाया और बेदी जी के कमरे में चले गये। पगड़ी को उठाते हुए उन्होंने कहा—''मित्र, मैं तुम्हारी सहायता करता हूँ।'' एक पल के बाद ही पगड़ी ठीक जोधपुरी ढंग से बँध गयी थी। पंडित जी अपनी शेरवानी और पायजामे में फब रहे थे और पगड़ी सिर पर सुशोभित थी। उनके चेहरे से गुस्सा उतर गया और वे प्रदर्शन के लिए धीरे-से मुस्कराते हुए चले गये जैसे कुछ हुआ ही न हो। ऐसे होते हैं संगीतकारों के चंचल स्वभाव।

हुस्नलाल जी और भगतराम जी दोनों के बेदी जी के शिष्य होने के कारण हमारे बीच एक गहरा सम्बन्ध स्थापित हो गया। इस परिवार ने कृष्ण और मुझे अपना सदस्य बना लिया। नये शहर में अब एक घर था जहाँ मेरा सदा स्वागत होता था और जहाँ गर्म भोजन और एक परिवार मेरे काम के बाद मेरी प्रतीक्षा करता था। मुझे यह बहुत अच्छा लगा—मित्रों के साथ बातें करना, कैरम खेलना और एक-दूसरे से मज़ाक करना। अकसर प्रसिद्ध कत्थक नृत्यांगना रोशन कुमारी भी होतीं और हम सब मिलकर बहुत बढ़िया समय बिताते। हुस्नलाल जी भी शान्ति विला आते और हम सारा दिन संगीत में व्यस्त रहते—वे वायलिन पर और मैं तबले पर या फिर हम अपना-अपना रियाज़ करते। इस सबके बीच हुस्नलाल जी कृष्ण को बाज़ार से ताज़ा सब्जियाँ या चिकन और मसाले खरीदने भेज देते। तब हम अभ्यास करते हुए स्टोव पर रात का भोजन बनाते। मसालों की गन्ध से सुवासित बढ़िया व्यंजन।

हम सब संगीत सम्मेलनों में अवश्य जाते और आजकल के संगीतकारों से अलग, अपना प्रदर्शन समाप्त होने के बाद भी हर दिन संगीत सुनते। यह सामान्य शिष्टता मानी जाती थी और फिर हम इनसे बहुत कुछ सीखते भी तो थे। वरिष्ठ

संगीतकार बेहद ईमानदार थे—जब हम अच्छा बजाते तो वे हमारी प्रशंसा करते और जब उनकी आशाओं पर खरा नहीं उतरते तो आलोचना भी करते। कलकत्ता में सन् 1957 में अखिल भारतीय सम्मेलन में एक बहुत बढ़िया घड़ी आयी। यह एक महत्त्वपूर्ण अवसर था क्योंकि सबसे अच्छे कलाकार को उस्ताद इनायत हुसैन खान साहब के नाम पर संस्थापित एक पदक प्रदान किया जाना था। उनके यशस्वी पुत्र सितारवादक उस्ताद विलायत खान साहब उसे प्रदान करनेवाले थे और श्रोताओं में बड़े-बड़े विद्वान बैठे थे। जैसे ही मैं मंच पर बैठा तो मैंने भारतीय संगीत की प्रसिद्ध विभूतियों को देखा। उस दिन वह पदक मुझे मिला और मैं आज भी इसे एक बहुत बड़ा सम्मान मानता हूँ।

अब मुझे लगा कि अब मैं जम्मू छोड़ने के अपने निर्णय को पिता जी के सामने सही सिद्ध कर सकता हूँ। यदि मैं घर पर रहकर रेडियो जम्मू में काम करता तो मेरे सपने कभी सच न होते। मुझे प्रख्यात संगीतकारों, कलाकारों के बीच अपना प्रदर्शन करने का अवसर कभी न मिलता। अब मुझे इस बात का भी ध्यान रखना था कि मुझसे एक दिन पहले पं. रविशंकर उसी समारोह में अपनी सितार से श्रोताओं को मन्त्रमुग्ध करनेवाले हैं, उस्ताद बिस्मिल्लाह खान उसी दिन मुझसे पहले और उस्ताद अमीर खान साहब उससे अगले दिन बजानेवाले हैं।

मैं तब युवा था और बम्बई प्रलोभनों से भरी थी। जब मुझे पैसों की आवश्यकता थी, फिल्म जगत् से बहुत लुभावने प्रस्ताव आने लगे। कई निर्माताओं ने मुझे फिल्मों में संगीत देने के लिए कहा और ख्वाजा अहमद अब्बास मुझे अपनी एक फिल्म में नायक का रोल देना चाहते थे। फिल्मी जगत् की चकाचौंध मुझे लुभा रही थी पर मैं अपनी आत्मा को चंद सिक्कों के लिए बेचना नहीं चाहता था। मैं यहाँ एक बड़े मिशन पर था। सन्तूर को शास्त्रीय संगीत जगत् में अपना सही स्थान दिलाना था। मुझे अपने पिता का सपना, जो अब मेरा भी बन चुका था, को साकार करना था। मुझे अशान्ति ने घेर लिया था क्योंकि मेरे परिश्रम का कोई लाभ नहीं मिल रहा था। मेरे मस्तिष्क में प्रतिरोध के भाव आने लगे और एक समय मैं हृदयहीन बम्बई को छोड़कर कलकत्ता जाने की सोचने लगा जहाँ श्रोताओं की स्वीकृति और प्रशंसा मेरी प्रतीक्षा कर रहे थे। पर अचानक मेरे अच्छे मित्र जसराज जी कलकत्ता से बम्बई आ गये... और मैं भी वहीं रुक गया।

मुझे और चिन्ता हुई, एक फिल्म यूनिट मुझे लम्बे अर्से के लिए अनुबन्धित करना चाहता था, जिसका अर्थ था कि मैं लम्बे समय के लिए रियाज़ नहीं कर पाऊँगा। शिष्टतावश मैं उन्हें साफ मना नहीं कर पाया पर मैं उनके साथ काम नहीं करना चाहता था। एक दिन मुझे एक बढ़िया योजना सूझी। जब उनके निर्माण विभाग के लोग आये तो मैंने कहा कि मेरी फीस उनके बजट से बाहर है। उन

दिनों हर संगीतकार—ए., बी., सी. और विशेष सभी की फीस निश्चित होती थी। विशेष के लिए फीस 120 रुपये थी। मैंने उनसे पीछा छुड़ाने के लिए बड़े रूखेपन से बड़ी रकम 200 रुपये की माँग की। मैंने सोचा कि यह चाल चल जाएगी।

पर मेरा ऐसा भाग्य कहाँ था—यूनिट ने मेरी माँग स्वीकार कर ली (मैं तब तक 85 रुपये ले रहा था) और मुझे बिना विरोध के 200 रुपये दे दिये गये। अगले दिन जब स्टूडियो पहुँचा तो अचानक अपनी फीस दुगनी करने को कोई महत्त्व नहीं दिया। मैं आनेवाली कठिन परीक्षा के बारे में सोच रहा था। मेरा बहुमूल्य समय पार्श्वसंगीत निर्माण में लगेगा जबकि मैं घर पर बैठकर सन्तूर पर अर्थपूर्ण रियाज़ कर सकता था।

इस तरह धर्म संकट की स्थिति बनी रही। फिल्मों में अच्छी कमाई थी पर मैं अपने वास्तविक लक्ष्य की प्राप्ति में अधिक समय लगाना चाहता था। मुझे विलासिता की चीज़ों की कोई आवश्यकता महसूस नहीं हुई। मेरे पास कार थी न फोन। मैं श्रम करता रहा और चाहता था कि श्रोता सन्तूर को एक उचित अवसर देकर देखें। मैं अकेला अपने वाद्ययन्त्र पर निपुणता प्राप्त करने के लिए संघर्ष करता रहा—आसानी से पकड़ में न आनेवाली मींड़ को प्राप्त करने के लिए जिसे हम अविकल स्वरों के रूप में सितार, सरोद, सारंगी, शहनाई और बाँसुरी में तथा अन्य वाद्ययन्त्रों पर सुनते हैं।

उन दिनों बम्बई बिलकुल ही अलग तरह का शहर था। यह बहुत साफ सुथरा और अनुशासित था और परिवहन सेवा देश के अच्छे शहरों में से एक थी। शहर की सीमा में गाड़ियाँ और बसें चलती थीं। चूँकि मैं केवल बस पर ही जा सकता था, मैं शान्तिविला से बान्द्रा टाकीज़ तक पैदल चलकर अन्तिम स्टॉप फ्लोरा फाउंटेन के लिए 81 नम्बर रूट की बस पकड़ता था। वहाँ से मैं कभी-कभी रिट्ज़ होटल जाता, जहाँ जयदेव जी रहते थे और उनके पास कुछ समय बैठकर चर्च गेट चला जाता। वहाँ थोड़ा घूम-फिरकर मैं रेडियो स्टेशन जाता, जहाँ जोग साहब और रोशन अली साहब से मिलता और थोड़ी मस्ती करता। फिर दफ्तरी लोगों की भीड़भाड़ से पहले, मैं घर के लिए बस पकड़ लेता। अकसर मुझे देर हो जाती और सर्पाकार बस की पंक्ति में बड़े धैर्य से पाँव रखने की जगह के लिए अपनी बारी की प्रतीक्षा करता। वहाँ से मैं थका-हारा मुफस्सिल के लिए लम्बी यात्रा करता। फिर भी मैं शान्ति विला के छोटे से फ्लैट में लौटकर बहुत प्रसन्न होता। मुझे अच्छा लगता कि एक जगह है जिसे मैं अपनी कह सकता हूँ।

जम्मू एक छोटा शहर था जहाँ न कोई टैक्सी थी न बस—मैं पहले स्कूल

और फिर कॉलेज की एक ओर की चार-पाँच किलोमीटर की दूरी पैदल ही तय करता। पहाड़ियों पर नीचे की ओर दौड़कर जाना तो आसान था पर वापसी में हम कई ढलानों को चढ़ते हुए थकेमाँदे घर लौटते। सर्वोपरि मैं अपने बचपन के जम्मू को शान्ति से जोड़कर देखता। जम्मू शान्त था और मैं अकेला। मैंने अपने आसपास की खामोशी का आनन्द लेना सीख लिया। उस छोटी-सी आयु में भी मैंने आत्म-निरीक्षण सीख लिया था और यह बाद में मेरे बहुत काम आया। वर्ड्सवर्थ के 'डैफोडिल्स' की तरह जिनका सुन्दर दृश्य कवि के अन्तर्मन पर वर्षों छाया रहा, मेरे मन में भी पहाड़ियाँ और उन्नत चोटियाँ अंकित थीं जो सूर्यास्त के समय मन्द-मन्द चमकतीं और प्रातः अरुणाभ हो जातीं। मैं बहुत भाग्यशाली था कि जब मैं संगीतकार बनने की ओर पहले कदम बढ़ा रहा था, उस खामोशी और सुन्दरता को आत्मसात कर पाया।

जब मैं शान्ति विला में रहने लगा तो वहाँ की शान्ति पाकर और बम्बई के अन्य भागों से अधिक बान्द्रा की हरियाली देखकर मुझे बहुत प्रसन्नता हुई। मेरी गली में दुमंजिलें, तिमंजिले घर थे, घास के हरे-भरे टुकड़े और दूर से समुद्र का दृश्य दिखाई देता था। शान्ति विला की टेरेस थी जहाँ मैं विश्राम कर सकता था। रेलिंग के सहारे खड़े होकर मैं दूर तक देखते हुए अपने संगीत के बारे में सोचता रहता। टेरेस के एकान्त में मैं सन्तूर पर फिर से प्रयोग करने लगा। ऐसा लगता था जैसे हम एक-दूसरे को अभी-अभी पहचान रहे हों।

बम्बई में दो वर्ष रहने के बाद मुझे लगा कि मैं व्यवस्थित हो गया हूँ और मुझे विश्वास हो गया कि अब मैं पिता जी को अपने पास बुला सकता हूँ। इससे पहले मैं नहीं चाहता था कि पिता जी मेरे संघर्ष को देखें। जब भी वे आने के बारे में कहते मैं टाल जाता और जम्मू जाकर उन्हें और माता जी को मिल आता।

पिता जी को बुलाने के पीछे दो कारण थे। एक तो मुझे उनकी कमी अनुभव हो रही थी क्योंकि मैं घर पर माता-पिता के पास रहने का आदी हो गया था और एक गुरु के रूप में मुझे उनकी सलाह और मार्गदर्शन चाहिए था। मेरा कोई आदर्श नहीं था और मैं किसी से भी इतना प्रेरित और प्रभावित नहीं हुआ था कि मैं उसका अनुसरण कर सकूँ। मुझे विश्वास हो गया था कि प्रत्येक व्यक्ति अपना भाग्य स्वयं बनाता है और यह हमारा कर्तव्य है कि हम अपनी योग्यता से अपना जीवन बनायें। पर निराशा के क्षणों में, जब मैं कठिनाइयों के अम्बार से घबरा जाता, उस दौर से उबरने के लिए पिताजी का आश्वासन चाहता। वास्तव में और किसी के पास भी नहीं जा सकता था क्योंकि शास्त्रीय संगीत जगत् में मेरा वाद्ययन्त्र एकदम नया था।

अन्ततः पिताजी जब शान्ति विला आये तो मेरे मित्रों ने उनकी देखभाल

की जिम्मेदारी ले ली—भगतराम जी और उनका परिवार, हरिजी और जसराज जी की पत्नियाँ अकसर आतीं और प्रतिभाशाली गिटारवादक कुलभूषण काबरा भी आते जिनसे मैं कलकत्ता में सन् 1957 में मिला था। जसराज जी तब अपनी नयी दुल्हन के साथ ग्रांट रोड पर रहते थे।

पिता जी मेरे बहुत से मित्रों से, आकाशवाणी जम्मू में नियुक्ति के दौरान मिल चुके थे। अब जब सेवानिवृत्ति के बाद वे छुट्टियाँ मनाने बम्बई आये तो उन मित्रों ने उनके सम्मान में एक संगीत संध्या का आयोजन करने का निर्णय लिया। यह एक अविस्मरणीय अवसर था—मेरा छोटा-सा कमरा विशिष्ट संगीतकारों से भरा हुआ था और वे केवल पिताजी, मेरे और दो-तीन अन्य लोगों के लिए प्रदर्शन कर रहे थे। रीति और शिष्टता के चलते हर गायक पहले गाना चाहता था—दूसरों की प्रतिभा से वे इतने प्रभावित थे। जसराज जी ने पहले गाया और उनके बाद हुस्नलाल जी ने। हममें से बहुत कम ने उनका गायन सुना था क्योंकि वे एक संगीत निर्देशक के रूप में अधिक जाने जाते थे। मुझे अब भी याद है कि जब उन्होंने राग नन्द गाना आरम्भ किया, उनकी शक्तिशाली आवाज़, ऊँचे स्वर और अद्वितीय शैली से सारा कमरा गूँज उठा और एक सन्नाटा-सा छा गया। इसका इतना प्रभाव हुआ कि उस्ताद नसीर अहमद खाँ साहब ने, जिन्होंने कार्यक्रम का समापन करना था, यह कहकर गाने से मना कर दिया कि वे हुस्नलाल जी के गायन से इतना प्रभावित हुए हैं कि स्वयं गा नहीं पाएँगे। बहुत मनाने पर उन्होंने कुछ पंक्तियाँ ही गायीं। जीवन में ऐसे क्षण बहुत कम आते हैं और हम सबने उस महान् सन्ध्या का भाग होने पर अपने आपको भाग्यशाली माना। बाद में पिताजी ने हुस्नलाल जी को आशीर्वाद दिया। उनके गुरु पं. दिलीपचन्द्र बेदी के करीबी होने के कारण वे उनके शिष्य को इतना अच्छा गाते हुए देखकर बहुत प्रसन्न हुए।

प्रदर्शनों में मुझे बजाते हुए देखकर पिताजी के चेहरे पर गर्व का भाव देख मुझे बहुत प्रसन्नता हुई। रंगभवन में आयोजित एक ऐसे ही अवसर पर मैंने उन्हें उस्ताद विलायत खाँ साहब से मिलवाया। उनके आकर्षण और शहद से पगे शब्दों का कोई सानी नहीं। वे पिताजी से बड़े स्नेह और आदर से मिले। उन्होंने फिर बहुत बढ़िया प्रदर्शन किया जिसे मेरे पिता जीवन भर भुला नहीं पाये।

पिताजी की विभिन्न रुचियों को देखते हुए, मैं उनके साथ कुश्ती के दंगलों में भी गया। मेरे पिता स्वयं एक अच्छे पहलवान थे और उनको कुश्ती का एक दौर अच्छा लगता था। मैं इस प्रकार के खेल से अधिक प्रभावित नहीं था, पर दारा सिंह और किंगकांग की कुश्ती देखकर पिताजी के चेहरे पर जो बाल सुलभ प्रसन्नता झलकती थी उसे देखकर मुझे आनन्द आता था।

शीघ्र ही वे बम्बई से ऊब गये और उन्होंने अपने प्रिय शहर जम्मू लौट जाने की इच्छा जतायी। मुझे इसका कुछ आभास हो गया था, वे घर से काफी समय के लिए दूर रहे थे। मुझे अपने योग्य मित्रों के संसर्ग में ठीक से रहता हुआ देखकर वे संतुष्ट थे। मैंने अपनी योग्यता दिखा दी थी और उन्होंने मेरे बम्बई में बस जाने को स्वीकार कर लिया था। बम्बई सेंट्रल पर जब मैंने उन्हें विदा किया तो थोड़ा उदास हो गया पर एक बात से राहत मिली कि अब वे मुझे बम्बई छोड़कर जम्मू रेडियो के उस पद पर काम करने के लिए कभी नहीं कहेंगे।

हाँ, मैं अभी भी अकसर जम्मू जाता रहता था, विशेष रूप से जबसे पहले की कठिन यात्रा के स्थान पर पैसेंजर एक्सप्रेस ट्रेन आरम्भ हुई थी। पर पिताजी बम्बई उतना नहीं आये जितना मैं चाहता था। वे शोर, प्रदूषण, धूल, हर ओर लोगों का हजूम और गगनचुम्बी अट्टालिकाओं से बहुत घबराते थे। वे अपने मित्रों और जम्मू की जीवन शैली को भी बहुत याद करते थे। हमारी भूमिकाएँ बदल रही थीं और मैं उनकी देखभाल करना सीख रहा था।

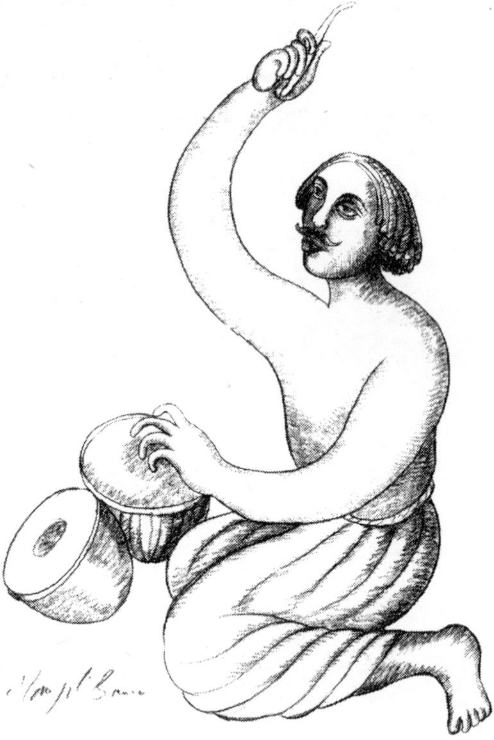

दो

मंच पर

पीछे मुड़कर देखने पर लगता है कि हमारा दुबारा मिलना उस फिल्म की कहानी से मिलता-जुलता है जिसके लिए हम फिल्म निर्देशन कर रहे थे। अपने-अपने घर से दूर हम दोनों बम्बई में अपना स्थान बनाना चाहते थे और उस समय के जाने-माने संगीत निर्देशकों के लिए काम करते हुए एक छोटी शुरुआत कर रहे थे। व्यस्त महानगर में थोड़ा खोये और थके हुए हम जीविकोपार्जन का प्रयास कर रहे थे और इसी दौरान मित्रता की तीव्र इच्छा लिए हम एक-दूसरे तक पहुँचे। हम सस्ते होटलों में खाते, रिकार्डिंगों में संगीत देते हुए दिन के अन्त में एक-दूसरे का मनोबल बढ़ाते और एक दिन बहुत बड़ा नाम कमाने का प्रण करते। मैं बड़े भाई के रूप में शिव जी का कहा मानता और उनकी परिपक्व बुद्धिमत्तापूर्ण बातें सुनता। हम इस तरह एक-दूसरे के बहुत निकट आ गये। मैंने उनमें एक ऐसा मित्र पाया, जिससे अनजान चेहरों के बीच आप अपने मन की बात कह सकते हो। मैंने निर्णय लिया कि यह मेरे जीवन का महत्त्वपूर्ण सम्बन्ध स्थापित होनेवाला है।

शिव जी ने मुझे अपनी शक्तियों को अनुशासित करना सिखाया, मुझे रियाज़ करने और गम्भीर संगीत प्रदर्शनों में जाने को कहा और अपने आपको बाँसुरी को समर्पित करने के लिए प्रेरित किया। मुझे उन्होंने अपना बहुमूल्य समय इधर-उधर की छोटी बातों में गँवाने की व्यर्थता के बारे में समझाया जबकि भारतीय शास्त्रीय संगीत में अभी भी सितार, सरोद और शहनाई का वर्चस्व था। शिव जी ने मुझे इस निर्णयात्मक घड़ी में अपना दावा पेश करने की महत्ता बतायी।

—हरिप्रसाद चौरसिया

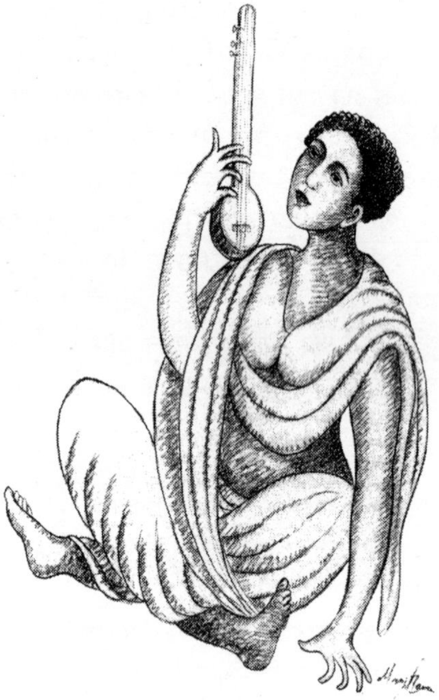

सन्तूर : वाद्ययन्त्र

सन्तूर की उत्पत्ति के बारे में कई सिद्धान्त प्रचलित हैं। फ़ारसियों का दावा है कि इस यन्त्र का जन्म उनकी धरती पर हुआ और यह वहाँ से पूर्व की ओर कश्मीर में आया। हालाँकि इसको सिद्ध नहीं किया जा सकता पर इसकी काफी सम्भावना है कि यह किसी व्यापारी के सामान के साथ आया। कुछ भारतीय संगीत विशेषज्ञों ने सौ तन्त्रोंवाले एक यन्त्र—शततन्त्री वीणा का सन्दर्भ प्राचीन संस्कृत ग्रन्थों में पाया है।

कश्मीर में सन्तूर की भूमिका सीमित थी। फ़ारसी सन्तूर के बरक्स जो अन्य तन्त्रवाद्यों की तरह स्वतन्त्र रूप से बजाया जाता था, कश्मीर का सन्तूर केवल गायन—विशेषकर सूफियाना मौसिक़ी के साथ बजाया जाता था। मैं बल देकर कहना चाहूँगा कि सूफियाना मौसिक़ी लोक संगीत नहीं है। इसमें भारतीय शास्त्रीय संगीत के सरगम—सात अविकल स्वर, जिन पर रचनाएँ आधारित होती हैं और फ़ारसी शास्त्रीय शब्दावली—जैसे कि *मक़ाम* शब्द का भारतीय शब्द *राग* के स्थान पर प्रयोग होता है।

जर्मनी का हैकब्रेट जो सन्तूर के काफी निकट है वाद्यवृन्द में बजाया जाता था। चीन में यांगकिन स्वतन्त्र रूप से बजाया जाता है। सिंबालोम हंगरी के खानाबदोश लोक संगीत में बजाया जाता है। आज के ईरान और ईराक, कज़ाकिस्तान, तिब्बत, विएतनाम, यूनान, स्विट्ज़रलैंड, इटली और आयरलैंड में इसके विभिन्न प्रकार सुने जा सकते हैं (हैमर डल्सीमर)।

भारतीय सन्दर्भ में तन्त्र संगीत वाद्य का सम्बन्ध हम दीन-हीन तीर कमान से जोड़ सकते हैं। जैसे ही तीर को धनुर्धर की ओर कसकर कमान पर चढ़ाकर छोड़ा जाता, वैसे ही एक ध्वनि उत्पन्न होती। यह प्राचीन भारतीय पिनाकी वीणा का आगमन था। यह यन्त्र विश्वभर में प्राचीन संगीत प्रतिमा विज्ञान का भाग था। और फियस औरफियस अपनी-अपनी वीणा के साथ चित्रित की जाती हैं। रुद्रवीणा, सरस्वती वीणा इसी वीणा से विकसित हुई हैं। शततन्त्री से ही सन्तूर बना।

सन्तूर दोनों हाथों में एक-एक कलम लेकर बजाया जाता है। उँगलियाँ तारों को नहीं छूतीं इसलिए सन्तूर में मींड नहीं है, स्वर कटे हुए हैं और आलाप अधूरा है। मैं वर्षों तक कश्मीरी सन्तूर पर सात स्वरोंवाले राग ही बजाता रहा। उदाहरण के लिए, मैं इस पर राग विहाग नहीं बजा पाता था क्योंकि इसमें मध्यम (प्राकृतिक चौथा और तीव्र चौथा) दोनों की आवश्यकता थी। इसलिए सन् 1955 में मेरे बम्बई प्रदर्शन की मिली-जुली प्रतिक्रिया हुई थी और समीक्षकों ने सन्तूर की त्रुटियों की ओर इंगित किया था। वे सही थे और मुझे इस बात का पता था। मुझे व्यक्तिगत रूप से सिखाते हुए पिता जी ने जो गाया था उसे सन्तूर पर बजा पाने में अपनी असमर्थता पर मैं हतोत्साहित था।

कुछ समीक्षक बहुत कठोर थे, वे कहते थे कि सन्तूर को एक शास्त्रीय वाद्ययन्त्र के रूप में कभी स्वीकार नहीं किया जाएगा। अन्य अधिकांश वरिष्ठ संगीतकार जो पिता जी से परिचित थे, सहानुभूति रखते थे। वे अपनी टीका और स्तर से कहते, "बेटा तुमने गलत वाद्ययन्त्र चुना है। अभी भी समय है, इसे छोड़ कर सितार या सरोद बजाओ और तुम्हें बहुत सफलता मिलेगी।" इसलिए मुझे पता था कि यदि सन्तूर बजाना है तो मुझे इसकी सीमाओं को लाँघना होगा। आज के सन्तूर की ध्वन्यात्मक विशेषता इसको विकसित करने के लिए किये गये मेरे शोध और प्रयोगों के कारण है।

सौ तन्त्रोंवाला सन्तूर जो मुझे पिता जी से मिला था वह केवल कश्मीरी संगीत के लिए ही बना था। इससे शास्त्रीय राग बजानेवाले संगीतकारों के लिए बहुत समस्या खड़ी हुई। एक राग को हम एक ऐसी स्वरावली के रूप में परिभाषित कर सकते हैं जिसका अपना व्याकरण हो। एक राग के कम-से-कम पाँच आरोही और पाँच अवरोही स्वर होने चाहिए—निचले स्वर से ऊपरी स्वर तक और फिर निचले स्वर तक। इस तरह सा रे गा मा पा धा नी सा आरोही में और अवरोही में सा नी धा पा मा गा रे सा हैं। राग अपनी विशिष्टता कुछ विशेष स्वरों से ही नहीं पाता अपितु उनके क्रम और किसी स्वर पर जोर देने से भी पाता है। इसीलिए उन्हीं स्वरोंवाले दो राग भिन्न रूप में ध्वनित होते हैं। भारतीय शास्त्रीय संगीत को इसकी सम्पूर्णता में बजाने के लिए हमें तीन सप्तक, प्रत्येक के सात स्वर : मन्द्र सप्तक, मध्यम सप्तक और तार सप्तक की आवश्यकता होती है।

यद्यपि भारतीय शास्त्रीय संगीत के मूलतः केवल सात स्वर हैं पर इनमें से अधिकांश के कई रूपभेद हैं। हम इन रूप भेदों को शुद्ध (या तीव्र) और कोमल स्वर कहते हैं। पाश्चात्य शब्दावली में शार्प/मेजर और फ्लैट/माइनर स्वर कहे जाते हैं। केवल प्रथम 'सा' और पंचम स्वर 'पा' एक सप्तक में बदले नहीं जा सकते। अन्य पाँच स्वरों के रूप भेद हैं जिसका अर्थ है कि ये मिलकर दस

हो गये। इस तरह कुल मिलाकर एक सप्तक में बारह स्वर हो जाते हैं। 'सा' और द्वितीय स्वर 'रे' में एक और स्वर कोमल 'रे' है। फिर 'रे' कोमल और 'रे' शुद्ध होता है। कुछ रागों में हमें दोनों चतुर्थ स्वर और दोनों सप्तम स्वर 'मा' शुद्ध और 'मा' कोमल या फिर 'नी' शुद्ध और 'नी' कोमल का प्रयोग करना पड़ता है।

सन्तूर एक खोखला बक्सा है जिसके ऊपर ब्रिज कहे जानेवाले लकड़ी के टुकड़े होते हैं। कश्मीरी सन्तूर के सौ तार और पच्चीस ब्रिज होते हैं। प्रत्येक ब्रिज के आर-पार चार तार हैं। सरगम के लिए प्रत्येक ब्रिज के ऊपर के चारों तार एक ही स्वर 'सा' या 'गा' से मिला लिए जाते हैं। शेष तार भी इसी तरह मिला लिए जाते हैं। स्वर मिलाने की ऐसी प्रणाली थी कि एक ओर लोहे के तार होते थे जो मध्यम सप्तक में और दूसरी ओर पीतल के तार जो मन्द्र सप्तक में स्वर निकालते थे। जो स्वर एक ओर मिलाये जाते वही दूसरी ओर भी मिलाये जाते। यही एक त्रुटि थी। तार सप्तक और मन्द्र सप्तक नहीं थे और स्वरों का विस्तार सीमित था। वादक तार सप्तक में सबसे ऊँचे तीसरे स्वर 'गा' तक ही पहुँच सकता था।

एक समस्या और भी थी। कश्मीर में सन्तूर को लकड़ी के फट्टे पर रखकर बजाया जाता था। इससे अवांछित अनुगूँज पैदा होती थी जो एक धीमे आलाप के उपयुक्त थी क्योंकि वह एक गहराई पैदा करती थी पर जैसे ही वादक तान या झाला बजाने का प्रयास करता तो ध्वनि एक शोर बन जाती। कोई सुस्पष्टता नहीं थी।

क्योंकि कश्मीरी सन्तूर में एक सप्तक में सात से अधिक स्वर नहीं मिलाये जा सकते थे, पिताजी ने मुझे ऐसे राग सिखाने आरम्भ किये जिनमें सात से अधिक स्वरों की आवश्यकता नहीं होती—जैसे कि राग यमन, राग भोपाली और राग मालकौंस। आज भी निन्यानवे प्रतिशत छात्र राग यमन से शिक्षा आरम्भ करते हैं। परम्परानुसार, एक छात्र एक मुख्य राग को लम्बे अर्से तक कभी-कभी दो वर्ष तक सीखता है। यमन में अगणित सम्भावनाएँ हैं—गत बजाना, मन्द्र और मध्यम लय में बजाना, तीव्र में झाला बजाना और आलाप बजाना। कुछ राग आलाप के लिए ही उपयुक्त हैं जबकि अन्य तीव्र ताल में ही बजाये जाते हैं। जब मेरे पिता ने सन्तूर पर सरगम बजाना सिखाया, मैंने डेढ़ वर्ष तक भिन्न-भिन्न छन्दों और लयों के साथ सरगम के ही विविध रूप बजाये। अन्ततः मैंने राग सीखने आरम्भ कर दिये।

प्रत्येक वादक जाने या अनजाने एक गायक की आवाज ध्वनित करना चाहता है। जैसे सारंगी और बाँसुरी जैसे कुछ वाद्ययन्त्र मानव के कंठ के बहुत निकट

आ सकते हैं। मेरे पिता मुख्यत: गायक थे जो ध्रुपद, धमार, खयाल, ठुमरी, दादरा और तराना आदि गा सकते थे। सन्तूर की आधारभूत शैली सिखाने के बाद उन्होंने मुझे गायन द्वारा संगीत सिखाना आरम्भ कर दिया। उदाहरण के लिए, वाद्ययन्त्र का आलाप ध्रुपद के आलाप से बहुत प्रभावित है। कभी-कभी पिता जी मुझे तराना बजाने को कहते जो तीव्र वादन के उपयुक्त संगीत से प्रभावित गायन रचनाएँ थीं। बनारस के पं. बड़े रामदास की परम्परा अपनाने के कारण उनके पास गीतों का बड़ा भंडार था और उनको भिन्न कभी-कभी कठिन लयात्मक चक्रों का ज्ञान था। कभी-कभी वे एक राग को दस भिन्न लयात्मक चक्रों में गाते या असाधारण चक्रों को बद्ध करते। कभी ग्यारह ताल में, कभी तेरह ताल में, कभी पन्द्रह ताल में और कभी सत्रह ताल में। उन्हें रागों और ताल शैली दोनों का विस्तृत ज्ञान था और वे एक गायक, एक तबलावादक और इसराज वादक का विरल मिश्रण थे।

पिता जी गायक थे और मैं उनके गायन के स्वरों को सन्तूर पर उतारने का प्रयास करता। यह बहुत कठिन कार्य था क्योंकि मैं सन्तूर पर उन स्वरों को बनाये नहीं रख सकता था। गज़ से बजाये जानेवाले यन्त्र जैसे कि सारंगी में वादक एक स्वर को जब तक चाहे बाँधकर रख सकता है और मींड भी निकाल सकता है (मींड स्वरों का नैरंतर्य है—एक स्वर से दूसरे स्वर तक ले जाने—प्रथम से तृतीय स्वर तक फिर सप्तम तक बिना अन्तराल के) सरोद पर एक वादक तार को एक हाथ से पकड़े हुए जावा या मिजराव से बजाता है और दूसरे हाथ की उँगलियों को तार के ऊपर फिराता है ताकि स्वर उत्पन्न हो सके। पर सारंगी और सरोदवादकों को बजाते हुए देखकर भी मुझे लाभ नहीं हुआ क्योंकि मैं उनका अनुसरण नहीं कर सका। मुझे कोई नहीं मिला जिससे अपनी तुलना कर सकूँ।

जब लोगों ने अनुचित ही सन्तूर की तुलना सितार, सरोद और सारंगी से की तो उन्होंने सन्तूर को दोयम कहा। मैं जानता था कि ऐसा सन्तूर के अभी तक स्थापित न होने के कारण था। किसी ने सारंगी की तुलना सितार से नहीं की, दोनों अपने-अपने चरित्र के साथ भिन्न वाद्ययन्त्र थे। सितार में वे विशेषताएँ हैं जो इसे सारंगी से भिन्न बनाती हैं, सारंगी में ऐसी विशेषताएँ हैं जो इसे सरोद से भिन्न बनाती हैं और सरोद की विशेषताएँ इसे विचित्र वीणा से या स्वर शृंगार या सुर बहार से भिन्न बनाती हैं। यह स्पष्ट था कि यदि मुझे सन्तूर बजाना था और इसे और अपने आपको व्यावसायिक रूप में स्थापित करना था तो मुझे इसे एक पहचान देनी होगी, इसका अपना एक अलग चरित्र बनाना होगा। मैं पं. रविशंकर जैसे सितार पर या अली अकबर जैसा सरोद पर बजा रहे थे, उसकी नकल कर कभी सन्तूर को स्थापित नहीं कर सकता था।

मैं प्रयोग करने लगा। पहले मैंने लकड़ी के फट्टे को हटाया और सन्तूर को गोद में रखकर बजाया। व्यर्थ का कम्पन लुप्त हो गया—तान और झाला में भी। एक स्वर के लिए चार तार अभी भी बहुत गूँज पैदा कर रहे थे। मैंने प्रत्येक ब्रिज के लिए दो तारों का प्रयोग करने का प्रयास किया पर ध्वनि बहुत महीन थी। तब मैंने तीन तारों का प्रयोग किया और पाया कि अब न तो आवाज महीन थी और न ही कम्पन था। अन्त में सफलता मिल ही गयी। प्रसन्नता की बात यह थी कि इस नये रूप में स्वर मिलाने में भी चारवाले रूप से कम समय लगता था।

फिर मैंने स्वर मिलाने की प्रणाली ही बदल दी। मैंने कश्मीरी सन्तूर के एक ओर के पीतल के तारों को मन्द्र सप्तक में कर दिया जिसके परिणामस्वरूप स्वरों में पुनरावृत्ति हुई, विविधता नहीं रही। मैंने पीतल के सभी तारों के स्थान पर लोहे के तार लगा दिये। मैंने सन्तूर को वर्णिक सोपान के स्वर से मिलाना आरम्भ कर दिया जिसमें शुद्ध और कोमल स्वर क्रमवार बजते हैं। अब बायीं ओर 'रे' कोमल और 'सा' दायीं ओर, 'रे' शुद्ध बायीं ओर और 'गा' कोमल दायीं ओर थे और इसी क्रम में बाकी स्वर भी। अब मैं सभी बारह स्वर मन्द्र से तारसप्तक तक सन्तूर पर बजा सकता था। ऊँचा विस्तार और विभिन्न राग भी बजा सकता था। स्वर शैली अधिक परिशुद्ध हो गयी और ध्वनि भी स्पष्ट लगने लगी।

प्रत्येक तारवाले वाद्ययन्त्र में एक तार होता है जिसे चिकरी कहा जाता है। जैसे लेखन में विराम चिह्न आदि वाक्यों को पृथक् करते हैं वैसे ही चिकरी संगीत रचना में स्वरों को पृथक् करती है। साधारणतया सरोद और सितार में चिकरी को मध्यम सा से एक सप्तक ऊपर रखा जाता है। मैंने सुन रखा था कि उस्ताद अली अकबर खान और उस्ताद विलायत खान अपने-अपने वाद्ययन्त्रों के कुछ तार इस तरह से मिलाकर रखते थे कि वे तार ही राग का मूड बनाते थे। जब मैंने सन्तूर की चिकरी के बारे में सोचा तो एक ब्रिज के तीन तारों को सप्तक 'सा' पर रखा ताकि एक विशेष प्रभाव आ सके। पर सन्तूर का 'सा' बहुत कोमल होता है। इसलिए मैंने सोचा कि तीनों तारों को अलग-अलग स्वर निकालने दिया जाये। अन्ततः मैंने चिकरी के लिए चार तार रखे जो तीन भिन्न स्वरों पर स्वरित थे—दो 'सा' से और दो राग के वादी स्वर और संवादी स्वर से स्वरित थे। यह प्रयोग सफल हो गया—अब जब मैं चिकरी पर कलम से बलाघात करता हूँ तो तीनों सुर एक साथ बजते हैं। इसने सन्तूर के चरित्र को पूर्णतया परिवर्तित कर दिया। जैसे ही वादक बजाना आरम्भ करता है, श्रोता को आनेवाले राग का स्वाद मिल जाता है।

पर मींड की अभी भी कमी थी। इसे पाना बहुत ही कठिन था। मैंने विचित्र वीणा की शैली से प्रयोग करना आरम्भ किया। अपनी एक कलम के नीचे धातु का टुकड़ा लगाया। मैंने जब कलम की एक ओर से तार को बजाया तो धातु के टुकड़े को तार के दूसरी ओर सरकाने का प्रयास किया ताकि विचित्र वीणा की मींड की तरह प्रभाव उत्पन्न हो सके। मैंने कुछ समय ऐसे बजाया पर मैं इससे संतुष्ट नहीं था। इसकी आवाज विचित्र वीणा की एक घटिया नकल प्रतीत हुई। इस तरह मेरा पहला प्रयास असफल हो गया और मैं कई रातों तक सो नहीं पाया। मींड के बिना मैं आलाप नहीं बजा सकता था और आलाप के बिना मेरी शैली अधूरी थी।

सन्तूर पर आलाप का विकास करना आसान नहीं था। इसमें बहुत ही धैर्य और प्रयोग की आवश्यकता थी। मुझे आलाप के विकास में दो वर्ष लगे। मैंने इन भिन्न-भिन्न शैलियों को अभ्यास के दौरान अपनाकर रिकार्ड किया और कई बार सुना, जब तक मैं संतुष्ट नहीं हो गया। तभी मैंने उन्हें मंच पर बजाया। ईश्वर की अनुकम्पा और गुरु के आशीर्वाद से एक दिन मैंने एक स्वर को अपनी कलमों द्वारा तब तक बनाये रखा जब तक मैं चाहता था और एक-एक सम्पूर्ण भाग को बिना अन्तराल के बजाया। मैं अपनी खोज को शब्दों में बयान नहीं कर सकता, केवल सन्तूर पर बजाकर दिखा सकता हूँ। यह सन्तूर की शैली में एक महत्त्वपूर्ण खोज थी और जब मैंने इसे अपने प्रदर्शनों में प्रयुक्त करना आरम्भ किया तो लोगों ने सन्तूर के घटिया होने के बारे में अपने विचार बदल दिये। मींड में दक्षता प्राप्त करने में कई वर्ष लगे—इसे सही, सम्पूर्ण और सुनिश्चित करने में। वही लोग जो मुझे सन्तूर छोड़कर अन्य यन्त्र बजाने की सलाह देते थे अब मुझे इसे बजाते रहने के लिए प्रेरित करने लगे।

अन्ततः मैंने बढ़ाकर ब्रिज इकतीस कर दिये और सप्तक तारों को एक सौ सोलह कर दिया—उनतीस ब्रिज चार तारोंवाले और तीसवाँ चिकरी तार! फिर मैंने प्रत्येक ब्रिज से एक तार हटा दिया जिससे सत्तासी तारें उनतीस ब्रिजों में हो गयीं। कम तारों से विस्तार बढ़ गया और अधिक ब्रिजों से स्वरों की विविधता बढ़ गयी। इससे आलाप ही सम्भव नहीं हुआ अपितु मैं उन रागों को भी बजा पाया जो पहले नहीं बजा पाता था। मैं रागमालाएँ, जिनमें एक के बाद दूसरा राग बजाया जाता है, भी बजा पाया।

गायन के खयाल के अतिरिक्त पिता जी ने मुझे लयोन्मुखी कठिन रचनाएँ भी सिखायीं। सन्तूर पर कौन-सी रचनाएँ बजाई जा सकती हैं, जानने के लिए मुझे कई वर्ष लग गये। मेरा मानना था कि मुझे ऐसी रचनाएँ नहीं बजानी चाहिए जो माधुर्य को छोड़कर ताल पर अधिक ध्यान देती हों या इसके विपरीत माधुर्य

पर अधिक ध्यान देती हों। माधुर्य और ताल को समानुपात में करना बहुत कठिन है और मैं सोचता हूँ कि संगीत में दोनों का अपना स्थान है पर अन्त में माधुर्य ही सर्वोपरि है। लय की बारीकियों पर ध्यान केन्द्रित करने से संगीत गणित और प्रणाली भर बनकर रह जाता है। यह मुझे नहीं भाता। संगीत केवल व्याकरण या तकनीकी वस्तु नहीं है, इसका भावनात्मक प्रभाव भी बहुत महत्त्वपूर्ण है। लयकारी जैसी कठिन रचनाओं में भी जहाँ ताल परिवर्तन लय को कठिन बना देता है, वहाँ भी कुछ भाव प्रदर्शन होना चाहिए।

मेरे लिए संगीत में सबसे महत्त्वपूर्ण प्रक्रिया है—अन्तर्मुखी होना। सन्तूर बजाना मेरे लिए मनोरंजन भर नहीं है, यह मुझे अन्तर्मुखी बनाता है। यह संगीत की आध्यात्मिक विशेषता है। शैली केवल माध्यम है। इससे ऊपर उठकर अपने आपको अभिव्यक्त करने में ही उपलब्धि है। श्रोताओं की प्रतिक्रिया से जब पता चलता है कि उनकी मानसिक और भावनात्मक पीड़ा कुछ कम हुई है, इसी में मैं अपनी सफलता मानता हूँ। कुछ अन्य श्रोता मुझे बताते हैं कि मेरा संगीत ध्यान लगाने में सहायता करता है। मैं संगीत के इस आध्यात्मिक पक्ष से अपने और श्रोताओं के माध्यम से प्रयोग करता हूँ।

आज मेरे अधिकांश शिष्य मेरी शैली अपना रहे हैं जबकि अन्य अपना मार्ग स्वयं बना रहे हैं। कुछ और सन्तूरवादकों ने मुझसे सीखने में रुचि दिखायी है, पर उन्होंने अपनी शैली से बजाना आरम्भ कर दिया है। वे न केवल गलत शैली का अभ्यास कर रहे हैं अपितु सन्तूर पर अपनी शैलियों का प्रयोग करने का दावा भी कर रहे हैं। यदि कोई मुझसे सीखना चाहता है तो वह मेरे सामने बैठकर ही सीख सकता है। मेरी शैली मेरी रिकार्डिंग सुनकर या फिर समारोहों में या टीवी पर मुझे बजाते हुए देखकर नहीं सीख सकता। मेरे संगीत की लोकप्रियता और सभी तरह के श्रोताओं की प्रतिक्रिया से प्रमाणित होती है कि किसी दैवी शक्ति द्वारा सिखायी गयी शैली ही अत्यधिक सफल है।

मुझे प्रसन्नता है कि सन्तूर ने अपनी सीमाओं पर विजय पा ली है पर मुझे पता है कि एक संगीतकार कभी भी सम्पूर्ण नहीं होता। वह सदा विकास की ओर बढ़ता रहता है। जब मैं अपनी पुरानी रिकार्डिंग को सुनता हूँ जिनको उस समय महान् कहा जाता था, तो आज वे बचकाना लगती हैं। दस वर्ष पहले की रचनाएँ जिन्हें मैं आज बजाता हूँ, भिन्न लगती हैं और मैं जानता हूँ कि पाँच वर्ष बाद यही रचनाएँ भिन्न होंगी। मैं सदा कुछ अलग करना चाहता हूँ, सदा एक भिन्न मार्ग अपनाने का प्रयास करता हूँ।

यह बात अब इतिहास बन चुकी है कि जो सन्तूर आज बजाया जाता है मैं उसका प्रणेता था। यह काम कोई और भी कर सकता था और यह भी सम्भव

है कि कोई शिष्य मेरे प्रयास को पूर्णरूपेण समझ ले और उसे और विकसित करे। कला की कोई परिसीमा नहीं होती और न ही पूर्ण विराम। मैं अपेक्षा करता हूँ कि मेरा कोई शिष्य मेरे काम को विकसित करे और मुझसे कुछ भिन्न करे।

बम्बई हस्पताल के परामनोविज्ञान विभाग के डॉ. रमाकान्त केनी, सन्तूर का प्रयोग अपने मरीजों के इलाज में करते हैं। अपने तीस वर्षों के शोध में उन्होंने पाया है कि कुछ पीड़ादायक रोगों के इलाज में सन्तूर का प्रयोग करने पर बहुत दिलचस्प परिणाम निकलते हैं।

डॉ. केनी के अनुसार ऐसा इसलिए होता है क्योंकि सन्तूर में सौ तार हैं और प्रत्येक तार सौवें तार तक दूसरे तार को जागृत करता चलता है। वे कहते हैं कि यह शान्त और श्रुतिमधुर संगीत मानव शरीर की प्रत्येक कोशिका और तन्तु को छूकर क्षतिग्रस्त कोशिकाओं का बहुत सीमा तक सुधार करता है। पीड़ा वास्तव में कम हो जाती है। जब सन्तूर की झंकार स्नायुओं को शान्त करती है तब रोगी शान्त चित्त हो जाता है। इस अद्वितीय संगीत–रोगोपचार को मस्तिष्क के लिए एक उपचार–कारक के रूप में प्रयुक्त करना आवश्यक है। अधिकांश रोग मन:कायिक होते हैं और मनश्चिकित्सक रोगों के बजाय रोगियों का उपचार करते हैं।

डॉ. केनी संगीतकार नहीं हैं पर वे भारत के अग्रणी संगीतकारों का उपचार करने का दावा करते हैं। वे कहते हैं कि मेरा संगीत सुनकर उन्होंने सीखा है कि कौन–सा राग स्वस्थ करने में अधिक लाभकारी है। उन्होंने पाया है कि राग यमन कल्याण, वागेश्वरी केदार, पूरिया और तिलक कामोद अधसीसी, रीढ़ की हड्डी, गठिया और कैन्सर के उपचार में बहुत महत्त्वपूर्ण भूमिका निभाते हैं। उनके अनुसार ये राग उपचार ऊर्जा का बहुत शक्तिशाली चक्र बनाकर शान्ति और प्रकाश देते हैं तथा असहनीय पीड़ा से मुक्ति दिलाते हैं।

जब वे संगीतोपचार के लिए ध्वनि चुनते हैं तो सन्तूर उन्हें सबसे अधिक प्रभावकारी लगता है। कोमल और शान्तिदायक बाँसुरी उसके बाद आती है पर सितार की ध्वनि को वे उपयुक्त नहीं मानते क्योंकि वह बहुत कर्णभेदी और बहुत कम कोमल होती है और कभी स्वत:स्फूर्त नहीं होती। इसी तरह गायन, जिसके साथ तबला, हारमोनियम, तानपूरा, बाँसुरी, ढोलक, मृदंग, वायलिन आदि बजाये जाते हैं, को भी संगीतोपचार में प्रयुक्त नहीं किया जाता। पर गायनवृन्द द्वारा सही लय और स्पष्ट उच्चारण के साथ किया गया मन्त्रोच्चारण उपचार में सहायता करता है क्योंकि मन्त्रों के सूक्ष्म और शक्तिशाली अर्थ होते हैं जो शरीर की प्रत्येक कोशिका और तन्तु तक पहुँचकर उन्हें प्रभावित करते हैं। यह बात विशेष रूप से गायत्री मन्त्र और शंकराचार्य के गायन के बारे में सत्य है।

सन् 1986 में डॉ. केनी को बाईस से अधिक देशों के डॉक्टरों, सर्जनों,

मनोविश्लेषकों और वैज्ञानिकों के विश्व सम्मेलन में जर्मनी आमन्त्रित किया गया। उस सम्मेलन के दौरान औषधि के प्रसिद्ध डॉक्टर, ड्यूश साइकिएट्रिक एकेडेमी के संस्थापक और मेंटस्वर्ग हस्पताल बर्लिन के अध्यक्ष डॉ. केनी को एक विशेष भाग में ले गये जहाँ खंडित मनस्कता (स्किज़ोफ्रेनिया) और मस्तिष्क के रोगियों का संगीत और नृत्य द्वारा उपचार किया जा रहा था। वे आश्चर्यचकित रह गये जब उन्होंने देखा कि संगीत वाद्यों में सन्तूर भी था। उन्हें बताया गया कि जर्मनी और अन्य यूरोपीय देशों में सन्तूर बहुत लोकप्रिय है। डॉ. केनी ने सन्तूर के प्रभाव को आरोग्यकर ही नहीं व्यावहारिक भी पाया। खंडित मनस्कता के हिंसक मूड भी अधिक शिथिल दृष्टिगोचर हुए।

इसी प्रकार पश्चिम में ध्यान के प्रशिक्षक डॉ. रिचर्ड विलिस ने पाया कि सन्तूर मस्तिष्क को सतर्क करता है और आत्मा को सुख देता है। इसके विपरीत उन्होंने पाया कि सितार, सरोद और वीणा में सुलाने का प्रभाव है—वे मस्तिष्क को आराम पहुँचाते हैं पर उसे सुप्त भी करते हैं। उनके अनुसार सन्तूर श्रोता का ध्यान बनाये रखने के साथ-साथ उसे अन्तर्मुखी भी करता है, ध्यान के लिए तैयार करता है। सन्तूर मस्तिष्क और शरीर की अनुभूति क्षमता को भी प्रभावित करता है।

एक अन्य संगीतकार के शब्दों में मैंने सन्तूर को एक नाट्यशाला का रूप दे दिया है—एक ऐसा पिटारा जिसमें बाजीगर, नर्तक, तातारी गिरोह, खानाबदोश, सूक, सराय, परियाँ सभी समा सकते हैं—एक तरह से सारा स्वर्ग ही समा सकता है।

जुगलबन्दियाँ

जसराज, हरि जी और ब्रज भूषण काबरा मेरे स्वर्णिम वर्षों के सबसे अच्छे मित्र हैं। हमने एक साथ संगीत रचना की, संगीत समारोहों में गये, यात्राएँ कीं और एक परिवार की तरह रहे। ब्रजभूषण जब भी अहमदाबाद से आये, मेरे छोटे दो कमरों के फ्लैट में रहे जिससे उनकी बहन को बहुत कष्ट हुआ जो यह नहीं समझ पायीं कि इतना बड़ा बँगला छोड़कर उसके भाई ने ज़मीन पर सोना क्यों चुना। हम लोग इतने छोटे थे और अपनी राह की तलाश में इतने एकचित्त कि हमारे पास बजाने को छोड़कर और कुछ करने का समय ही नहीं था।

ब्रज खाने–पीने का बहुत शौकीन था। वह अपना दिन सात अंडों के आमलेट से आरम्भ करता और फिर झाला का अभ्यास करने में जुट जाता क्योंकि वह गिटार पर शास्त्रीय राग बजाने का प्रयास कर रहा था। काशीनाथ मिश्रा जी तबले पर ब्रज की संगत करते। वे हाल ही में हुई मृत्यु तक मेरी संगत भी करते रहे। चूँकि ब्रज हर दिन पूरे जोश से झाला बजाते रहे, मिश्रा जी घबरा गये और एक दिन अचानक उन्होंने आना बन्द कर दिया।

अपने गोरखे से पूछने पर पता लगा कि मिश्रा जी हर दिन अधीर से मेरे साथ संगत के लिए आते पर ब्रज को वहाँ पाकर कोई बहाना करके लौट जाते। उनके इस विचित्र व्यवहार से परेशान होकर एक दिन मैंने एक समारोह में उन्हें घेर लिया और वास्तविक स्थिति से परिचित हुआ। ऐसा लगा कि मिश्रा जी ब्रज के झाला अभ्यास से इतने तंग आ गये कि उन्हें अपने स्वास्थ्य की चिन्ता होने लगी। उन्हें वह अपनी ऊर्जा का अपव्यय लगा। गम्भीरता से हमने उनसे स्वास्थ्यवर्धक भोजन देने का वादा किया और वे लौट आये। ब्रज ने आदर्श झाला ताल की गति की अपनी तलाश जारी रखी। हम हर आधे घंटे बाद मिश्रा जी को निम्बूपानी देते रहे ताकि वे ब्रज की संगत करते रहें।

एक बार ब्रज के बड़े भाई मिलने आये। मैं अपने रसोइये और शिष्य के अचानक गायब हो जाने पर हक्का–बक्का रह गया क्योंकि मैं ब्रज के भाई का

अतिथि सत्कार करना चाहता था। बहुत देर बाद कृष्ण घबराया हुआ दाखिल हुआ।

मैंने पूछा, ''तुम कहाँ थे? तुम्हें नहीं पता हमारे घर पर अतिथि आये हैं।'' मुझे रसोईघर में बुलाकर उसने धीरे से कहा, ''मैं पहले बांद्रा और फिर खार कुछ सामान और दो दर्जन अंडे लेने गया था।'' मेरे चेहरे पर हैरानी देखकर उसने कहा, ''ब्रज साहब नाश्ते में सात अंडे खाते हैं, दामोदर लाल जी (जो छह फुट चार इंच और एक पंडित के लिए अच्छे हृष्ट-पुष्ट थे) तो चौबीस खाएँगे।'' इस पर मैं ठहाका लगाकर हँसा। दामोदर लाल जी शुद्ध शाकाहारी थे।

मैं पहले पहल हरिप्रसाद चौरसिया से 1956 में अन्तर्विश्वविद्यालय समारोह में दिल्ली में मिला था। मुझे पहली बार अपने राज्य और विश्वविद्यालय का प्रतिनिधित्व करने दिल्ली आयी अपनी टीम का उत्साह आज भी याद है। टीम ने निर्णय लिया था कि मैं तबले के स्थान पर सन्तूर बजाऊँगा। पर समारोह में पहुँचने पर पता लगा कि मैं अकेला ही सन्तूरवादक हूँ। इसका अर्थ था कि यदि मैं पदक जीत भी गया तो लोग इसे गम्भीरता से नहीं लेंगे। मुझे यह स्वीकार नहीं था। अपने प्राध्यापक की नाराजगी के बावजूद (वे सन्तूर में एक पदक जीतने को लेकर आश्वस्त थे) मैंने बत्तीस अन्य तबलावादकों के साथ अपना नाम भी लिखा दिया। मैंने अपनी टीम को निराश नहीं किया क्योंकि मैंने तबलावादन में स्वर्णपदक जीत लिया था। मुझे सन्तूर-वादन के लिए भी विशेष रूप से आमन्त्रित किया गया क्योंकि निर्णायकगण इसे पहली बार सुनना चाहते थे। मैं उस समय हरि जी से थोड़ी देर के लिए मिला और अपने-अपने अनुभव बाँट कर हमें प्रसन्नता हुई।

हम दोनों यह अकस्मात् भेंट भूल चुके थे जब भाग्य ने हमें एक बार फिर 1961 में बम्बई में मिला दिया। इस बार हम एक फिल्म स्टूडियो में मिले जहाँ हम दोनों अपना-अपना भाग्य आजमाने गये थे। शीघ्र ही हम गहरे मित्र बन गये। हरि जी अभी-अभी एक बड़े हास्यप्रद कारण से बम्बई रहने आये थे। वे कटक रेडियो में कार्यरत थे पर बाँसुरी-वादन में इतना व्यस्त थे कि दफ्तर में बहुत कम जाते थे। उनके वरिष्ठ अधिकारियों ने सख्ती से पेश आते हुए उन्हें आकाशवाणी बम्बई में स्टाफ आर्टिस्ट के रूप में स्थानान्तरित कर दिया। हरि जी के लिए इससे बढ़िया दंड क्या हो सकता था? अब वे अपना सारा समय संगीत को दे सकते थे और फैलते हुए महानगर में सफल होने के लिए प्रयास कर रहे थे। उसके बाद जो हुआ वह इतिहास है।

मैंने हरि जी को एक सहृदय व्यक्ति पाया। हम दोनों गुजर के लिए और अपना-अपना भविष्य बनाने के लिए संघर्ष कर रहे थे। हरि जी और उनकी पत्नी

अनुराधा खार होटल के पास ग्रीनहोटल के एक मामूली से कमरे में रह रहे थे और मुझे अकसर भोजन पर बुला लेते थे। मैंने उनकी संगति में कई आनन्दमयी शामें और रविवार उनके आतिथ्य में और अनुराधा जी का बनाया बढ़िया खाना खाने में बितायीं। उनके चटपटे व्यंजन बहुत स्वादिष्ट थे। वे चाहती थीं कि हरि जी मेरे साथ अधिक-से-अधिक समय बितायें क्योंकि वे मुझे अपने पति पर एक सौम्य प्रभाव मानती थीं।

हम दोनों बांद्रा में रहते थे इसलिए एक-दूसरे से मिलना आसान था और हम रिकार्डिंग स्टूडियो के लिए साथ-साथ यात्रा करते थे। यद्यपि हरि जी और मैं एकदम भिन्न मिजाज़ के थे, हमारी कई रुचियाँ साझा थीं। मेरे सन्तूर की तरह हरि जी की बाँसुरी अभी सरोद और सितार की तरह लोकप्रिय नहीं हुई थी। हम जीवन में आदर्शवादी और उत्साह से भरे थे और हँसी-मज़ाक का आनन्द लेते थे। मैं हरि जी की विनोदप्रियता का सदा से ही प्रशंसक रहा हूँ और उनकी हरकतों से हँस-हँसकर दुहरा हो जाता हूँ।

सन् 1967 में हरि जी और मैंने मिलकर एक एलबम बनायी और इस तरह 'शिवहरि' का जन्म हुआ। यह सहयोग तब हुआ जब विजय किशोर दुबे ने एक नयी संगीत अवधारणा के सपने के बारे में मुझे बताया। एच.एम.वी. के अध्यक्ष के रूप में वे कुछ, असाधारण अवांगार्द करना चाहते थे। मैं प्रयोग के लिए सदा तैयार रहता था और मैंने उस एलबम में एक कहानी पिरोने के बारे में सोचा। मुझे याद आया कि बहुत-सी पश्चिमी रचनाओं में एक कहानी होती है—अतः हम भी कुछ वैसा ही कर सकते हैं। फिर मैंने सोचा कि भारतीय शास्त्रीय संगीत के सन्दर्भ में राग दिन या वर्ष के भिन्न-भिन्न समय दर्शाते हैं। मैं इस बारे में सोचने लगा। मैंने अपने प्रिय कश्मीर के प्रातः, दोपहर और सायंकाल याद किये। मैं जैसे-जैसे अपनी यादों में गहरे पैठता गया, मैंने अपने आपको एक छोटे लड़के के रूप में पटनी टॉप की हरी भरी घाटियों की सुन्दरता में खोये हुए पाया। मैंने ठंडी बयार को घास के आरपार और पेड़ों के झुंड को चरते हुए तथा छोटी नदी को सूर्य की किरणों में चमकते हुए देखा। अन्त में मैंने अपने आपको, इस अनुभव को, सन्तूर के तारों पर उतारते देखा, अपने जादुई परिवेश में ढालते देखा।

इस तरह से 'घाटी की पुकार' एक चरवाहे के जीवन के एक दिन की कहानी का जन्म हुआ। सही मूड और बिम्बों को उभारने के लिए मैंने हरि जी की मुखर बाँसुरी और ब्रजभूषण काबरा की गिटार का सहारा लिया। हम तीनों ने मिलकर अन्तिम रचनाओं पर काम किया। राग अहीर भैरव, पीलू, भोपाली (पखावज के साथ), देश और पहाड़ी धुनें थीं। समापन में चरवाहा अपनी प्रियतमा से शिकारे पर मिलता है। मैंने इस दृश्य की पूरे मनोयोग से संरचना की। जे.एन.

जोशी प्रत्येक दृश्य को बयान करते हुए एक पटकथा लिखने को सहमत हो गये। इस तरह इस परियोजना से तीन मित्र संगीत के एक मंच पर इकट्ठा हुए और श्रोताओं के बड़े दायरे में जाने गये। मैं स्वयं एलबम की सफलता से चकित हो गया—'घाटी की पुकार' भारत में एच.एम.वी का सबसे अधिक बिकनेवाला शास्त्रीय रिकार्ड बन गया और तब से आज तक उसे वही स्थान प्राप्त है।

हरि जी और मैं और निकट आ गये। हम हर विषय पर चर्चा करते, हम हमराज़ बन गये और एक-दूसरे से सम्बन्धित हर छोटी बात पर अपनी राय देने लगे। मैंने उन्हें आकाशवाणी छोड़कर शास्त्रीय संगीत पर और एकाग्र होने को कहा। "आप बहुत ऊँचाई तक जाओगे, ध्यान केन्द्रित कीजिए"—मैंने उनसे कहा। हम एक-दूसरे को अभ्यास में और अधिक समय लगाने को कहते और अपने रियाज़ के बारे में चर्चा करते। उन आरम्भिक दिनों में घर और परिवार से दूर हरि जी और मेरे बीच एक गहरा सम्बन्ध बन गया। यह एक स्वच्छ और स्वस्थ सम्बन्ध था जिसमें प्रतिद्वन्द्विता और ईर्ष्या लेशमात्र भी नहीं थी।

शीघ्र ही हरि जी मुझसे अधिक समारोहों में बाँसुरी बजाने लगे। पन्नालाल घोष जी के प्रयास से बाँसुरी पहले ही शास्त्रीय वाद्ययन्त्र मानी जाती थी पर हरि जी ही उसको अनछुई ऊँचाइयों तक ले गये। मैं हरि जी के वादन को गहरी रुचि से देखता रहा और इतने वर्षों में बाँसुरी की शैली में किये परिवर्तन को देखा। हरि जी के हाथों में बाँसुरी ने एक नया स्वर, शैली और चरित्र पाया।

हरि जी और मैं बाँसुरी-सन्तूर की जुगलबन्दी की अत्यधिक लोकप्रियता के बारे में जानते थे। पर जब तक हमें पर्याप्त तैयारी के लिए समय न मिलता हम किसी समारोह के आयोजकों को हाँ नहीं करते। हमारी मित्रता में उतार-चढ़ाव भी आये हैं और कभी-कभी वास्तविक या काल्पनिक वैमनस्य के कारण सम्बन्धों में दरार भी आयी है। हम चाहें या न चाहें, अरुचियाँ, पूर्वग्रह और दुर्बलताएँ लोगों और चीजों के बारे में हमारी राय को प्रभावित करते हैं। कलाकारों का अहम् बहुत बड़ा होता है और इसलिए वे अपने ही संसार में बन्दी होकर रह जाते हैं। पर मेरे विचार में अब हम दोनों समझते हैं कि कोई ऐसा काम न करें जिससे दूसरे को ठेस पहुँचे। जब हम युवा थे और नाम कमाने का सपना देखते थे तो हरि जी ने मुझे बहुत मान दिया—सदा अपनी नयी परियोजनाओं के बारे में निर्णय लेने से पहले मेरी राय ली। अब उनका व्यक्तित्व परिपक्व हो गया है और मैं उन्हें इस रूप में स्वीकार करता हूँ। पर मैं अब भी पुराने दिनों की मित्रता और भाईचारे को याद करता हूँ।

1960 में मैं ब्रजभूषण काबरा से कलकत्ता में उसकी बहन के घर पर मिला। उसकी बीमार भांजी के मनोरंजन के लिए एक शाम हमने एक छोटी-सी रचना

बजाने का निर्णय लिया। वह इतनी सुन्दर बन पड़ी थी कि हम उसे सुनकर आश्चर्यचकित रह गये। इंडियन चैम्बर ऑफ कामर्स में हमारा पहला प्रदर्शन बढ़िया रहा था। सन्तूर और गिटार की जुगलबन्दी की प्रशंसा से भरी समीक्षाएँ हुईं। शीघ्र ही हम प्रदर्शन के लिए दूर-दूर के शहरों में जाने लगे। मुझे ब्रज की संगति बहुत अच्छी लगती थी। हमने एक साथ बहुत बढ़िया समय बिताया।

एक बार हम बनारस में पं. किशन महाराज की संगत में बहुत महत्त्वपूर्ण समारोह में एक साथ बजानेवाले थे। किशन जी ने, जो बहुत स्नेही और उदार व्यक्ति हैं, हमें दोपहर के भोजन पर बुलाया। यह हम खाने-पीने के दीवानों के लिए बहुत बढ़िया समाचार था। शुद्ध स्वादिष्ट शाकाहारी भोजन के बाद उन्होंने उसे हजम करने और शाम के कार्यक्रम के लिए मूड बनाने के लिए भंग मिली ठंडाई पेश की। मैं इन चीज़ों के बारे में बहुत सावधान रहता था, अतः मैंने पीने से मना कर दिया। पर ब्रज धृष्ट आत्मविश्वास के साथ मेरी फटी आँखों के सामने तीन गिलास गटागट पी गया। हमने अपने मेजबान से जाने की आज्ञा माँगी और प्रदर्शन से पहले कुछ आराम के लिए अपने-अपने कमरे में आ गये। जब हम बनारस के गली-कूचों, मन्दिरों और प्राचीन घाटों के पास से गुजर रहे थे तो सबकुछ ठीक-ठाक लग रहा था।

जब हम होटल पहुँचे तो एक बवाल खड़ा हो गया। अचानक ब्रज के सिर पर जैसे भूत चढ़ गया। ज़ाहिर है कि भंग बहुत बढ़िया थी। वह भागकर स्नानघर में गया, एक बाल्टी पानी को फर्श पर फेंका और बिस्तर पर लेट गया। उसकी नींद इतनी गहरी थी कि वह पूरी तरह से मूर्च्छावस्था में लग रहा था। तब उसने यही प्रक्रिया एक-दो बार नहीं शायद पन्द्रह बार दोहराई। अब मैं हँस नहीं रहा था, भयभीत हो गया था। हमें अच्छा प्रदर्शन करना था अन्यथा स्थानीय संगीतकार हमें निकम्मा समझते। हारकर मैंने पानी की एक बाल्टी अपने मित्र के सिर पर उँडेल दी, कुछ इमली उसके गले में डाल दी (अपने स्थानीय मित्रों की राय पर)। भगवान की कृपा से उसका नशा उतर गया पर ब्रज अभी भी थोड़ा भौचक्का-सा था पर इतना सँभल गया था कि हम एक सम्मानजनक प्रदर्शन कर सके। सो यह हुई बनारस की प्रसिद्ध ठंडाई की बात—मैं इसकी शक्ति को कभी कम नहीं आँकूँगा।

मैंने जो श्रेष्ठ जुगलबन्दियाँ सुनी हैं—वे पं. रविशंकर और उस्ताद अल्लाह रखा खान और उस्ताद विलायत खान और उस्ताद बिस्मिल्लाह खान के बीच हुई हैं। ऐसी जुगलबन्दियाँ बहुत कम सुनने को मिलती हैं जैसी पं. रविशंकर और उस्ताद अली अकबर खान के बीच हुई। इसका एक सीधा-सा कारण है

कि वे न केवल अपनी–अपनी शैली के मूर्धन्य संगीतकार हैं अपितु वे गुरुभाई भी हैं जिन्होंने महान् उस्ताद बाबा अलाउद्दीन खान से शिक्षा ग्रहण की है।

जुगलबन्दियाँ प्राय: ठीक नहीं बन पड़तीं क्योंकि पेशेवर संगीतकारों के पास मिलकर पहले से प्रदर्शन के लिए योजना बनाने का समय नहीं होता। परिणामस्वरूप कई बार दो कलाकारों के बीच प्रदर्शन के दौरान संगीत संवाद में कमी रह जाती है। ऐसा शायद एक ताल या एक क्षण के लिए ही हो पर इससे रचना की सम्पूर्णता में बाधा आती है। इससे दोनों में ग़लतफहमी हो सकती है और प्रदर्शन के बाद भी कड़वाहट बनी रहती है।

हरि जी और ब्रजभूषण काबरा के अतिरिक्त मैंने पं. वी.जी. जोग के साथ भी सन्तूर बजाना आरम्भ कर दिया। मैंने यह भी अनुभव किया कि ये जुगलबन्दियाँ हमारे नियमित श्रोताओं में ही नहीं, पहले के आलोचकों में भी लोकप्रिय हो रही हैं। वे उल्लास से भरे दिन थे। जोग साहब या हरि जी के साथ यात्रा करते हुए आनन्द और बेफिक्री के दिन थे। श्रोताओं की भीड़ हमारे संगीत–सन्तूर और वायलिन या सन्तूर और बाँसुरी को सुनने आती थी। तब एक और झटका लगा—एक समीक्षक ने अचानक लिखा कि सन्तूर दूसरे वाद्ययन्त्रों की संगत में बहुत अच्छा लगता है पर अपने आपमें यह उतना आनन्ददायक नहीं है। शंकाएँ एक बार फिर उभर रही थीं। इसलिए मैंने एकदम कार्यवाही की और जोग साहब और हरि जी को कारण बताते हुए जुगलबन्दियाँ एकदम बन्द कर दीं। इसका अर्थ था कि मैं अपनी बढ़ती हुई लोकप्रियता और नियमित आय को दाँव पर लगा रहा था। पर मैं अपने निर्णय पर अटल रहा।

तब से मैं अकेले ही बजाना पसन्द करता हूँ। जुगलबन्दी की बहुत माँग थी पर मुझे लगा कि जनता के मनोरंजन के लिए बजाने की प्रक्रिया में संगीत की क्षति होती है। दाँव पर बहुत कुछ लगा था। सन्तूर को इस स्तर पर लाकर मैं सपने में भी अन्य कलाकारों के साथ जुगलबन्दी का जोखिम नहीं उठा सकता था। क्या पता कल श्रोता माँग करें कि मेरा प्रत्येक प्रदर्शन किसी अन्य कलाकार के साथ ही हो। तब सन्तूर के विकास का सारा उद्देश्य ही समाप्त हो जाएगा। अत: मैंने हरि जी के साथ कभी–कभार जुगलबन्दी का निर्णय लिया। हम एक जोड़ी हैं और एक–दूसरे को अच्छी तरह से समझते हैं।

तबला और मेरे संगतकार

भारतीय शास्त्रीय संगीत में तबले के महत्त्व पर इससे अधिक बल नहीं दिया जा सकता। लय एक महत्त्वपूर्ण सन्तुलन प्रदान करती है। इसके बिना अन्य वाद्ययन्त्र (या आवाज) अधूरे लगते हैं। स्वयं एक तबलावादक के रूप में आरम्भ कर मैं हमारी संगीत परम्परा में तबले के योगदान को पूरी तरह समझता हूँ। मुझे तबलावादकों की स्थिति से सहानुभूति है और मैं कभी-कभी सोचता हूँ कि संगतकार के रूप में हम उनको उतना आदर नहीं देते जितना हमें देना चाहिए।

मुझे तबला बजाने में सदा ही आनन्द आता है। हम सभी बीट से एकदम प्रभावित होते हैं और लय की ओर आसक्त होते हैं। कई संगीतकार लय को सहजबुद्धि से पकड़ते हैं और अन्य ऐसा नहीं कर पाते; पर सभी लय को प्रभावकारी ढंग से निभाने में निपुण होने चाहिए। हालाँकि पिताजी ने मुझे गायन और तबला एक साथ सिखाया था पर मुझे तबले से अधिक प्यार था। उन्होंने तबला जम्मू-कश्मीर के बहुश्रुत राजसी संगीतकार सरदार हरनाम सिंह से सीखा था और मैंने उनके साथ अपने अभ्यास को बहुत गम्भीरता से लिया। मैं गायन संगीत का कड़े परिश्रम से अभ्यास करता था, पर मैंने अपनी सारी ऊर्जा तबलावादन को और अच्छा करने में लगायी। आठ या नौ साल का होने पर मैं आकाशवाणी जम्मू का नियमित तबलावादक हो गया।

क्योंकि रेडियो प्रसारण को उन दिनों अधिक आदर से देखा जाता था, चेन बुकिंग की प्रणाली प्रचलित थी जिससे एक संगीतकार दिल्ली, जालन्धर, जम्मू, श्रीनगर आदि पर रेडियो संगीत प्रदर्शन करता था। इससे मुझे जम्मू से होकर जाने वाले महान् कलाकारों के साथ तबला बजाने का अवसर मिला। कार्यक्रम सीधे आमन्त्रित श्रोताओं के सम्मुख रिकार्ड किये जाते थे। इसलिए कलाकार की प्रतिष्ठा सदा दाँव पर लगी होती थी। इस प्रकार मैंने अपनी उपस्थिति दर्ज करानी आरम्भ कर दी।

मुझे सबसे बड़ा अवसर बेगम अख्तर के साथ संगत करने का मिला। उन्होंने

मुझे अपने मूड और शैली के प्रति इतना संवेदनशील पाया कि जब भी वे जम्मू आतीं, मुझे संगत करने को कहतीं। एक और महान् खयाल गायिका थीं हीराबाई बड़ोदकर जिन्होंने जम्मू या श्रीनगर आने पर मुझे ज़ोर देर संगत के लिए कहा। फिर भीमसेन जोशी, इलियास खान, निखिल बैनर्जी, निसार हुसैन खान, राधिका मोहन मैत्रा, सिद्धेश्वरी देवी और जैसा मैंने पहले कहा पं. रविशंकर थे। कार्यक्रमों के बाद सदा घर पर महफिलें होतीं और माता जी द्वारा बड़े यतन से बनाया स्वादिष्ट भोजन होता था। मैं संगीतकारों की शैली, प्रणाली और संगीत जीवन पर उत्तेजित बहसों से सम्मोहित था।

प्रारम्भिक वर्षों में तबले पर मेरे अनुभव बाद में बहुत लाभकारी सिद्ध हुए। मैं बहुत छोटी आयु में ही संगीत माधुर्य और लय में सन्तुलन बनाये रखने का महत्त्व जान गया।

एक समय अपने आसपास देखने पर मैंने पाया कि तबलावादकों को वास्तव में कभी वह आदर-सम्मान नहीं मिला जिसके वे अधिकारी थे। किसी भी प्रदर्शन में तबलावादक भी उतना ही महत्त्वपूर्ण होता है जितना कि अन्य कलाकार, पर उसका नाम चलते में ही उल्लिखित किया जाता है। जो प्रशंसा आज ज़ाकिर हुसैन पाता है वह उनके योग्य पिता अल्लाहरखा खान को कभी नहीं मिली। आज शफात अहमद खान के नाम का अधिकतर ठीक से उच्चारण नहीं किया जाता और आयोजक यह नहीं जानते कि यह कितना असम्मानजनक हो सकता है। मैं सदा अपने संगतकारों का परिचय स्वयं कराता हूँ और ज़ाकिर को पूरा श्रेय देता हूँ कि उन्होंने तबलावादन को प्रकाश परिधि में स्थापित किया। वे अपने आपमें एक स्टार हैं।

लगभग चालीस वर्षों से तबलावादकों की दो पीढ़ियाँ मेरी संगत करती रहीं—उस्ताद अल्लाह रखा खान और ज़ाकिर हुसैन, उस्ताद करमतुल्लाह खान और उनके पुत्र सबीर खान, पं. अनोखे लाल और उनके शिष्य महापुरुष मिश्रा और काशीनाथ मिश्रा तथा कंठे महाराज के पुत्र किशन महाराज। पिछले पन्द्रह वर्षों से मैं प्रतिभाशाली शफात के साथ सन्तूर बजा रहा हूँ।

पर 1955 में मैं एक अनाम नौसिखिया था। बम्बई के हरिदास संगीत सम्मेलन में आयोजकों ने कई वरिष्ठ तबलावादकों को बुला रखा था जिनमें से संगीतकार किसी एक को चुन सकते थे। प्रतिष्ठित आयोजनों के तौर तरीकों से अपरिचित मैं भी कुछ तबलावादकों के पास गया यह सोचता हुआ कि किसको चुनूँ। मुझे चिन्ता नहीं करनी चाहिए थी क्योंकि सभी ने तपाक् से मना कर दिया। उनकी दम्भपूर्ण अस्वीकृति ने वास्तविकता से मेरा परिचय कराया—एक पतला-दुबला नवयुवक उनके स्तर तक पहुँचने वाला मैं कौन था? वे किसी महान् कलाकार

के आमन्त्रण की प्रतीक्षा कर रहे थे। अपनी निराशा को सहन करते हुए मैं बड़ी शिद्दत से एक तबलावादक को ढूँढ़ रहा था जो मेरे साथ संगत कर सके। मैं अकेला और निराश बैठा हुआ था कि मैंने शंकर घोष को फुर्ती से आते देखा। ज्ञानप्रकाश घोष के शिष्य शंकर घोष स्वयं भी एक बढ़िया तबलावादक थे। वे मुझे दिल्ली के एक समारोह के समय से जानते थे और मुझे चाहते भी थे। मैंने अपनी दुविधा उनको बतायी और मेरी प्रसन्नता का ठिकाना न रहा जब वे मेरे साथ संगत को तैयार हो गये हालाँकि बाद में उन्हें राधिका मोहन मैत्रा के साथ तबला बजाना था। मुझे अपना संगतकार मिल गया था।

1957 में कलकत्ता में भी यही दिक्कत पेश आयी—महान् उस्ताद और पंडित आराम कर रहे थे और कई दिन पहले से ही बड़े कलाकारों के साथ बजाने के लिए प्रतिबद्ध थे। मैंने पं. अनोखेलाल, उस्ताद करमतुल्लाह खान, पं. किशन महाराज, पं. सामता प्रसाद और उस्ताद अल्लाहरखा खान को वहाँ देखा। तभी लाला बाबू ने मुझसे पूछा कि मैं किसके साथ सन्तूर बजाना पसन्द करूँगा। मैंने बम्बई में पं. अनोखेलाल को सुन रखा था और उनकी निपुणता से बहुत प्रभावित था—उनकी स्पष्ट स्वर अभिव्यक्ति से भी। बिना प्रयास के वे किसी भी ताल में बजा सकते थे। और ध्वनि की स्पष्टता और बोल को कायम रख सकते थे। अत: मेरे मुँह से झट से निकल गया—पं. अनोखे लाल। मैं आश्चर्यचकित रह गया जब पंडित जी मान गये और वह मेरे लिए महान् कलाकार के साथ बजाने का सुअवसर था। यह अविस्मरणीय प्रदर्शन था जिसके बाद मैं हर वर्ष कलकत्ता जाने लगा।

उन दिनों जम्मू से बाहर यात्रा के लिए सरकार से एक परमिट लेना पड़ता था। समय सीमा उल्लंघन का अर्थ था—मुसीबत। जब कलकत्ता में मेरा परमिट समाप्त हो गया तो मैं बहुत बड़ी अप्रत्याशित उलझन में फँस गया। अब मैं क्या करता। पिताजी ने कहा कि मैं तत्काल बनारस चला जाऊँ क्योंकि यदि कोई मेरी सहायता कर सकता था तो वे थे पं. किशन महाराज। पं. किशन महाराज और उनके पिता महान् पं. कंठे महाराज जी पिता जी के परिचित थे और जम्मू में उन्होंने हमारा आतिथ्य स्वीकार कर रखा था। मुझे याद है कि एक बार कंठे महाराज जी ने मुझे बजाने की आज्ञा दी और उन्हें मेरा बजाना इतना भाया कि आवेश में उन्होंने मुझे अपनी कुछ रचनाएँ भेंट कर कीं। मैं इस आशा के साथ पं. किशन महाराज से मिलने बनारस चला गया कि वे किसी तरह मेरे परमिट को फिर से मान्य करा देंगे ताकि मैं घर लौट सकूँ।

दस्तावेज़ शीघ्रता से मान्य हो गये और पंडित जी ने ज़िद की कि मैं कुछ दिन उनके साथ बिताऊँ। पं. किशन महाराज रंगीन तबीयत के व्यक्ति थे और

बहुत प्रतिभाशाली, विद्वान संगीतकार थे जो कला, मूर्तिशिल्प और कविता में भी दखल रखते थे। लम्बे और भव्य, वे एक दक्ष शिकारी और सक्षम घुड़सवार भी थे। आज भी वे अपनी स्पष्टवादिता के लिए जाने जाते हैं। हालाँकि वे मुझसे बहुत बड़े थे पर इस अत्यन्त स्वाभिमानी कलाकार के साथ मेरी बहुत घनिष्ठता थी।

वर्षों बाद, सन् 70 के आरम्भ में, मैं एक संगीत समारोह के लिए बनारस गया। समारोह के अन्तिम दिन उन्होंने अपने सुपुत्र पूरन महाराज के साथ बजाने को कहा। यह एक महत्त्वपूर्ण अवसर था। सम्मेलन की आयोजिका वायलिन वादक एन. राजम के निमन्त्रण पर कई बड़े कलाकार उपस्थित थे। जब मैं लौटने के लिए सामान बाँध रहा था, किशन महाराज जी तेज़ी से मेरे पास आये और बोले, "जल्दी से बम्बई की टिकट रद्द कराओ। नामधारी सम्प्रदाय के महान् धर्मगुरु सतगुरु जगजीत सिंह हमारी पवित्र नगरी में आ रहे हैं और उन्होंने कुछ अच्छे संगीत कार्यक्रम सुनने की इच्छा व्यक्त की है। तुम्हें उनके लिए सन्तूर बजाना पड़ेगा।" इसका अर्थ था कि मैं अपनी फिल्म रिकार्डिंग स्थगित करूँ और यात्रा की योजना को बदलूँ। इस असुविधा के बावजूद मैं इस अक्खड़ संगीतकार को मना नहीं कर सका।

मन्दिरों के शिखरों के धुँधले सान्ध्य प्रकाश में लम्बी परछाइयों के साथ बनारस सर्दियों में सुन्दर लगता था। नदी अस्त हो रहे सूर्य की पीताभा में चमक रही थी और नौकाएँ घाट की ओर या घाट से परे आ जा रही थीं। यह सायंकालीन धार्मिक अनुष्ठानों का समय था और मन्दिर जानी पहचानी शंख ध्वनि, घंटियों और धीमे स्वर में ईश्वर के लिए आरती में की गयी प्रार्थनाओं से गुंजायमान था। हर ओर शान्ति विराजमान थी। पं. किशन महाराज का खुला प्रांगण प्रतिष्ठित लोगों से भरा हुआ था। श्रोता—सभी संगीतकार जल्दी में एकत्रित हुए थे और वहाँ उत्तेजना की हलकी लहर व्याप्त थी। पिछले तीन दिनों में हमने बहुत बढ़िया संगीत सुना था जिसमें पं. रविशंकर का पं. किशन महाराज के साथ अविस्मरणीय समापन प्रदर्शन था।

अब एक बार फिर श्रोता निराश नहीं हुए। एक के बाद एक प्रख्यात संगीतकार मंच पर आये और अपना जादू बिखेर गये। हमें जटिल ताल, प्राचीन बहुत कम सुनी रचनाएँ और कठिन राग सुनने का अवसर मिला। अपनी बारी आने पर मैंने जयताल में तेरह बीट के लयात्मक चक्रवाला राग राजेश्वरी चुना। पं. किशन महाराज ने जो तबले पर मेरी संगत कर रहे थे, अचानक मेरा आलाप रोककर आमन्त्रित श्रोताओं को मेरे आलाप की बारीकियाँ समझायीं और बताया कि वे कैसे तबला बजाएँगे। उनके इस सहज स्वाभाविक विस्फोट का उद्देश्य

यह बताना था कि जयताल एक कठिन शैली थी जिसमें बहुत कम कलाकार निपुण थे और वे स्वयं इसमें सफल हुए थे। यह अपने प्रतिद्वन्द्वी जिन्हें वे नीचा दिखाना चाहते थे, पर सीधा व्यंग्य था। इस प्रकार की नाटकीयता साधारण बात थी और इसे सब हँसी-मज़ाक के रूप में लेते थे।

कलकत्ता में एक वर्ष बाद, मैंने साबिर खान के पिता उस्ताद करमतुल्ला खान के साथ बजाया। ये गायकों और वादकों दोनों के तबला बजाने में एक जैसे निपुण थे। बहुमुखी प्रतिभा के धनी करमतुल्ला खान साहब प्रत्येक संगीतकार की नब्ज़ और धड़कन पहचानते थे। वे मेरे सन्तूरवादन को समझते थे और उसके पूरक थे। मुझे उनके साथ बजाना प्रिय लगता था और जब भी मैं कलकत्ता आता मुझे संगत के लिए उनको ढूँढ़ निकालने की आदत-सी पड़ गयी थी। उनकी हँसती हुई आँखें और थिरकती हुई उँगलियों ने उन्हें बंगाल का चहेता बना दिया था। बाद में मैंने उनके सुपुत्र साबिर खान के साथ बजाया।

1960 में मैंने पहली बार चौपाटी स्थित बाबूभाई बैंकर के आलीशान बँगले पर विख्यात उस्ताद अल्लाहरखा खान के साथ सन्तूर बजाया (बाबूभाई एक व्यापारी थे जो बढ़िया हारमोनियम भी बजाते थे)। अल्लाहरखा खान साहब ने सदा मुझे प्यार और मान दिया है। हमारी पहली भेंट से ही वे मुझे अपने घर बुलाते थे, पर यह हमारा पहला सन्तूर-तबला प्रयास था और वह भी स्मरणीय। श्रोताओं में नौ वर्ष का ज़ाकिर हुसैन भी बैठा था। शीघ्र ही हमने फिर से पं. रविशंकर द्वारा अपने आध्यात्मिक गुरु टाट बाबा के लिए आयोजित तीन दिवसीय सम्मेलन में इकट्ठे बजाया। उसके बाद एक सिलसिला आरम्भ हो गया।

अल्लाहरखा खान साहब कई सम्मेलनों में मेरे वरिष्ठ सहयोगी थे। हमारा साथ तब से हुआ जब बम्बई में 1955 में मेरे पहले प्रदर्शन के बाद वे स्नेह और प्यार से मुझे मिलने और शाबाशी देने मंच के पीछे आये। मैं आज भी उनके स्नेह और ऊष्मा से द्रवित हूँ और इनके इस गर्व से कि जम्मू का एक संगीतकार बम्बई में इतना नाम कमा रहा है। जब भी हम मिलते डोगरी में बात करते, हँसी मज़ाक करते और जब उन्होंने बम्बई में मेरी संगत करने का प्रस्ताव रखा तो मैं उनकी उदारता से अभिभूत हो गया। वे मुझसे 19 वर्ष बड़े थे पर हम सन् 2000 के उस दुखद दिन तक आत्मिक मित्र रहे जब मैं उनके बेटों, सम्बन्धियों और अनगिनत प्रशंसकों के साथ उनकी प्रिय पुत्री, जिसे वे बेहद प्यार करते थे, के विश्राम स्थल के पास ही अनके विश्राम स्थल पर गया। मैं अल्लाहरखा खान साहब का अपने परिवार की तरह अभाव अनुभव करूँगा। ईश्वर उन्हें शान्ति प्रदान करें।

पीछे मुड़कर देखता हूँ तो मुझे उनके साथ बिताया समय याद आता है। उनके साथ 1968 में अपनी विदेश यात्रा, उस्ताद का स्वादिष्ट कोरमा और अन्य

व्यंजनों का आस्वाद...अन्तहीन यादें हैं। अल्लाहरखा खान साहब खाने के शौकीन थे और अपने मित्रों के लिए खाना बनाना उन्हें पसन्द था। वे बहुत विनोदप्रिय थे और अपने चुटकुलों और दूसरों की नकल उतारकर हम सबको हँसी के मारे रुला देते थे। इस सब के पीछे वे प्रत्येक क्षण संगीत में लिप्त रहते—सदा रचना तथा प्रयोग करते हुए और नयी सम्भावनाओं को खोजते हुए कुछ नये लयात्मक प्रतिमान या कठिन तालचक्र की रचना करते रहते। वे पवित्र, ईमानदार और अपनी कला को समर्पित थे। वे दूसरों के लिए खाना पकाते तथा अपनी हर चीज़ दूसरों के साथ बाँटते थे। वे एक स्वाभाविक संगीतकार थे जिनकी रगों में स्वर माधुर्य बसा हुआ था।

कुछ प्रमुख तबलावादक जिनके साथ बजाने का अवसर मुझे नहीं मिला—वे थे पं. चतुरलाल और उस्ताद हबीबुद्दीन खान। उनका नाम वादकों में तत्काल आशंका जगाता था क्योंकि वे एक लड़ाकू किस्म के इन्सान थे। मुझे कलकत्ता में लाला बाबू के एक आयोजन की याद है जिसमें सभी वरिष्ठ तबलावादक सारे सम्मेलन के लिए अनुबन्धित थे। अनोखेलाल जी की माँग सबसे अधिक थी। उनके प्रीतिकर आचरण के लिए और जिस तरह वे संगीतकार को अपने श्रेष्ठ प्रदर्शन के लिए प्रोत्साहित करते थे, यह संगीत के दीवाने कलकत्तावासियों के लिए आह्लादकारी था। हबीबुद्दीन खान साहब की बात और थी—उनका एकल प्रदर्शन उनकी अप्रतिम टोन के कारण बहुत बढ़िया था, पर कोई भी उन्हें संगतकार के रूप में लेना नहीं चाहता था। ऐसा क्यों था? यह इसलिए था क्योंकि उन्होंने उनको संगीतकार की एकाग्रता को आलाप से ही भंग करते देखा था। इस सबके चलते गत तक आने पर आप कलाकार की अवस्था की कल्पना कर सकते हैं।

समारोह के अन्तिम दिन उस्ताद जी को कुछ करने को नहीं था। आयोजकों ने एक योजना बनायी—उन्होंने किसी बहाने से पं. अनोखे लाल जी को घर भेज दिया। योजना यह थी कि अन्तिम कलाकार महारथी उस्ताद अली अकबर खान को हबीबुद्दीन साहब को संगतकार के रूप में लेना पड़ा। अली अकबर खान साहब वास्तव में अपने मित्र पं. अनोखे लाल के साथ बजाना चाहते थे।

कल्पना कीजिए—समारोह स्थल खचाखच भरा हुआ सिनेमाहॉल था (शायद मिनर्वा) और वहाँ तिल रखने की भी जगह नहीं थी। सभी अली अकबर खान साहब के संगीत के जादू को सुनने के लिए उतावले थे। दोनों कलाकारों ने अपना-अपना स्थान ग्रहण किया। उस्ताद अली अकबर ने आँखें कसकर बन्द करके आलाप आरम्भ किया। हबीबुद्दीन साहब को जानते हुए हम सब चिन्तित थे कि क्या वे आलाप में व्यवधान डालने की हिम्मत जुटा पाएँगे। उन्होंने ऐसा नहीं किया पर हमने उनको अधीरता से उँगलियों से गद्दी पर तबला बजाते हुए देखा—आलाप

के बीच कूद जाने के लिए। जब गत आयी—आतिशबाजी हुई—उस्ताद अली अकबर आँखें बन्द किये शान्ति से उत्कृष्ट प्रदर्शन कर रहे थे, पर संगतकार जहाँ उनको तबला नहीं बजाना था—बजाते रहे।

शान्त अली अकबर खान साहब ने ऊपर की ओर देखा। वे थोड़े से क्षुब्ध और चिढ़े हुए थे; उनका ध्यान भंग हो गया था। साधारणतया वादक के तात्कालिक संगीत के बाद संगतकार की बारी आती है पर यहाँ खान साहब ने अभी आरम्भ ही किया था कि हबीब साहब बीच में कूद पड़े। शीघ्र ही एक अभूतपूर्व घटना घटी—खान साहब ने तेजी से मुड़कर तबला वादक की आँखों में सीधे देखा। सारा धैर्य समाप्त हो गया जब खानसाहब ने एक के बाद एक कठिन टुकड़े बजाये और हबीब साहब ने उन्हें तबले पर प्रतिध्वनित किया। यह एक युद्ध था—सरोद और तबले के बीच और दोनों के धैर्य के बीच। उत्तेजित श्रोता शोर मचाते जब खान साहब के कठिन वादन का उत्तर हबीब साहब तबले पर नहीं दे पाते। इससे हबीब साहब बहुत क्रोधित हुए। जैसे ही अली अकबर साहब अपनी गति बढ़ाते, हबीब साहब भी वैसा ही करते पर उनके बायें हाथ की ताल कमजोर पड़ गयी। उनकी खीज बढ़ाते हुए उस ध्वनि पर भी उनका नियन्त्रण समाप्त हो गया जिसे वे उत्पन्न करना चाहते थे। संगीतप्रेमियों के तानों ने किसी को सन्देह में नहीं रखा कि वे किसके साथ थे।

अब गाली-गलौज आरम्भ हो गया—कहासुनी हो गयी। पर अली अकबर खान विजयी हुए। आदरणीय तबला वादक ने एक पल के लिए भी यह कैसे सोच लिया कि वे तबले पर सरोद जैसी मधुर ध्वनि पैदा कर सकते है। जिन्होंने इस मुकाबले को देखा वे कई सप्ताह तक इसकी चर्चा करते रहे। संगीतकारों में स्वस्थ प्रतिद्वन्द्विता हो सकती है पर इस बार तो सुन्दर मुखौटा उतर गया था और विषदन्त दिखायी देने लगे।

पीछे मुड़कर देखें तो यह वही पुरानी 'मैं महान् हूँ' की कहानी थी। सैकड़ों वर्ष पहले महाराजा के मनोरंजन के लिए दरबारों में ऐसी झड़पों को प्रोत्साहन दिया जाता जैसे एक प्रिय पहलवान को उसकी दुर्दम्य विजय पर पुरस्कार दिया जाता था। उसी तरह संगीतकारों का भी हाल था—'जी उन्होंने उसको हरा दिया'। इस प्रकार के व्यर्थ झगड़े मेरे पिता के समय में भी होते थे। उन्होंने मुझे ऐसे कई किस्से सुनाये जिनमें संगीतकार जानबूझकर एक कठिन राग चुनता था ताकि संगतकार की योग्यता परखी जा सके। जब मैंने संगीत आरम्भ किया, पिताजी ने मुझे गुप्त रूप से कुछ बहुत कठिन रचनाएँ सिखायीं। उन्होंने कहा—"बेटा जब भी किसी ऐसे तबलिए से वास्ता पड़े जो तुम्हें जनता के बीच नीचा दिखाना चाहता हो तो इन रचनाओं को बजाना, वह स्वयं राह पर आ जाएगा।" सौभाग्यवश कभी

ऐसा अवसर नहीं आया। मैंने बहुत बढ़िया तबला वादकों के साथ सन्तूर बजाने के अनुभव का आनन्द उठाया है। हमने एक सुन्दर संगीत रचना के लिए तालमेल से बजाया है, दो योद्धाओं की तरह लड़ने के लिए नहीं।

नयी पीढ़ी के कलाकारों में ज़ाकिर हुसैन मेरा प्रमुख संगतकार रहा है। सन् 60 के आरम्भ में ज़ाकिर श्रोताओं के साथ बैठा था जब उसके अब्बा जी ने मेरी संगत की थी। उसने मेरे साथ पहला प्रदर्शन पन्द्रह वर्ष की आयु में किया। मेरी माता जी उस कार्यक्रम को सुनने आईं थीं और उन्होंने अपने साथ बैठी महिला से बातचीत आरम्भ की। जब अन्त में उन्होंने अपना-अपना परिचय दिया तो पता चला कि दोनों अपने-अपने बेटों को सुनने आयी हैं। दूसरी महिला बावी बेगम थीं—उस्ताद अल्लाह रखा की पत्नी और ज़ाकिर की अम्मा।

इस नवयुवक में मैंने तीक्ष्ण बुद्धि और कला की समझ के साथ-साथ बढ़िया त्रुटिहीन प्रशिक्षण भी पाया। यह एक अप्रतिम सम्मिश्रण था। उसने ईश्वरप्रदत्त प्रतिभा के अतिरिक्त अपनी कला को निखारने के लिए बहुत परिश्रम किया। जब वह बहुत छोटा था तब उसने अपने सभी कार्यक्रम रिकार्ड किये—विदेशों के भी। वह सम्पूर्णता के लिए अधीर था। वह सदा और अधिक ऊँचाइयाँ पाना चाहता था। वह अपनी शक्ति को पहचानते हुए अपनी कमियों को दूर करने और साथी संगीतकार को समझने का प्रयास करता—ऐसा था ज़ाकिर।

बम्बई में ज़ाकिर मेरे कार्यक्रमों में नियमित रूप से तबला बजाता था। हमारा बँधन गहरा था और हममें संगीत की पूरी समझ थी। जैसा ही मैं सोचता कि ज़ाकिर एक विशेष प्रकार से तबला बजाये, वह किसी तरह मेरे विचारों को पढ़कर उन्हें क्रियान्वित कर देता था। यह एक तरह का दूरबोध था और हम दोनों मिलकर जादू पैदा कर देते थे। वह कठिन रागात्मक चक्रों और तात्कालिक रचनाओं का अध्ययन करता और मेरा पूरा साथ देता। समय पाकर उसका तबला वादन और भी ऊँचाइयों को छूने लगा। तब भी मैं उसको ध्वनि और स्वर की उपज, बायाँ पर उसकी निपुणता और सन्तूर की कोमल ध्वनि के प्रति संवेदनशीलता से प्रभावित था। ज़ाकिर मेरी सांगीतिक आवश्यकताओं, मेरे मिजाज और मुझे भी सबसे अधिक समझता है। उसके साथ बजाना अपने आपमें प्रेरणादायक है। हमारी जोड़ी इतनी लोकप्रिय हो गयी कि हम विश्व भर में प्रदर्शन के लिए आमन्त्रित किये जाने लगे और जब हम बजाते तो फिर से बजाने की फरमाइश आती रहती।

ज़ाकिर ने अपने बाद के बहुत से तबला वादकों का दिशानिर्देश किया है क्योंकि उसके वादन ने एक हंगामा मचा दिया और एक तबला वादक को भी एक कलाकार के रूप में प्रतिष्ठित किया। पर इतने अधिक प्रचार और उन्माद के बावजूद ज़ाकिर मन से वही है जिसे मैं वर्षों से जानता हूँ। वह जीवन का

अधिक भाग अमेरिका में रहा है पर अभी भी वह भारतीय परम्परागत तहज़ीब का पालन करता है। जब वह मेरे साथ यात्रा करता है तो मुझे अपना बैग या सन्तूर उठाकर चलने नहीं देता और मेरा इतना ध्यान रखता है कि मैं अभिभूत हो उठता हूँ। चाहे मेरे खाने-पीने की पसन्द हो या आराम का समय—ज़ाकिर अविश्वसनीय स्नेह से मेरा ध्यान रखता है।

मंच पर हम एक-दूसरे के संगीत का इतना आनन्द लेते हैं कि जब एक अपनी तात्कालिक रचना में खो जाता है—हमें उससे असुविधा नहीं होती। कुछ प्रदर्शन हम बराबर बाँट लेते हैं। ज़ाकिर जब ग्यारह या तेरह या नौ या पन्द्रह की ताल पर लम्बा एकल बजाता है श्रोताओं को आनन्द आता है और फिर वह लगभग एक घंटे तक शान्त धीमा ठेका बजाता है—विशेष रूप से जब मैं धुन बजा रहा होता हूँ।

अल्लाहरखा खान साहब, पं. किशन महाराज और करमतुल्लाह खान साहब जैसे उस्ताद सदा वाद्ययन्त्र वादक के भाव पर ध्यान रखते थे, उसकी शैली और मिजाज़ को समझते थे और वे उस शैली का समन्वय अपनी शैली में कर लेते थे। परिणाम होता था एक अविस्मरणीय सामंजस्य। ज़ाकिर मुझे वही विश्वास प्रदान करता है। मैं कई बार उसे बताता भी नहीं कि मैं कौन-सा राग बजा रहा हूँ क्योंकि मुझे पता है कि वह उस चुनौती को स्वीकार करेगा। यह एक बौद्धिक खेल होता है--एक मस्ती की भावना का खेल न कि प्रतिद्वन्द्विता का। विचित्र बात है मैं कभी तबलावादक के साथ अभ्यास नहीं करता—रिकार्डिंग के समय भी नहीं। मुझे लगता है कि अभ्यास सहजता से दूर ले जाता है। पर ज़ाकिर के साथ मैं इस बात से चिन्तामुक्त हो जाता हूँ कि तबलावादक मेरे साथ ठीक से बजा पाएगा या नहीं। वह इतना साहसी है कि ग्यारह बीट बजाएगा, फिर वहाँ से सोलह और बत्तीस पर आ जाएगा। इस प्रकार का संगीत आध्यात्मिक और विरल है।

एक बार ज़ाकिर और मैं बीस शहरों का थोड़े-थोड़े समय के लिए दौरा कर रहे थे। अचानक अमेरिका के एक सभास्थल पर मैंने पं. रविशंकर को प्रथम पंक्ति में बैठे देखा। हम लोग यात्रा करते-करते थक गये थे जिस कारण हम सभास्थल पर कुछ ही घंटे पहले पहुँचते थे पर पंडित जी को वहाँ बैठे देखकर प्रेरणा की एक लहर का अनुभव हुआ। उसी समय मैंने सिंहताल पर प्रयोग करने का निर्णय लिया। इस राग में तेरह बीट का कठिन चक्र होता है पर ज़ाकिर ने बढ़िया तबलावादन किया—जैसा उसके पिता ने वर्षों पहले किया था और वह कार्यक्रम बेहद सफल हुआ।

भेदभाव के दिन लद गये हैं जब तबला वादक कलाकार के पीछे दुबक कर बैठते थे। पं. रविशंकर, उस्ताद अली अकबर खान और मैंने उनको बराबरी का दर्जा दिया है और पं. किशन महाराज, उस्ताद अल्लाहरखा खान, पं. चतुरलाल और उस्ताद करमतुल्लाह खान को अपनी कला का भरपूर प्रदर्शन करने के लिए बढ़ावा दिया है। उनके लिए तबला वादक का काम सक्रिय है, दोयम नहीं। उनको तात्कालिक रचना का उतना ही अधिकार है जितना मुख्य कलाकारों को। आज तबला संगतवादक के माधुर्य में समा जाता है—और उसी तात्कालिक रचना का विस्तार बन जाता है।

तीन

अपने पंख फैलाना

“मेरे माता-पिता यह सोचकर बहुत रो रहे थे कि वे अपनी पहली सन्तान का विवाह एक संगीतकार से कर रहे हैं। पर क्योंकि मेरे दादा जी ने वचन दे दिया था, हमारे भाग्य का निर्णय हो चुका था। शिव जी को यह सुनकर प्रसन्नता हुई कि मैंने बाकायदा संगीत की पढ़ाई की है। मुझे उनका सौम्य स्वभाव पसन्द आया और मैं उनका दयालु स्वभाव देखकर चिन्तामुक्त हो गई।

स्वभाव में शिव जी मुझसे बहुत भिन्न थे। शिव जी और मैं दो ध्रुवों पर थे। वे पूरी तरह से अन्तर्मुखी थे और उनको बहिर्मुखी बनाने और मेरे साथ समय बिताने के लिए कई तरह के बहाने ढूँढ़ने पड़े। आरम्भ में मैं थोड़ा बुरा मान जाती और जब भी वे सन्तूर को सुर में लाने लगते, मैं अपने आप से बुदबुदाती, “हे भगवान्, अब यह चार-पाँच घंटे तक चलेगा।” पर मैंने उन्हें रोकने का प्रयास नहीं किया। शायद मुझे उस समय भी पता था कि उनका प्रथम प्यार संगीत ही होगा।

मैंने शिव जी के साथ एक लम्बी यात्रा की है और उनसे धैर्य और सहनशीलता सीखी है। प्यार एक युवा लड़की का सपना था पर हमारे एक-दूसरे के प्रति सम्मान ने हमारे सम्बन्धों को कायम रखा है। हमारी अपनी अपनी भूमिका है—उनका हमारी देखभाल करना और मेरा उनकी घर-गृहस्थी सँभालना।”

—मनोरमा शर्मा

मनोरमा

सन् 1966 तक संगीत, संगीत जगत् के अपने मित्रों और अपना कहलाने योग्य घर बनाने जिसमें मैं व्यवस्थित हो जाऊँ, की प्रक्रिया को छोड़कर मेरी रुचि और किसी चीज़ में नहीं थी।

1966 के आरम्भ में पिता जी ने कहा कि अब विवाह के विषय में सोचने का समय आ गया है। वे कई मायनों में रूढ़िवादी थे पर उन्होंने एक पत्नी का चुनाव मुझ पर छोड़ दिया था। मेरे माता-पिता ने सोचा कि शायद बम्बई में रहते हुए मैंने स्वयं किसी को चुन लिया है। जब मैंने उन्हें आश्वस्त किया कि मैं एक संघर्षरत संगीतकार के जीवन में इतना व्यस्त था कि किसी को कोई वचन नहीं दे सकता था, उन्होंने मेरे लिए एक लड़की ढूँढ़ने का प्रस्ताव रखा। मेरे दो एतराज कि मैं अभी आर्थिक रूप से निश्चिन्त नहीं था और संगीत में बहुत व्यस्त था—पर उन्होंने कोई ध्यान नहीं दिया।

अनमने से मैंने उन्हें हाँ कह दी। कुछ ही सप्ताहों में मेरी बहन ने लिखा कि उन्होने एक लड़की ढूँढ़ ली है जो मेरे लिए उपयुक्त लगती है। मेरी इस मामले में कोई राय नहीं थी। मैंने उन्हें केवल यह कहा कि विवाह से पहले मैं एक बार लड़की से मिलना चाहूँगा। मेरे माता-पिता मान गये और मैं अपनी भावी पत्नी से मिलने जम्मू आ गया।

विचित्र परिस्थितियाँ थीं। यह निर्णय किया गया कि हम उनकी ओर के कई अभिभावकों और हमारी ओर के कुछ सम्बन्धियों के साथ सिनेमाहॉल पर मिलेंगे। फिल्म थी महाभारत—ऊँचे संवाद, भड़कीली पोशाकें, अति नाटकीयता और अतिशयोक्तिपूर्ण युद्ध के दृश्य—सभी कुछ था। ये रोमांस के लिए उपयुक्त नहीं थे पर दूसरा विकल्प नहीं था। हमारे भाग्य का निर्णय तुरही, करताल के शोर, बड़े-बड़े देवताओं और प्रसिद्ध ग्रन्थ के योद्धाओं के बीच हो गया। अपनी भावी पत्नी के बारे में मेरी पहली छाप थी कि उसका चेहरा बड़ा गोरा और सुन्दर था, आँखें अबोध थीं और चेहरे पर मुस्कान थी। उसका नाम मनोरमा था। मैंने

उसे मध्यान्तर में दोनों परिवारों के सदस्यों से घिरे हुए, पेयजल पीते हुए, केवल दस मिनट के लिए ठीक से देखा। हम एक-दूसरे से एक शब्द भी नहीं बोले। पिताजी ने मेरी राय पूछी पर उन्होंने मनोरमा के परिवार को पहले ही वचन दे दिया था। निर्णय ले लिया गया था।

29 मई, 1966 को जब मैं अट्ठाईस वर्ष का था, मनोरमा और मेरा विवाह जम्मू में हो गया। जब मैं अपनी दुल्हन को बम्बई लाया तो मेरे मन में नयी जिम्मेदारी के प्रति मिले-जुले भाव थे। मैं थोड़ा आशंकित था—मान लो मनोरमा को ऐसा छोटा फ्लैट पसन्द नहीं आया या फिर बम्बई पसन्द नहीं आयी तो क्या होगा?

मनोरमा जम्मू के एक धनी व्यापारी परिवार की थी और उत्साही सितार वादक थी। उसने जम्मू महिला कॉलेज में संगीत की पढ़ाई की थी। उसके पिता की संगीत में कोई रुचि नहीं थी पर उसके दादा संगीतप्रेमी थे। मुझे लगता है कि उन्होंने ही इस विवाह को तय करवाया था। छठे दशक के मध्य में संगीत को पूर्ण कालीन पेशा नहीं माना जाता था। अत: अपनी बेटी का विवाह एक संगीतकार से करना एक रूढ़िगत प्रथा नहीं थी।

वास्तव में मुझसे रेलयात्राओं में और वैसे भी सदा पूछा जाता कि मैं क्या करता हूँ। एक सहयात्री पूछता, "इस बक्से में क्या ले जा रहे हो?"

"सन्तूर"—मै उत्तर देता।

"ओह, आप कार्यक्रमों में संगीत बजाते हो! कितना अच्छा है। रोजी-रोटी के लिए क्या करते हैं?"

मनोरमा एक व्यवस्थित जीवन की आदी थी। प्रत्येक दिन उसके पिता सुबह दफ्तर के लिए निकलते और शाम को घर लौटते। यह एक ऐसा नियम था जो कभी बदलता नहीं था। जब वह बम्बई आयी तो उसे पता नहीं था कि क्या होगा। बम्बई जम्मू के शान्त वातावरण के बाद बहुत चकाचौंध वाला, अधिक व्यस्त और महानगरीय लगा होगा। उसका जीवन हर तरह से बदल रहा था। उसके नये घर में परिवार का मुखिया घर से बाहर बहुत कम निकलता था। उसकी नियमित दिनचर्या वाली सोच से उसे लगता था कि मैं कोई काम नहीं कर रहा। मुझे अपने कमरे में बन्द गुनगुनाते हुए या अपने ख्यालों में खोये हुए बालकनी पर खड़ा देखकर उसे चिन्ता हुई। 'पड़ोसी क्या सोचेंगे?' वह मुझसे पूछती—"वे अवश्य सोचेंगे कि आपके पास कोई नौकरी नहीं है और घर में समय बिताने के सिवाय करने को और कुछ नहीं है।"

शीघ्र ही हरि जी और अनु जी, उनकी पत्नी अनुराधा हमारे जीवन में आये। मनोरमा उन दोनों को बहुत भा गयी और शीघ्र ही हमारा घर हँसनेवाली चौकड़ी

का केन्द्र बन गया जिसमें महिलाएँ खाना पकातीं और गुप्पें लड़ातीं और कभी-कभी हरि जी स्वयं भी बढ़िया व्यंजन पकाते। मनोरमा और हरि जी गहरे मित्र बन गये। एक दिन हरि जी मुझे रिकार्डिंग के लिए लेने आये क्योंकि मेरे पास कार नहीं थी और हरि जी ने नयी-नयी मोरिस माइनर खरीदी थी। मैं तैयार हो रहा था कि एक बाँसुरी बेचनेवाला घर के बाहर से निकला। मनोरमा ने हरि जी को बरामदे से पुकारकर कहा—देखो वह बाँसुरी बेचनेवाला अपनी बाँसुरी बेचने के लिए कितना परिश्रम कर रहा है। आप नहीं सोचते कि उसे भी उतना ही कमाना चाहिए जितना कि कोई केवल बाँसुरी बजाने भर से प्रसिद्ध हो रहा है? हरि जी ने नाराज़गी का नाटक किया। हम लोग बाहर घूमने जाते, एक-दूसरे की खुशियाँ और ग़म बाँटते और हर रात भोजन के लिए चौदहवीं रोड, बान्द्रा स्थित हमारे फ्लैट पर मिलते, देर रात तक गप्पें हाँकते रहते।

बॉलीवुड पर झुकाव

छठे दशक के आरम्भ में मैं जयदेव जी के चर्चगेट स्थित घर पर बहुत ही प्रतिभाशाली संगीतकार सचिन देव बर्मन से मिला। मैं चकित हुआ, वे निपुण संगीतकार के साथ-साथ एक सौम्य और स्नेही व्यक्ति भी थे और उन्होंने शीघ्र ही मेरी ओर मित्रता का हाथ बढ़ाया। धीरे-धीरे हम एक-दूसरे के निकट हो गये और मैंने कई अवसरों पर उनके लिए सन्तूर बजाया—फिल्म 'बन्दिनी' में भी।

एक बार हरि जी और मैं एक वायुयान में यात्रा कर रहे थे जब दूसरी ओर एक यात्री ने हरि जी की कल्पनाशक्ति तेज कर दी। यह एक लम्बी अन्तर्देशीय उड़ान थी और हम सदा की तरह अपने मनोरंजन के लिए तरीके ढूँढ़ रहे थे। उस व्यक्ति के चीनी नैन नक्श को देखकर हरि जी फुसफुसाये, "अन्त में हमने उसे ढूँढ़ ही लिया—यह अवश्य बर्मन दा का जन्म से ही खोया हुआ जुड़वाँ भाई होगा। दादा जी की माँ अवश्य त्रिपुरा में रही होंगी जब पिता उसके भाई को लेकर चीन चले गये—जहाँ वह बहुत अमीर हो गये।" वे सनसनी और नाटकीयता पैदा करते हुए लम्बी हाँकते रहे और हम पूरी यात्रा में हँसते हुए आये। जब हम अपने गन्तव्य पर पहुँचे और सामान इकट्ठा किया—चीनी व्यक्ति ने मुस्कराते हुए कहा—"बहुत अच्छा मजाक है।" वह हिन्दी समझता था। हरि जी का चेहरा देखने लायक था।

बर्मन दादा बहुत झक्की हो जाते थे। एक बार जब हम उनके घर पर रिकार्डिंग कर रहे थे, दरबान ने आकर कहा कि निर्माता-निर्देशक शक्ति सामन्त आये हैं। "रोको उसे रोको" दादा चिल्लाये। उन्होंने तेजी से हमें शक्ति दा के आने से पहले बजाने से रोक दिया। दादा को इस बात का भय था कि कहीं अन्य निर्माता हमारी योजना न चुरा ले।

दादा की एक अन्य विचित्र आदत थी—वे कभी किसी को खाना-खाने या नाश्ते पानी के लिए नहीं कहते थे। आनन्द बख्शी जैसे वरिष्ठ गीतकार को भी वे अचानक कह देते—"अच्छा अब मैं भोजन करने जा रहा हूँ। अब जाओ और

एक घंटे बाद आना।'' हम दादा के तौर-तरीकों के आदी हो गये थे। एक रिकार्डिंग सत्र के बीच बौदी ने कलकत्ता से आये रसगुल्लों की तश्तरी अन्दर भेजी। संगीत पर सारा ध्यान केन्द्रित कर रहे दादा को पता नहीं चला कि हरि जी इस परिस्थिति का पूरा लाभ उठाते हुए रसगुल्ले पर रसगुल्ले उड़ा रहे थे। दादा ने जब तक तश्तरी की ओर हाथ बढ़ाया, हरि जी पूरे दर्जन भर रसगुल्ले चटकर गये थे। जब हमने रिकार्डिंग समाप्त की तो दादा ने हरि जी से कहा, ''तुम्हारी बाँसुरी आज बहुत मीठी लग रही थी—क्यों न हो—रसगुल्ले की पूरी तश्तरी जो खा चुके हो।''

दादा वरिष्ठ थे जिनकी मैं आदर और प्रशंसा करता था, उनका बेटा पंचम राहुल देव बर्मन और घनिष्ठ मित्र बन गये। आर.डी. जैसा कि हम उन्हें प्यार से बुलाते थे—बहुत अनादरपूर्ण हँसोड़ और नकलची थे, अपने मज़ाकों और नकल से हमारे आँसू निकाल देते थे। एक बार उन्होंने दादा की ननकी आवाज़ में गाने की नकल करने की हिम्मत जुटायी। उस्ताद अली अकबर खान के प्रतिभाशाली शिष्य आर.डी. ने सरोद से अपना कला जीवन आरम्भ किया था। अन्त में उन्होंने सरोद बजाना छोड़ दिया और अपने पिता के सहायक बन गये। उन्होंने कई बढ़िया धुनों की रचना की और अपने पिता के योग्य उत्तराधिकारी बने।

आर.डी. ठिगने और गठे बदन के थे, आँखें मोटे फ्रेमवाले चश्मे के पीछे बड़ी-बड़ी लगती थीं। वे अकसर उन दिनों में प्रचलित रंगीन बुश्शर्ट पहनते थे। दादा लम्बे, छरहरे और अत्यन्त गम्भीर व्यक्ति थे जो कभी हँसते नहीं थे। सदा संगीत की दुनिया में खोये कभी किसी धुन को गुनगुनाते कभी किसी को। आर.डी. इसके बिलकुल विपरीत थे—शरीर से भी और मिजाज़ से भी। वे अधीर ऊर्जा से भरे और अपने आपमें अत्यन्त प्रतिभाशाली थे। दुनियादार और गुस्ताख वे सदा निस्संकोच अदम्य उत्साह से भरे होते थे। नयी पीढ़ी की नब्ज़ पहचानते हुए वे लोकप्रिय हो गये। उस समय के मधुर सुगम संगीतवाले पार्श्व गायकों से अलग आवाज़ में गाते हुए उन्होंने फिल्म संगीत को पॉप बनाया। फिर भी वे मधुर, काव्यमय और संवेदनशील थे। आर.डी. की कई धुनें जिन्हें लता, आशा और किशोर ने गाया अपने सौन्दर्य में लगभग शास्त्रीय थीं। आर.डी. में एक विविधता थी। वे एक मसखरे थे पर साथ ही उनमें कुछ त्रासद भी था। मुझे उनके साथ कार में दूर तक जाना याद है—जब वे कार स्टीरियो पर अपना उस समय का पसन्दीदा शास्त्रीय, जैज़ या कोई अन्य संगीत सुन रहे होते। हम कार माहिम में पार करते, पैदल चलनेवालों को देखते हुए चटपटे कबाब और सुगन्धित बिरयानी खाते।

तब तक मैंने तबलावादन बन्द कर दिया था, पर पंचम ने पहले सुन रखा था। उसी के आग्रह पर मैंने अन्तिम बार अपना तबला वादन रिकार्ड करवाया। यह 'गाइड' फिल्म के लिए था जो आर.के. नारायण के उपन्यास पर आधारित थी। देवानन्द नायक थे, 'मोसे छल किये जाये' मुख्य गीत था और एस.डी. बर्मन संगीत निर्देशक थे। सेट भव्य थे और फिल्म टिकट खिड़की पर सफल हो गयी थी। इससे कलाकार और निर्देशक बहुत लोकप्रिय हो गये।

इस परिदृश्य का अभिन्न अंग—अभिनेता, गायक, निर्देशक और संगीत निर्देशक किशोर कुमार थे। किशोर, अनूप और अशोक कुमार मार्क्स भाइयों का भारतीय संस्करण थे और उतने ही प्रतिभाशाली।

अकसर पैकअप के बाद, एस.डी. बर्मन पास के कमरे में चले जाते और आर.डी. तथा किशोर का बोलबाला होता। एक दिन जब निर्देशक बिमल रॉय के साथ गम्भीर बहस हो रही थी तो फोन बजा। ये संगीत कोकिला लता मंगेशकर थीं जो बर्मन दा से अगली सुबह बीमारी के कारण न आ पाने के लिए क्षमा माँग रही थीं। किशोर ने गम्भीरता से मायूसी और त्रासदी की एक धुन गुनगुनायी—धिंग धांग धांग, ध्राम...' जबकि हम हँसी से दुहरे हुए जा रहे थे, पंचम बिमल रॉय के चेहरे के भाव की नकल कर रहा था जब वे लता और दादा के बीच के वार्तालाप को सुनने का प्रयास कर रहे थे। दादा जब लता को मनाने का प्रयास कर रहे थे तो किशोर सनसनी पूर्ण धुन बजा रहे थे (वे मानेंगी या नहीं?)। और जब बर्मन दा राहत में मुस्कराए और अगले दिन का कार्यक्रम तय किया तो हमें पता चल गया कि लता जी मान गयी हैं। किशोर खुशी में 'दन दना मना दन्दन' गुनगुनाने लगे। यह एक मूक फिल्म देखने की तरह था जहाँ अभिनय को केवल संगीत से ही प्रकट किया जाता है।

दादा कभी भी हँसते नहीं थे इसलिए जब हमें हँसना होता तो हम पंचम के साथ बैठक में शरण लेते। जब अन्दर गम्भीर बातें हो रही होतीं, आर.डी., किशोर, हरि जी और मैं किसी-न-किसी बात पर हँसते-हँसते लोट-पोट हो जाते। खूब हँसने के बाद पंचम चेहरे पर गम्भीर भाव लेकर भीतर पिता जी के पास बैठ जाता। हैरान दादा भवें चढ़ाकर पूछते, "बाहर कौन हँस रहा था?"

हमने एक ही बार दादा को ठहाका लगाकर हँसते देखा है जब हमने उन्हें दक्षिण मोहन टैगोर के बारे में बताया। वे ताल शहनाई बजाते थे जो उन्होंने स्वयं विकसित की थी। यह वाद्ययन्त्र मनहूस धुन निकालता था जो कारुणिक दृश्यों के लिए बहुत उपयुक्त माना जाता था। अन्य संगीतकार उन्हें दुखी दा पुकारते—केवल एस.डी. बर्मन उन्हें दक्षिण मोहन के नाम से बुलाते। जब हम लन्दन में थे हरि जी को एक बढ़िया मज़ाक सूझा। हमने दैनिक पत्र का एक झूठ-मूठ पृष्ठ

छपवाया जिसका शीर्षक था—"भारतीय संगीतकार दक्षिण मोहन टैगोर वेस्टएंड में नंगे भागते हुए पकड़े गये।" बम्बई लौटकर हरि जी ने समाचार पत्र की एक कतरन एस.डी. बर्मन को दिखायी और कहा, "यह एक राष्ट्रीय आपदा है। दक्षिण जी ने अभद्र व्यवहार किया है" आदि-आदि। दादा सन्त्रस्त हो गये पर अभ्यास जारी रहा। फिर अचानक वे हँसते हुए बोले, "हरि तुमने मुझे बेवकूफ बनाया है।" मैं अब समझ गया। दुखी दा ने इसे नहीं सराहा और कई दिनों तक हमसे बात नहीं की।

उन दिनों बॉलीवुड का वातावरण बहुत हलका-फुलका था और आप पूरी तरह से यूनिट के साथ घुल-मिल जाते थे। यद्यपि यह एक उभरता हुआ उद्योग था जिसमें पश्चिम की तुलना में तकनीकी परिष्कृति का अभाव था पर प्रतिभा और जोश की कमी नहीं थी। मेरे विचार में हिन्दी की कुछ सर्वश्रेष्ठ फिल्मों का निर्माण 60 और 70 के दशक में हुआ और अविस्मरणीय संगीत की रचना भी इसी काल में हुई।

मैं उस समय एक अन्य मूर्धन्य संगीत निर्देशक ओ.पी. नैयर को जानता था। निर्माताओं के प्रति मितभाषी और रूखे नैयर साहब संगीतकारों के लिए बहुत स्नेहशील और मित्रता का भाव रखते थे। एक दिन मैं उनसे उन दिनों के प्रतिष्ठित पते फेमस स्टूडियो तारदेव में स्थित उनके दफ्तर में मिलने गया। चूँकि उन्होंने सन्तूर कभी नहीं सुना था, उन्होंने मुझे बजाने को कहा और पूरे मनोयोग से सुना। जैसे ही मैंने बजाना समाप्त किया उन्होंने मुझे बाँहों में भर लिया और कहा कि मेरे बजाने का ढंग उन्हें बेहद पसन्द आया। उस समय से मैं नियमित रूप से उनकी रिकार्डिंग का भाग बन गया।

वास्तव में नैयर साहब कभी-कभी मुझे रिकार्डिंग के समय उपस्थित रहने को कहते हालाँकि उसमें सन्तूर की आवश्यकता नहीं होती थी। एक सुबह मैं अपनी बालकनी में अकेला बैठा था कि मैंने एक इम्पाला को बिल्डिंग के सामने आकर खड़े होते देखा। जब एक व्यक्ति कार से निकलकर सीधे मेरे फ्लैट की ओर भागता हुआ आया, मैंने उसे पहचान लिया। वह नैयर साहब का सहायक था। मैंने घबराये और पसीने से तर-ब-तर व्यक्ति से पूछा कि क्या बात है, पर कुछ बताने की बजाय उसने मुझे शीघ्र स्टूडियो चलने को कहा।

उन दिनों रिकार्डिंग ठीक नौ बजे आरम्भ हो जाती थी। नैयर साहब रिकार्डिंग से पहले अपने पार्श्व गायकों और संगीतकारों के साथ अभ्यास करते थे। सदा समय के पाबन्द वे देर से आनेवाले लोगों को सख्ती से डाँट देते थे और अकसर उन्हें वापिस भेज दिया करते थे। जब तक मैं तैयार होकर काँपते हुए व्यक्ति के साथ तारदेव पहुँचा, 11.30 बज चुके थे। जैसे ही बड़ी कार गेट के सामने

धीमी हुई, मैंने नैयर साहब के यूनिट को इधर-उधर झुंडो में बिखरे हुए देखा। तब संगीतकार स्वयं आये और मुझे अपने पीछे भीतर आने को कहा।

अभी भी अबूझ मैं भीतर गया जहाँ पता चला कि नैयर साहब एक महत्त्वपूर्ण गाने को रिकॉर्ड करनेवाले हैं। शायद उन्होंने हिदायत दी थी कि मुझे कार्यक्रम के बारे में बता दिया जाये क्योंकि वे मुझे रिकार्डिंग के समय उपस्थित देखना चाहते थे। किसी से भूल हो गयी थी और नैयर साहब मुझे स्टूडियो में न पाकर सब पर बहुत बरसे। रिकार्डिंग आरम्भ हुई, नैयर साहब ने उसी समय ओ.के. कर दिया और आशा भोंसले का 'हजूरे वाला जो हो इजाजत' गीत का सुरीला और मस्त गायन सदा के लिए लोकप्रिय हो गया। उसी के आसपास एस.डी. बर्मन साहब का सन्देश आ गया। वे एक गाने की रिकार्डिंग कर रहे थे जिसमें गाँव का 'भटियाली' प्रभाव था और उस पर वे मेरी राय चाहते थे।

फिर अप्रतिम संगीत रचनाकार और भारतीय शास्त्रीय संगीत के गम्भीर पारखी जयदेव जी और मदनमोहन साहब थे। दोनों ने बम्बई के मेरे सभी कार्यक्रम सुने हुए थे। उन दिनों फिल्मी और शास्त्रीय संगीतकारों में काफी आदान-प्रदान होता था।

मुझे याद है जब लताफत हुसैन साहब मदन मोहन जी के रिकार्डिंग सत्रों में आते थे। लताफत हुसैन साहब चिढ़ाया करते—'तुम्हारी रचनाएँ अच्छी हैं पर तुम्हारी प्रतिभा खाना पकाने में है—तुम संगीतकार से अच्छे रसोइये हो...' यह केवल बकवास नहीं थी, मदन जी खाना पकाने में निपुण थे। अपने मित्रों के लिए खाना बनाने के लिए वे बढ़िया सामग्री ढूँढ़ने उड़कर एक दिन के लिए दिल्ली आते थे। हम अकसर जयदेव जी के घर पर एक सुस्त दोपहर को स्वादिष्ट खाना खाने और गपशप करने के लिए एकत्रित होते थे।

बढ़िया खाने से तृप्त मित्रों और फिल्म जगत् की मस्ती में डूबे मैंने न जाने कितने ही गम्भीर कार्यक्रम छोड़ दिये। मैंने अच्छा पैसा कमाया और अन्ततः सुरक्षा की भ्रामक भावना में बह गया। मैंने दूरदराज के सभी कार्यक्रमों में जाना छोड़ दिया। मेरे प्रिय कलकत्ता का दौरा भी घटकर साल में एक रह गया। मैंने बम्बई, पुणे, बड़ौदा या अहमदाबाद के कार्यक्रमों में जाने के लिए अपने आपको वातानुकूलित स्टूडियो के आरामदेह वातावरण से अनिच्छा से बाहर निकाला। पर कलकत्ता, दिल्ली, लखनऊ या हैदराबाद नहीं गया। मेरे हाल ही में हुए विवाह ने भी इस धीमी गति में योगदान दिया।

मनोरमा बड़े शहर के जीवन का पहली बार अनुभव कर रही थी, और चूँकि उसे घर की याद भी आ रही थी, मैं उसे लम्बे समय के लिए छोड़कर जाने का साहस नहीं जुटा पाया। मैं यात्रा से इसलिए भी बच रहा था क्योंकि

बम्बई में बहुत अच्छा समय गुज़र रहा था। मैंने अपनी कार खरीदी जिससे बेस्ट की धुआँ छोड़ती बसों की पंक्ति में खड़ा होना समाप्त हो गया। अब मैं सही मायनों में व्यवस्थित होने का अनुभव कर रहा था। पीछे मुड़कर देखने पर ये मेरे बम्बई के सबसे बढ़िया वर्ष थे। आज की तुलना में शहर साफ-सुथरा था, कम प्रदूषित था (बसों के बावजूद) और सांस्कृतिक कार्यक्रमों की भरमार थी।

फिर से शास्त्रीय राह पर

यदि यह आरामदेह जीवन और लम्बा चलता तो अपने सन्तूर और कला के प्रति मेरा समर्पण बुरी तरह से आहत होता। भगवान की कृपा से शीघ्र ही समझ आ गयी और मैं वास्तविकता के प्रति जागरूक हो गया। मुझे अपने पिता के कथन की याद आयी कि कलाकार जब आध्यात्मिक रूप से प्रेरित होता है तो अपनी रचनाशीलता की ऊँचाई पर होता है, जबकि आलस्य और भोगविलास से अकर्मण्यता पनपती है। मुझे अचानक अनुभव हुआ कि मैं अपने लक्ष्य से दूर जा रहा हूँ जिसकी प्राप्ति के लिए मैंने इतना समय और ऊर्जा लगाया था। घबराकर मुझे पिता जी को दिया वचन याद आया जो मैंने जम्मू छोड़ने की सुबह उनको दिया था कि मैं अपनी चुनी हुई सच्ची राह पर चलूँगा और अपनी सारी शक्ति गम्भीर संगीत में लगाऊँगा।

कार्यक्रमों में फिर से जाना कैसे आरम्भ किया जाये? शास्त्रीय संगीत के आयोजकों ने मुझसे सम्पर्क करना छोड़ दिया था क्योंकि मैं उनके आमन्त्रणों का उत्तर ही नहीं देता था। अब मुझे उन्हें बताना है कि मैंने एक बहुत बड़ी भूल की थी और अब मैं पछता रहा हूँ, और उसे सुधारने के लिए तत्पर हूँ। हाय! जब मैंने प्रयास किया तो मेरी बात किसी ने नहीं सुनी यह सोचकर कि यह भी मेरी सनक है और मैं अपने लाभप्रद फिल्मों के काम को छोड़कर शास्त्रीय कार्यक्रमों के लिए समय नहीं निकाल पाऊँगा। मैंने एक बार फिर से सन्तूर को भारतीय शास्त्रीय संगीत में स्थापित करने की ठानी और अब मुझे प्रोत्साहित करने के लिए मेरे मित्र और पत्नी थी। मनोरमा ने जसराज जी का सहारा लिया और उन्होंने आयोजकों को बताया कि अब मैं अन्य शहरों के कार्यक्रमों में भी भाग लेने को तैयार हूँ। कुछ लोगों ने मेरे शास्त्रीय संगीत के क्षेत्र में लौट आने की प्रतिज्ञा के बारे में शंका प्रकट की पर जसराज जी ने मेरी ईमानदारी का भरोसा दिलाया। शीघ्र ही मैं पहले की तरह कार्यक्रमों में जाने लगा।

अपने आपको पुनः स्थापित करने के दौरान मैंने एक कार्यक्रम अमृतसर में

किया। मैं वहाँ चार-पाँच वर्ष से नहीं गया था और मार्च की गर्मी में तीन दिन की थका देनेवाली यात्रा करने को इसलिए तैयार हो गया क्योंकि जसराज जी भी मेरे साथ होंगे। उन्होंने कहा कि इस यात्रा में बहुत मज़ा आयेगा।

थोड़े थके हुए अमृतसर स्टेशन पहुँचने पर हमारा स्वागत एक ठिगने, बहुत मोटे से अभिमानी दिखनेवाले व्यक्ति ने किया। उसकी इस अवसर के लिए ऐंठी हुई मूँछें भी अधीर उत्तेजना से काँप रही थीं। उसने हँसते हुए हमारा स्वागत किया— "आओ जी भाजी की हाल है जी?" हमने धीरे से उत्तर दिया और शाम के कार्यक्रम के बारे में पूछा। हम लोग हैरान हुए जब उसने बताया, 'ओ जी अज प्रभात रे गा रही है।' यह प्रभात रे कौन है? एक नयी बंगाली गायिका? नहीं ये प्रसिद्ध प्रभा अत्रे थीं—उसने पंजाबी लहजे में बताया।

एक लम्बे समय से पंजाबी संगीतकारों में उत्कट प्रतियोगिता की भावना रही है। प्रत्येक कलाकार दूसरे को मिटा देने के लिए तैयार—एक युद्धभूमि जैसा दृश्य था। आयोजक जानबूझ कर उत्साह भंग को प्रोत्साहित करते थे, एक संगीतकार को दूसरे के विरुद्ध भड़काते थे। हमें वहाँ पहुँचते ही इसकी बानगी मिल गयी थी। "ओ जी जितेन्दर बशे की आया हुआ है (जितेन्द्र अभिषेकी) और उसने कहा है कि वह जसराज जी के बाद गाएगा।" शायद ऐसा कुछ नहीं था, पर वह व्यक्ति जसराज जी की प्रतिक्रिया जानना चाहता था। क्या वे चुनौती स्वीकार करेंगे और पलटवार करेंगे?

यह कारगर सिद्ध नहीं हुआ। हारकर आयोजक ने सोचा कि उसका वास्ता गलत लोगों से पड़ गया है। हमें एक टूटी-फूटी खड़खड़ाती हुई कार में एक छोटे से होटल में ले जाया गया और आराम करने का सुझाव दिया गया क्योंकि हमारे प्रदर्शन आधी रात के बाद होने थे। इतनी लम्बी यात्रा के बाद यह हमारे मनमाफिक था। जल्दी से भोजन कर हम अपने-अपने कमरे में चले गये।

आराम इस तरह से हुआ। मेरा दिवास्वप्न द्वार पर जोर-जोर से पीटने की आवाज़ से भंग हुआ। बिना उठे मैंने पूछा कि कौन है और क्या काम है? उसने कहा कि वह मुझे प्रदर्शन के लिए लेने आया है। दोपहर के साढ़े तीन बजे थे। मैंने उससे कहा कि वह गलत कमरे में आ गया है क्योंकि मेरा प्रदर्शन रात के साढ़े ग्यारह बजे या आधी रात के आसपास है।" "नहीं-नहीं आप सीधे समारोह स्थल पर आ जाइए"—उसने कहा। "नहीं नहीं, समय बदल दिया गया है, कृपया जल्दी कीजिए।" मैं चिड़चिड़ा था पर हालात को स्वीकार करते हुए मैंने जसराज जी को जगाया और उनसे अपने साथ चलने का आग्रह किया। अमृतसर में प्रदर्शन की योजना उन्हीं की थी और अब तक का अनुभव अच्छा नहीं रहा था।

हमने हॉल को पीछे तक खचाखच भरा पाया। जैसे ही मैंने सन्तूर बजाना

आरम्भ किया, मुझे पता चल गया कि दर्शकों में बहुत गम्भीर श्रोता थे और इससे हम अब तक की सभी असुविधाएँ भूल गये। जैसे ही बजाना समाप्त किया मैंने देखा कि आयोजक जसराज जी को तंग कर रहे थे। मैंने पाया कि गलतियों का प्रहसन अभी समाप्त नहीं हुआ था। अपने मित्र के पास जाने पर मुझे पता चला कि वे उनसे असली प्रदर्शन से पहले बिना तैयारी के एक तात्कालिक प्रदर्शन के लिए कह रहे थे। जसराज जी भाग खड़े हुए जब हमने उद्घोषक को कहते हुए सुना कि वे गायन के लिए मान गये हैं।

जब मैं जसराज जी के पीछे-पीछे बाहर निकल रहा था, मैंने आयोजकों को सख्ती से निर्देश दिया कि अगले दिन के कार्यक्रम में कोई परिवर्तन न किया जाये। बहुत माफी माँगते हुए, आयोजक मान गये। मुझे कार्यक्रम के अनुसार 6.30 बजे बजाना था और उन्होंने कहा कि ऐसा ही होगा। थोड़ा सन्तुष्ट अगले दिन मैं 5.30 बजे आ गया। मेरा स्वागत करते हुए उन्होंने कहा, ''ओ जी, पंडित जी आपके लिए एक बुरा समाचार है। आपके कार्यक्रम में थोड़ा परिवर्तन किया गया है। आप अब नहीं, आधी रात के बाद बजाएँगे और यह एक जुगलबन्दी होगी।'' उन्होंने कहा, ''यह महान् विचार श्रोताओं को अपनी नवीनता से प्रभावित करने के लिए था।'' मेरी व्यंग्यात्मक प्रतिक्रिया से उनके कान पर जूँ तक न करेंगी। उन्होंने बताया कि जो महिला वायलिन वादक मेरे साथ बजायेंगी उनको भी अभी बताया नहीं है। उसी समय मैंने पं. किशन महाराज को धीरे-धीरे आते देखा और मैं उनकी ओर सहायता के लिए मुड़ा। पर वे इस क्षेत्र के पुराने खिलाड़ी थे और इस प्रकार के तमाशों के पूरी तरह से आदी थे।

पीछे मुड़कर देखता हूँ तो मैं इस घालमेल का दोष आयोजकों को नहीं दे सकता क्योंकि ऐसा रवैया उन्होंने पहले से विरासत में पाया था। महाराजाओं के दरबार में ऐसे उदाहरण अकसर मिलते थे जहाँ दो संगीतकार एक-दूसरे के विरुद्ध योद्धाओं की तरह प्रदर्शन करते थे और उसके परिणाम से ही प्रतिष्ठा बनती और बिगड़ती थी। प्रत्येक घराना गुप्त रूप से अपने-अपने संगीतकारों को संगीत के हथियारों से लैस करता था ताकि विरोधी को हराकर उसके घराने की प्रतिष्ठा को बट्टा लगाया जा सके। तबले की कठिन थापों और तालों के इर्द-गिर्द नीतियाँ बनायी जाती थीं। जैसे ही संगीतकार बजाना आरम्भ करता था, श्रोता उसको ध्यान से सुनते थे और उसकी क्षमता और कमजोरियों को तोलते हुए अपना निर्णय देते हुए जोर-जोर से तालियाँ बजाते थे और जब महाराजा अपना निर्णय देते थे तो कक्ष प्रोत्साहन की आवाज़ों या सीटियों से गूँज उठता था। बाद में सारे नगर केन्द्र और बाज़ार में यह समाचार फैल जाता—आज उसने उसको हरा दिया फिर महाराजा ने उसको इनाम दिया। ऐसी परिपाटी के चलते यह अवश्यम्भावी था कि पंजाबी

संगीतकार बहुत प्रतिस्पर्धी हो जायें और रात-रात भर जागकर अपनी रचनाओं को और माँजें और आशा करें कि शैली के लिहाज से उनकी रचनाएँ प्रतिद्वन्द्वियों से और अधिक जटिल बन जायें। एक संगीतकार और उसके संगतकार के बीच भी प्रतिस्पर्धा की अन्तर्धारा बहती थी।

मेरे निकट संगीत का अर्थ सामंजस्य की भावना है जिससे हृदय और मस्तिष्क के भावों को व्यक्त किया जा सके। मेरा अपना प्रयास इस विश्वास को मूर्त रूप देना और आगे बढ़ाना है।

घर और बाहर

जब तक 'घाटी की पुकार' एलबम 1967 में बाजार में आयी, सन्तूर ने भारत में अपनी उपस्थिति दर्ज करा दी थी। मुझे कश्मीर से कन्याकुमारी और महाराष्ट्र से असम तक समारोहों में प्रदर्शन के लिए बुलाया जाने लगा। तब 1968 में मुझे पहली बार विदेश में प्रदर्शन के लिए आमन्त्रण मिला और मैं पं. रविशंकर द्वारा आयोजित भारतीय शास्त्रीय संगीत समारोह में भाग लेने के लिए सुदूर लॉस एंजिल्स गया। चतुर और दूरदर्शी रवि जी को लगा कि अब भारतीय शास्त्रीय संगीत का परिचय पश्चिमी श्रोताओं से कराया जाये।

थोड़ी घबराहट के साथ मैंने अपना सामान बाँधा। पश्चिमी श्रोताओं की सन्तूर के प्रति प्रतिक्रिया कैसी होगी? क्या वे भी उसी पूर्वग्रह से ग्रस्त होंगे जिसके कारण कई भारतीयों ने सन्तूर को स्वीकार नहीं किया था। विदेशी धरती—बेरूत, फ्रैंकफर्ट, रोम, पेरिस, लन्दन—पर पाँव रखते ही मेरी शंकाएँ दूर हो गयीं। मैं इन देशों के विचित्र दृश्यों, और ध्वनियों, नयी संस्कृति और परायी भाषाओं में खो गया। इतनी लम्बी और थकानेवाली यात्रा के बावजूद मैं इतना उत्तेजित था कि जब हम लॉस एंजिल्स पहुँचे तो मैं प्रफुल्लित और हलका अनुभव कर रहा था। मैं पूरी यात्रा में एक पल भी नहीं सोया था। हाथ में सन्तूर थामे मैं एक विशाल नये विश्व में पदार्पण कर रहा था और अचानक अकेला पर आत्मविश्वास से भरा अनुभव कर रहा था।

अमेरिका में मेरा समय प्रदर्शन और रवि जी के स्कूल 'किन्नर' में पढ़ाते हुए बीता। सबसे छोटा प्रशिक्षक होने के कारण मैंने आसपास के परिवेश को ध्यानपूर्वक देखा और एक कलाकार के रूप में मेरा विश्वास बढ़ा। मेरे अतिरिक्त वहाँ रवि जी, अलीअकबर खान साहब, अल्लाह रखा खान साहब, जितेन्द्र अभिषेकी जी, लक्ष्मी शंकर जी, पालघाट रघु जी (प्रतिभाशाली कर्नाटक मृदंगम वादक) और साबरी खाँ साहब (सारंगी पर) थे। एक बार हम सबने इकट्ठे रिकार्डिंग की।

कार्यक्रम के प्रत्येक शाम को रवि जी ने श्रोताओं से मेरा परिचय कराया। कार्यक्रम के आरम्भ होने का संकेत देने के लिए जितेन्द्र अभिषकी जी के वैदिक मन्त्रोच्चारण के पश्चात मैं पहला कलाकार होता था। जैसे ही हम अमेरिका और कनाडा में एक शहर से दूसरे शहर की यात्रा करते, भीड़ बढ़ती ही जाती और शीघ्र ही हम खचाखच भरे हुए सभागारों में प्रदर्शन करते तो रवि जी ने ठीक से अनुमान लगाया था—पश्चिमी श्रोता हमारे संगीत को ध्यान से ग्रहण कर रहे थे। जार्ज हैरीसन और बीटल्स ने रवि जी को अपना संगीत गुरु घोषित कर दिया था। अतः हमारे बहुत से श्रोता बीटल्स के प्रति निष्ठा के कारण आये पर शेष काम हमारे संगीत ने पूरा कर दिया। कुछ श्रोता कार्यक्रमों में बार-बार आये।

इस समय हर ओर स्वच्छन्द प्रेमी फैले हुए थे जो स्वच्छन्द प्रेम का उपदेश देनेवाले, गाँजा पीनेवाले और निर्वाण की खोज में इधर-से-उधर भटकने वाले लोग थे। हमारे बहुत से श्रोता हिप्पी थे (विदेशों में हमारे आजकल के प्रदर्शनों में आनेवालों से बिलकुल भिन्न)। कुछ पश्चिमी संगीतकार थे। अतः कोई पियानो वादक या वीणावादक प्रदर्शन के बाद मेरे पास आता। उन्होंने सन्तूर की ध्वनि का आनन्द उठाया होता था। और वे मुझसे निरपवाद रूप में विवेकपूर्ण एवं पांडित्यपूर्ण प्रश्न पूछते। मैंने उन्हें राग के बारे में बताने का प्रयास किया और अपने रागों को समय से सम्बन्धित होने के विषय में बताया—राग ललित और राग भैरव सूर्यास्त से पहले, राग पूर्याधनाश्री अपने तीव्र चौथे स्वर के कारण सूर्यास्त के बाद बजाया जाना चाहिए। फिर मैं अपने नये श्रोताओं को बताता हूँ कि भारतीय संगीत अधिकतर तात्कालिक होता है। आप उसी राग को विभिन्न अवसरों पर सुनेंगे तो उसकी ध्वनि हर बार भिन्न लगेगी।

यह मेरा सौभाग्य था कि इस दौरे पर उस्ताद अल्लाहरखा खान तबले पर मेरी संगत कर रहे थे। लॉस एंजिल्स में अचानक एक दिन रवि जी ने मुझे नौ ताल का कठिन लयात्मक चक्र बजाने को कहा। जब मैंने जल्दी से इस अन्तिम क्षण के परिवर्तन के विषय में अल्लाहरखा खान साहब के कानों में फुसफुसाया तो वे तुरन्त इस चुनौती के लिए तैयार हो गये। वे डोगरी में फुसफुसाये—'हम डोगरे हैं, हम बजा सकते हैं—हम दिखा सकते हैं कि हमारे पास कितना हुनर है।' प्रदर्शन तालियों की गड़गड़ाहट के साथ समाप्त हुआ और रवि जी मुस्कराकर हमें बधाई दे रहे थे। मुझे उसी समय अगले वर्ष आने का निमन्त्रण भी मिल गया।

1970 में मुझे हरि जी के साथ इंग्लैंड से आमन्त्रण मिला जिसे हमने सहर्ष स्वीकार कर लिया। मैं इसी समय के आसपास पेरिस में प्रदर्शन के लिए प्रतिबद्ध था, अतः मैंने दोनों कार्यक्रम जोड़ लिए और हरि जी को पेरिस कार्यक्रम में

सम्मिलित कर लिया। हमें प्रसन्नता हुई जब हमने अपने पुराने मित्र पं. वी.जी. जोग को भी लन्दन जाते देखा। इस तरह हमारी पहली इंग्लैंड यात्रा और भी आनन्दमयी हो गयी।

उस समय हम अपने यूरोपीय एजेंटों से कोई माँग करने की स्थिति में नहीं थे, अतः पैसा बचाने के लिए हमें लोगों के घरों पर ठहराया जाता था। चूँकि हरि जी और मैं मित्र थे, हमारे रहने की व्यवस्था एक ही घर में की गयी। थकान भरी उड़ान के बाद हम लन्दन के बाहर एक साधारण इलाके की ओर बढ़ गये। अँधेरा बढ़ रहा था और हम इस स्थिति से उत्साहित नहीं थे। हम अपने खर्चे पर किसी सस्ते से होटल में ठहरना पसन्द करते। हमें लन्दन की पहली यात्रा का आनन्द उठाने के लिए थोड़ा एकान्त और थोड़ी स्वतन्त्रता चाहिए थी।

हमारी मेजबान दो बूढ़ी-सी महिलाओं ने हमारा स्वागत किया और चाय पिलायी। अचानक हरि जी बातचीत के दौरान आँखें घुमाते हुए बोले, ''हम नशे के आदी हैं और थोड़ा नशे के बाद हिंसक हो उठते हैं। आशा है आपको इससे असुविधा नहीं होगी।'' उनके इस तात्कालिक बहाने का इच्छित प्रभाव हुआ—हमें शिष्टतापूर्वक बाहर का रास्ता दिखा दिया गया। जल्दी ही हम एक होटल पहुँच गये। उस घटना को याद कर हम आज भी हँसते हैं। पेरिस में भी हमने खूब आनन्द उठाया और भाषा की सीमा के बावजूद सस्ता आवास और पराठे और चिकन करी परोसने वाला अनारकली नाम का एक पाकिस्तानी रेस्तराँ ढूँढ़ लिया।

उन दिनों पैसों की तंगी थी और हमारे बजट भी बहुत छोटे थे। हरि जी, ज़ाकिर और मैं इन लम्बे यूरोपीय दौरों में अकसर साथी बन गये—साथ में तानपूरे पर अनुराधा जी या मनोरमा होतीं। हमने हरि जी को अपना कोषाध्यक्ष नियुक्त कर दिया जिन्होंने अपनी जिम्मेदारी को बहुत ही गम्भीरता से लिया। वे हम सबकी राशि एकत्रित करते और उसे खर्च करने का निर्णय भी लेते।

एक बार एमस्टर्डम में हम स्थानीय विश्वविद्यालय के छात्रों और शोधकर्ताओं के साथ बोर्डिंग हाउस में रह रहे थे। नाश्ता कमरे के किराये में ही शामिल था पर हमें उसके लिए नीचे भोजनालय में जाना पड़ता था और 9.30 बजे तक नाश्ता कर लेना होता था क्योंकि खाना कमरे में ले जाने की अनुमति नहीं थी। यह हरि जी और मेरे लिए ठीक था पर ज़ाकिर की धीमी जीवन शैली के कारण वह देर से सोता और सुबह 9 बजे के बाद उठकर बढ़िया नाश्ते की माँग करता। जब ठीक ऐसा ही हुआ, हरि जी को चिन्ता हुई। हमारे बजट में नाश्ते का प्रावधान नहीं था—केवल दोपहर और रात्रि के भोजन का था। पर ज़ाकिर को भूखा नहीं रहने दिया जा सकता था। हरि जी ने एक बार फिर अपनी सौम्यता और अभिनय

प्रतिभा का उपयोग किया—वे महिला मैनेजर के पास गये और दुखी होकर बोले—"श्रीमती जी, मेरा तबलावादक बहुत बीमार है और नाश्ते के लिए नीचे नहीं आ सकता। आपकी आज्ञा से क्या मैं थोड़ा नाश्ता उसके लिए ऊपर ले जाऊँ?" सख्त महिला एकदम से पिघल गयी और इससे पहले कि हमें पता लगता वे एक ट्रे में रोल, मक्खन और पनीर भरकर ऊपर भाग आये।

शीघ्र ही हमने पड़ोस में एक तुर्की कैफे ढूँढ़ लिया और उसका मालिक ज़ाकिर को बहुत पसन्द करने लगा। जल्दी ही ज़ाकिर, हरि जी, मनोरमा और मैं उसके नियमित ग्राहक बन गये। मुझे हैरानी हुई जब उन्होंने मालिक से अपनी रसोई में कभी-कभी भारतीय खाना पकाने की अनुमति ले ली। हम सभी मालिक समेत अन्य ग्राहकों को परोसने के बीच चावल और दाल का स्वाद लेने लगे।

विदेशी दौरों में कठिन पल भी आये, जैसे कि एक बार एक फ्लाइट छूट गयी और हमें कड़ाके की ठंडी रात हैम्बर्ग हवाई अड्डे पर बितानी पड़ी। पर समय किसी तरह मज़ाक और हँसी खुशी में बीत गया और जल्दी ही हम अनिद्रा की रात भुलाकर समारोह स्थल के मार्ग पर थे।

इस समय के आसपास हमने अपने आपको शिवहरि के नाम से बुलाने का निर्णय लिया। और यह नाम चल निकला। अमेरिका, इंग्लैंड, फ्रांस, जर्मनी, हॉलैंड, स्वीडन, डेनमार्क और स्विट्ज़रलैंड के श्रोताओं में सन्तूर और बाँसुरी की लोकप्रियता बढ़ रही थी। विडम्बना देखिए—भारत में जब मैं प्रचलित रुख और पूर्वग्रह के विरुद्ध एक लम्बी लड़ाई अकेला लड़ रहा था, पश्चिम में सन्तूर को तुरन्त स्वीकार कर लिया गया था। हमारे बहुत से श्रोता युवा थे जो नये विचारों के प्रति सहानुभूति रखते थे—उन्होंने स्वीकार किया कि वे पॉप और रॉक संगीत के प्रशंसक थे पर हमारा संगीत उनकी आत्मा को छूता था। जब मैं श्रोताओं में वही चेहरे बार-बार देखता हूँ तो लगता है कि कुछ तो जीवन भर के लिए हमारे प्रशंसक बन गये।

मेरी फिल्मी रिकार्डिंग 70 के दशक तक चली क्योंकि यह एक नियमित आय का साधन बन गयी थी। यह स्थिति निर्माताओं और संगीतकारों के बीच झड़प होने तक चली जिसके कारण अचानक हड़ताल हो गयी। मुझे अस्थायी तौर पर नुकसान हुआ। मैं जीवन के उतार-चढ़ाव के बारे में सोच रहा था जब रवि जी का फोन आ गया।

रवि जी बीटल्स के सितारे जॉर्ज हैरीसन के साथ एक बहुत महत्त्वाकांक्षी संगीत के दौरों की योजना बना रहे थे। दोनों पूर्व और पश्चिम संगीत के बीच एक-एक सांगीतिक सहयोग का सपना देख रहे थे—जिसमें विभिन्न भारतीय वादक जैसे कि उस्ताद अल्लारखा खान, सुल्तान खान साहब, कार्तिक कुमार जी, एल.

सुब्रह्मण्यम जी, लक्ष्मी शंकर जी, हरि जी और मैं भाग लेनेवाले थे। अब मैं अपने फिल्मी अनुबन्धों से मुक्त था और इस दल का भाग बनकर इंग्लैंड के लिए रवाना हो गया। वहाँ पर टेम्स नदी के तट पर बने जॉर्ज हैरीसन के भव्य घर पर हमने अपने मेजबान की कम्पनी 'डार्क हॉर्स' के लिए कुछ रचनाओं पर काम किया। यह एक अविस्मरणीय दौरा था—इतने महान् संगीतकारों के साथ संगीत रचना करने के अनुभव के अलावा, मुझे सुन्दर अँग्रेज़ी देहात के बीच बसे इस छोटे-से गाँव का परिवेश भा गया। फिर हमने इंग्लिश चैनल पार किया और फ्रांस, बेल्जियम और अन्य देशों में प्रदर्शन किया।

अमेरिका में मतभेद का बीज प्रस्फुटित हुआ। हमें बताया गया कि हम यूरोप में अब तक जो करते रहे हैं, उसके विपरीत हमें मंच पर रवि जी द्वारा रचित संगीत पर एक साथ बजाना होगा। मैं समझता था कि हम अब तक जैसे संगतकार के साथ बजाते आये हैं, उसी तरह बजाएँगे। हरि जी और मैं रवि जी के पास गये और इस विषय पर अपने विचार रखे पर रवि जी का दृष्टिकोण भिन्न था और वे ज़िद पर अड़े थे कि हम उनकी अनुधारणा के अनुसार काम करें। अब हम दुविधा में थे, हम एक ऐसे अनुबन्ध से बँधे थे जिसमें ये सारी बातें स्पष्ट रूप से नहीं बताई गयी थीं। हम रवि जी का बहुत आदर करते थे और उनकी व्यवस्था बिगाड़ना नहीं चाहते थे। उनकी सितार बजाने की अप्रतिम प्रतिभा के साथ-साथ वे एक महान् संगीत आयोजक भी थे और एक बार उन्होंने दिल्ली रेडियो स्टेशन के लिए आर्केस्ट्रा का संचालन किया था। अमेरिका में वे भारतीय शास्त्रीय वाद्ययन्त्रों का मिश्रण जॉर्ज हैरीसन के पश्चिमी संगीत समूह से करना चाहते थे। यह किसी भी रचनाकार के लिए एक चुनौती थी।

पाश्चात्य संगीत में समूह वादन बहुत उन्नत है। पाश्चात्य तन्त्र वाद्य—वायलिन, वोदला, चेलो और डबल वैस पूर्णयता समस्वर हो जाते हैं। स्वर, सुर और पहुँच में कोई विस्वरता नहीं है और प्रत्येक समूह वादन में मिल जाता है। इसके विपरीत भारतीय शास्त्रीय वाद्ययन्त्र एकल प्रदर्शन के उपयुक्त हैं। सितार, सरोद, शहनाई, वीणा, बाँसुरी, जलतरंग, तबला, ढोलक, मृदंगम, पखावज, घटम् नादेश्वरम्, सन्तूर प्रत्येक का ध्वनि रूप इतना भिन्न है कि अकेला सुनने से ही उनको सर्वोत्तम सुना जा सकता है—या फिर एक प्रदर्शन में किसी पारंपरिक संगत वाद्ययन्त्र के साथ सितार तबले और तानपूरे के साथ और शायद एक विरल जुगलबन्दी में सितार, सरोद और तबला एक साथ। पर एक वाद्यवृन्द में? ऐसा सम्भव नहीं है। फिर संरचित संगीत तभी सम्भव है जब संगतकार स्वरलिपि का पालन करें। पाश्चात्य संगीतकार इस विधि में अनुभवी हैं, पर भारतीय संगीतकार नहीं। हम तात्कालिक संगीत रचना करते हैं—राग की खोज करते और उसे सँवारते

हुए और अलंकृत करते हुए। मेरे निकट यह एक गहन व्यक्तिगत अनुभव है—ध्यान लगाते या प्रार्थना करते हुए। किसी और तरह से बजाना बहुत कष्टकर है।

आरम्भिक बचपन से मैंने ऑल इंडिया रेडियो पर मोत्सार्ट, विवाल्डी, बीथोवन, श्यूवेर और अन्य संगीतकारों को सुना है और मन्त्रमुग्ध हुआ हूँ। मुझे लगता है कि पश्चिमी वाद्यवृन्द संगीत पश्चिमी शास्त्रीय संगीत के लिए उपयुक्त है पर हमारे सन्दर्भ में बिलकुल अनुपयुक्त है। फिल्मी संगीत में भी हमारी संरचनाएँ पश्चिम से प्रभावित होती थीं। अतः पाश्चात्य वाद्ययन्त्र बॉलीवुड फिल्म संगीत में अकसर प्रयुक्त किये जाते थे।

रवि जी हालाँकि नाराज थे पर उन्होंने मेरी प्रार्थना उदारतापूर्वक स्वीकार कर ली। हम अमेरिका में धूमधाम से पहुँचे। 70 के दशक में हम एकदम फूहड़ थे, पॉप संगीत के सितारों को दी जानेवाली सामूहिक प्रशंसा और उन्माद के आदी नहीं थे। अमेरिका और अमेरिकी लोगों ने हमें आश्चर्यचकित कर दिया। जॉर्ज हैरीसन उन दिनों सबसे बड़ा सितारा था—हज़ारों प्रशंसक एकत्रित हुए और उसकी एक झलक पाने के लिए चौबीस घंटे तक प्रतीक्षा की। उसके भक्त यह देखने के लिए कि पूरब के साथ उसका सहयोग कैसा था, हमारे प्रदर्शनों में आते थे और इसी दौरान उन्होंने सितार, बाँसुरी, सन्तूर, सारंगी और तबले को जाना और अपना मन हमारे संगीत की आत्मा को हार गये। हमने तीस शहरों की यात्रा की और प्रत्येक में खचाखच भरी भीड़ के सामने प्रदर्शन किया। कार्यक्रम भारतीय संगीत से आरम्भ हुआ और फिर जॉर्ज हैरीसन अपने दल के साथ मंच पर आये। समापन भाग में ही हम सबने एक साथ मिलकर रवि जी की एक संरचना बजायी।

अन्तर्राष्ट्रीय मंच पर एक सितारा होने का अर्थ हमारे लिए नया अनुभव था। हमने सभी सुख साधनों से लैस बसों, लम्बी कारों और किराये के विशेष वायुयानों द्वारा यात्रा की। हमारी सुख सुविधा का विशेष ध्यान रखा गया। हर स्थान पर भारतीय रसोइये हमारे लिए विशेष, स्वादिष्ट और गर्मागर्म खाना बनाते थे। बड़े-बड़े ट्रेलरों द्वारा मंच का प्रकाश और ध्वनि का सामान, हमारा सामान और वाद्ययन्त्र एक स्थान से दूसरे स्थान तक ले जाये गये। हर स्थान पर हमारे लिए ग्रीनरूम तैयार रहते और होटल में हमारी सुविधा का ध्यान रखने के लिए एक सेवक रहता। हमारे कुर्ते तक बढ़िया कड़क इस्तिरी किये जाते। हमें यह देखकर आश्चर्य होता कि कितनी शीघ्रता और दक्षता से मंच बनाया और हटाया जाता। हर छोटी चीज़ भी ध्यानपूर्वक बन्द करके ट्रक पर लादी जाती।

एक संगीतकार के रूप में मैं थोड़ा असन्तुष्ट था क्योंकि मैं इतना अच्छा नहीं बजा पाया जितना मैं चाहता था। पर इस धुआँधार दौरे का भाग होना और पश्चिमी मैकेनिकों का बढ़िया काम देखना अपने आप में एक बड़ा अनुभव था।

इतनी देखभाल के बाद एक झटके से मैं बम्बई की वास्तविक धरती पर आ गया। अब हम चार लोग थे और मनोरमा ने निर्णय लिया कि अब समय आ गया है कि हम एक बड़ा फ्लैट ले लें। आशियाना विवाह के बाद हमारे लिए एक आरामदेह घोंसला था। पर यह एक बेडरूम का घर अब हमारे लिए छोटा पड़ता था क्योंकि हम सबको अपना-अपना एकान्त चाहिए था। निजी जेट और बढ़िया सुविधाओं के बाद भारतीय वास्तविकता एक अलग बात थी। मैं मनोरमा का दृष्टिकोण समझ गया था। एक गृहिणी के रूप में वह प्रसन्न न थी। उसे हम सब का ध्यान रखना था।

मनोरमा यदि न कहती तो हम सब अभी तक आशियाना में ही होते। मैं व्यावहारिक मामलों के बारे में चिन्तित नहीं था और उसी रूप में सन्तुष्ट था। अभ्यास और रचना करने के लिए मैं दूसरों के सोने की प्रतीक्षा करता और तब चुपके से अपनी छोटी बालकनी में बिना किसी बाधा के सन्तूर बजाता। माँ होने के नाते मनोरमा को लगा कि मैं क्यों इन चीज़ों की ओर ध्यान नहीं देता था, उसे ही पहल करनी होगी 1974 में हम लोग राजीव अपार्टमेंट्स में आ गये और तब से वहीं रह रहे हैं। हमारे इस अपार्टमेंट का मूल्य डेढ़ लाख की बड़ी रकम थी। मुझे उधार लेना पड़ा और अपना जीवन बीमा बन्द करना पड़ा। पर यह मेरा आज तक का सबसे बढ़िया निवेश था। जब मैंने यह घर पहले-पहल देखा तो इसका वर्गफल या पालीहिल के इलाके ने (जहाँ उस समय बड़े अभिनेता रहते थे) प्रभावित नहीं किया था बल्कि, उसका परिवेश मुझे अच्छा लगा था। इमारत एक ऊँची-नीची भूमि पर स्थित थी जिसमें एक ढलाव वाला बगीचा भी था। इस भीड़भाड़ वाले महानगर के बीचोंबीच होने के बावजूद हमारा ड्राइंग रूम एक ऊँचे वृक्षोंवाले सुन्दर बगीचे में खुलता था। जब मैंने हरे लॉन को देखा तो उसके वशीभूत हो गया और सारी शक्ति धनराशि एकत्रित करने में लगा दी। मैं कभी भी व्यावहारिक नहीं था और पैसे बचाना मेरी प्राथमिकता नहीं रही है। मेरी पत्नी शिकायत करते नहीं थकती और मुझे याद दिलाती रहती है कि उसकी कृपा से मैं जामेवार शॉल और रेशमी कुर्ते पहनता हूँ। मेरे लिए सबसे बड़ा आनन्द अपने संगीत कक्ष में बैठकर सन्तूर बजाना है। पर हमें व्यावहारिक भी होना चाहिए और हम अपनी ज़िम्मेदारियों से भाग नहीं सकते। मैं इस बात को याद रखने का प्रयास करता हूँ जबकि कई बार मैं संसार के झंझटों से दूर जाकर ध्यानमग्न होना चाहता हूँ।

एक बार जब हम नये घर में आ गये तो जीवन ने अलग ही रंग ले लिया। जम्मू से इतने वर्ष दूर रहने के बाद एक बार फिर प्रकृति की गोद में रहना—दूब के तिनकों को वर्षा की बूँदों से चमकते हुए देखना अद्भुत था। जैसे ही घर के

छोटे से बगीचे में कई बार सितारों की चादर के नीचे बैठता तो सारी थकान दूर हो जाती। मैं आसपास की शान्ति से प्रेरणा लेता और अधिक जटिल और चुनौतीपूर्ण संगीत रचना का प्रयास करता।

पर जैसे ही हम नये घर में व्यवस्थित हुए, मैंने अपने आपको ऑल इंडिया रेडियो के साथ एक प्रकार की दिमागी लड़ाई में फँसा पाया। अपने आयोजकों को बताने के बाद कि मैं जुगलबन्दी तभी करूँगा जब मेरा अपना वाद्ययन्त्र अच्छी तरह स्थापित हो जाएगा, मैंने यही शर्त ऑल इंडिया के सामने भी रखी। यहाँ मुझे कड़ा विरोध मिला। अधिकारी वर्ग अभी भी अन्य स्थापित यन्त्रों के समक्ष सन्तूर को दोयम दर्जे का मानते थे। उन्होंने मुझे 90 मिनट का कार्यक्रम देने का प्रस्ताव रखा यदि मैं हरि जी या जोग साहब के साथ बजाऊँ पर उन्होंने मेरी श्रेणी बढ़ाने से इनकार कर दिया। यह लड़ाई तब तक चलती रही जब तक मुझे ऑल इंडिया रेडियो में एक सहयोगी नहीं मिल गया। स्वयं एक उत्साही शास्त्रीय गायक रमेश नादकर्णी ने साहसपूर्वक मेरा पक्ष लिया। पर वे भी शीघ्र परिस्थितियाँ नहीं बदल पाये। उनका प्रस्ताव था कि 90 मिनट के समय में पहले 45 मिनट मैं एकल बजाऊँ और अगले 45 मिनट जुगलबन्दी करूँ। मैंने नादकर्णी को धन्यवाद दिया और प्रस्ताव अस्वीकार कर दिया।

पन्द्रह वर्ष की ढुलमुल दफ्तरशाही के बाद मेरे धैर्य का बाँध टूटने लगा। मैंने विवेक को दरकिनार कर रमेश को एक और विकल्प सुझाया—मैं एक प्रतिष्ठित कलाकार के साथ बजाऊँगा और स्टेशन के श्रोताओं को अपनी राय प्रकट करने को कहूँगा। यदि उनको मेरा संगीत पसन्द नहीं आया तो मैं ऑल इंडिया रेडियो को कभी परेशान नहीं करूँगा। पर यदि उन्होंने सराहा तो मैं इतने वर्षों से अपने और अपने संगीत के अपमान के बाद उनसे जो चाहूँगा वह माँगने को स्वतन्त्र होऊँगा। इतनी तीव्र प्रतिक्रिया के लिए अवश्य ही मेरे धैर्य की परीक्षा ली जा रही होगी, पर मैं इतने दिनों तक ठगे जाने से थक गया था।

मुझे इस वार्तालाप से कोई आशा नहीं थी पर मैं चकित रह गया जब ऑल इंडिया रेडियो ने बुलाकर मुझे जसराज जी के साथ आमन्त्रित श्रोताओं के सम्मुख दिल्ली में बजाने को कहा। आदत के अनुसार मैंने मना कर दिया पर इसके तुरन्त बाद स्वयं जसराज जी ने फोन किया। उन्होंने मुझे इस प्रस्ताव को स्वीकार करने का आग्रह किया ताकि अधिकारियों को दिखा सकूँ कि सन्तूर ने वास्तव में शास्त्रीय संगीत जगत् में अपना स्थान बना लिया है और इसके अपने गम्भीर श्रोता थे। विचार करने पर मैंने सोचा कि उनकी बात सही है। मैंने ऑल इंडिया रेडियो को फोन किया और उनको चकित करते हुए आमन्त्रण स्वीकार कर लिया।

दिल्ली के सप्रू हाउस में मैं गम्भीर समीक्षकों और श्रोताओं के समक्ष था।

जब निर्णय हो गया तो मुझे अपनी मनोदशा याद है। जब मैंने अपना स्थान ग्रहण किया और सन्तूर सामने रखी तो कोई उत्तेजना नहीं थी, केवल एक गम्भीर शान्ति थी। तब सब कुछ धुँधला हो गया—श्रोता, रिकार्ड, माइक्रोफोन और मैं अपने संगीत में खो गया। मैं परिस्थितियों, चुनौतियों और जो कुछ दाँव पर था, और यदि मैं सही प्रभाव नहीं डाल सका तो उसका परिणाम आदि को भूल गया। उस रात की समापन की तालियों की गड़गड़ाहट अभी तक मेरे कानों में धीरे से बज रही है। ये मेरे लिए थीं या जसराज जी के लिए जिन्होंने दूसरे भाग में गाया, पता नहीं। अगले दिन की समीक्षाएँ संगीत जगत् की सुर्खियाँ बन गयीं जिनमें मेरे प्रदर्शन ही नहीं मेरे वाद्ययन्त्र की भी प्रशंसा हुई थी।

उस सन्ध्या के एक सप्ताह के भीतर ही ऑल इंडिया रेडियो ने मुझे राष्ट्रीय कार्यक्रम में बजाने को कहा। मैं अपने आपको प्रमाणित कर चुका था पर इसमें मुझे 15 वर्ष लगे। आज जब मेरे शिष्य और अन्य विद्यार्थी मेरे लम्बे संघर्ष से लाभान्वित हो रहे हैं तो मुझे बहुत प्रसन्नता होती है। सन्तूर को स्वीकृति ही नहीं मिली अपितु यह नयी पीढ़ी का लोकप्रिय वाद्ययन्त्र बन गया। ए.आई.आर. इसे नियमित रूप से कार्यक्रमों में सम्मिलित करता है।

सीमा पार स्वर

1969 में मुझे राष्ट्रपति भवन से ईरान के शाह के लिए विशेष प्रदर्शन के लिए जरूरी बुलावा आया। शायद प्रधानमन्त्री इन्दिरा गाँधी ने बुलाया था—उन्होंने अपने स्रोतों के माध्यम से पूछा था कि ईरान में किस प्रकार का संगीत लोकप्रिय है। यह बताये जाने पर कि वहाँ सन्तूर का संगीत लोकप्रिय है, उन्होंने मुझे बुलवा भेजा।

श्रीमती गाँधी के लिए मैं अपरिचित नहीं था क्योंकि उन्होंने पं. नेहरू की तीसरी पुण्यतिथि पर मुझे शान्तिवन में सुना था। डॉ. कर्ण सिंह ने हमारा परिचय कराया था। मुझे उनके उस प्रथम भेंट के समय के शब्द याद हैं—राजदूत, मन्त्री, राजनेता और उद्योगपति आसपास घूम रहे थे पर उन्होंने मुझे अलग से बुला कर कहा—"मैंने कश्मीरी संगीत में सन्तूर सुना है पर इससे पहले कभी इतना आनन्द नहीं आया। मुझे लगता है कि तुमने इस वाद्ययन्त्र में कुछ महत्त्वपूर्ण परिवर्तन किये हैं। तुम्हारे बजाने पर यह बहुत सुन्दर लगता है।" जब मैंने राष्ट्रपति भवन में बजाया तो ईरान के शाह ने भी प्रशंसा की। अगले ही वर्ष मुझे ईरान में विश्वभर के सन्तूरवादकों के सम्मेलन में राज्य के अतिथि के रूप में आमन्त्रित किया गया।

विश्वभर के श्रेष्ठ संगीतकारों से यह मेरा पहला परिचय था। वहाँ पर ईरान के उस्ताद, चीन के तियान चेंग के प्रतिवादक और अपने सिंबालोम के साथ रोमानिया के संगीतकार उपस्थित थे। हमने एक-दूसरे को सुना, हमने समझा कि कैसे भिन्न दृष्टिकोण बजाने के ढंग को प्रभावित करते हैं। उस पूरे सप्ताह में हमने केवल संगीत के माध्यम से ही बातचीत की क्योंकि भाषा के द्वारा वार्तालाप कठिन था। मेरे सहयोगी मेरे आलाप की शैली के बारे में विशेष रूप से जिज्ञासु थे जो मुझे एक स्वर का कुछ समय के लिए निर्वाह करने में सहायता करती थी। मैंने उनको प्रदर्शन करके दिखाया और समझाया कि यह मींड है जो प्रत्येक भारतीय राग का अभिन्न अंग है। मेरे भारतीय शास्त्रीय संगीत के विषय में बताने के बाद उन्होंने मुझे पर्शियन संगीत में मक़ाम नाम के लयात्मक चक्र के बारे में बताया और यह भी बताया कि किस प्रकार उनका वाद्ययन्त्र लोक और जिप्सी

संगीत में प्रयुक्त होता है। चीनी बजाने का ढंग ऊपरी दोनों से बिलकुल भिन्न है जो एक अन्य संगीत प्रणाली का प्रतिनिधित्व करता है।

आलाप में निपुणता प्राप्त करने के लिए मेरा लम्बा संघर्ष और इस दौरान आलोचनाओं का सामना करना ऐसी यादें हैं जो मैं दूसरों से बाँटना नहीं चाहता था क्योंकि वे अब तक सालती थीं। मुझे एक ईरानी सन्तूर भेंट किया गया और मैंने भी उन्हें एक सन्तूर भेंट किया। मैंने उनके यन्त्र का कई बार प्रयोग किया पर शास्त्रीय संगीत में नहीं, केवल फिल्मों में।

ईरान के बाद मुझे अफगानिस्तान में विश्व भर के संगीतकारों के सम्मेलन में आमन्त्रित किया गया। मनोरमा और मुझे श्री और श्रीमती राजकपूर को बम्बई से दिल्ली और फिर काबुल यात्रा करते देखकर हर्षमिश्रित आश्चर्य भी हुआ।

अफगानिस्तान में मैंने ऐसे श्रोताओं के सम्मुख बजाया जिन्होंने पहले कभी सन्तूर सुना ही नहीं था। उन्होंने मेरे प्रदर्शन को बहुत सराहा। एक प्रभावशाली राजनेता के घर दावत पर प्रसिद्ध अफगानी आतिथ्य स्वीकार किया। आरम्भिक औपचारिक बातचीत के बाद हमें दस्तरख्वान या भोजनकक्ष तक ले जाया गया। वहाँ हमारे लिए भिन्न भिन्न प्रकार के व्यंजन परोसे गये। वहाँ न केवल कई प्रकार के मांस और चिकन, कोरमा और कबाब (अफगानी मांस को अधिक पसन्द करते हैं) थे बल्कि उतने ही प्रकार के शाकाहारी पकवान भी थे। हमारी मेजबान ने पता लगाया कि मनोरमा शाकाहारी है और इतना सारा शाकाहारी खाना उसी के लिए बनवाया। उसी महफिल में मैं अफगानिस्तान के महान् गायक उस्ताद मुहम्मद हुसैन सरहंग से भी मिला। उनका गायन सुनना अपने आप में एक अभूतपूर्व अनुभव था जिसे मैंने उस यात्रा से लेकर आज तक सँजोकर रखा है।

भारतीय दूतावास में एक समारोह के दौरान मैं अपने संगतकार के साथ हलकी फुलकी बातें कर रहा था जब मैंने एक सज्जन को सधे कदमों से अपनी ओर आते देखा। मेरे पास आकर उसने मेरा अभिवादन किया और अपना परिचय दिया कि वह पाकिस्तान दूतावास का प्रथम सचिव है। एक शान्त कोने में ले जाकर उसने मुझे बताया कि वह मेरा बहुत बड़ा प्रशंसक है। वह ऑल इंडिया रेडियो को नियमित रूप से सुनता था और उसने मेरा आज तक रिकार्ड किया प्रत्येक एल.पी. खरीदा है। मेरे राग ललित, मालकौंस और कलावती के रिकार्डों के बारे में अच्छा ज्ञान था। उसने अपने अन्य प्रिय संगीतकारों—रवि जी, उस्ताद अली अकबर खान आदि के बारे में भी उत्साह के साथ बताया। पूरी भावुकता के साथ उसने मुझे पाकिस्तान आने और वहाँ अपने शहर लाहौर में प्रदर्शन के लिए आग्रह किया।

अचानक भारतीय राजदूत ने बुलाया। याद रहे कि वह वर्ष 1970 था और

मैंने, बिना सोचे समझे एक संगीतप्रेमी जो पाकिस्तानी राजनयिक था, से बात करके भिड़ के छत्ते में हाथ डाल दिया था। राजदूत को आश्वस्त करते हुए मैंने बताया कि वार्तालाप केवल सुर, ताल और लय से सम्बन्धित था, इसके अतिरिक्त मैंने कोई अन्य बुरी बात नहीं की थी। यह कहकर मैं अचानक वहाँ से चला आया। गुस्से से खौलते हुए मैंने सोचा कि क्या चीज़ें कभी भी बदलेंगी? मुझे लगा कि यदि समस्याओं को कलाकारों, संगीतकारों, लेखकों और कवियों पर छोड़ दिया जाये तो यह विश्व और सामंजस्यपूर्ण हो सकता है।

कुछ समय बाद मैं लन्दन में ट्रेन में यात्रा कर रहा था, एक एशियन परिवार भी उसी डिब्बे में था। परिवार के मुखिया ने मुझे बताया कि उन्हें इस बात पर गर्व है कि विश्व के हमारे भाग के लोग पश्चिम में संगीत की कितनी छाप छोड़ रहे हैं। मैंने उनसे पूछा कि वे कहाँ के रहनेवाले हैं। मैं दिल्ली या बम्बई सोच रहा था। पर उन्होंने बताया कि वे लाहौर के रहनेवाले हैं और एक लम्बे अर्से से मेरे संगीत के प्रेमी हैं। उन्होंने बताया कि वे जुल्फिकार अली भुट्टो के मंत्रिमंडल में थे और उनकी सरकार भंग होने के बाद अपनी और अपने परिवार की रक्षा के लिए लन्दन भाग आये हैं। संगीत हमारा बन्धन था और हम मित्र के रूप में विदा हुए।

सीमा के उस पार रहनेवाले मेरे अन्य मित्रों में सबसे घनिष्ठ रहे हैं मेहदी हसन, गुलाम अली और बाद में नुसरत फतह अली। सदा समय की कमी की बात करनेवाले मेहदी हसन मेरे बम्बई प्रदर्शन का पहला भाग देखने की योजना बनाते पर अन्त तक सुनते रहते। हम अकसर लन्दन में मिलते जो सदा प्रसन्नता का विषय रहा है। मुझे ज़ाकिर की बहन के घर की दावतें याद हैं जब हम सब—मेहदी हसन, गुलाम अली, ज़ाकिर, सुल्तान खान और शौकत हुसैन साहब इकट्ठे होकर बढ़िया समय बिताते। हमने कभी भी विभाजन को अपने बीच न आने दिया।

मुझे मेहदी हसन, गुलाम अली जैसे बढ़िया ग़ज़ल गायकों से मिलकर प्रसन्नता होती थी। सबको अब भी विश्वास है कि सच्ची रचनात्मकता सदा जीवित रहेगी। अस्सी के मध्य की बात है कि मेहदी हसन की जादुई आवाज़ सीमा पार से हम तक पहुँची और हम तत्काल उनके प्रशंसक हो गये। मूलतः राजस्थानी, मेहदी हसन ने पूर्णतः शास्त्रीय शैली को अपनी कल्पनाशीलता से सराबोर कर एक अनुपम माधुर्यपूर्ण आवाज़ पैदा की जो शीघ्र ही आवेग में बदल गयी। मुझे पता लगा कि ग़ज़ल सीखने से पहले उन्होंने उर्दू में दक्षता प्राप्त की और फिर उर्दू कविता को अपने गीतों में और भी मिठास भरने के लिए प्रयुक्त किया।

मेहदी हसन का भारतीय जनता पर इतना प्रभाव था कि षण्मुखानन्द हॉल में होनेवाले उनके पहले प्रदर्शन की सभी टिकटें पूरी तरह से बिक गयीं। मोहक सितारों से लेकर संगीत निर्देशक और उद्योगपतियों तक सारी बम्बई ने उनका

भव्य स्वागत किया। मैं उस प्रदर्शन में नहीं जा पाया क्योंकि मैं दौरे पर था, पर बाद में मैं रंगभवन में अपने कार्यक्रम के दौरान उनसे मिला जिसमें वे कल्याण जी और आनन्द जी के साथ आये थे। वे एक लुभावने व्यक्ति थे और मनोरमा उनसे अत्यन्त प्रभावित हुई जब उन्होंने एक शाम हमारे घर पर अनौपचारिक महफिल का प्रस्ताव रखा। मुझे आश्चर्य हुआ जब मुझे पता लगा कि वे मेरे संगीत से परिचित हैं। उन्होंने बताया कि उन्होंने मेरी रिकार्डिंग पाकिस्तान में सुनी हैं और चोर बाज़ार से मेरी टेप्स खरीदकर शाम को मित्रों के साथ आनन्द उठाया है। मज़ाक में या शायद उस समय ऐसा लगा उन्होंने घोषणा की—"हम खतरनाक लोग हैं, किसी की तारीफ नहीं करते।" इस सहज टिप्पणी का निहितार्थ मुझे बाद में पता लगा।

कुछ वर्षों बाद मैं ज़ाकिर के साथ लन्दन में था। ज़ाकिर की स्नेही और मेहमान नवाज़ बहन खुर्शीद सदा आग्रह करती हैं कि हम एक शाम उनके सुरुचिपूर्ण घर पर बितायें। और इस बार ऐसा ही हुआ। पाकिस्तान के महान् तबलावादक शौकत हुसैन तब लीड्स में रहते थे। सुल्तान खान, मेहदी हसन और गुलाम अली भी लन्दन आये हुए थे। अतः खुर्शीद ने ज़िद की कि वे भी उसके घर आयें। मेरा बेटा रोहित जो उस समय इंग्लैड में पढ़ रहा था, भी मेरे साथ था और हम बढ़िया भोजन, उदात्त संगीत और लाभकारी वार्तालाप की विश्रामपूर्ण शाम के लिए उनके घर पहुँचे। जब हम इकट्ठे हो गये तो ज़ाकिर ने बिना तैयारी के तबलावादन का निर्णय लिया। सुल्तान खान भी सारंगी बजाने लगे। जब हम संगीत का आनन्द उठा रहे थे, हमने अनुभव किया कि मेहदी हसन थोड़ा अलग-थलग पड़ गये थे। अचानक जब संगीत बन्द हो गया तो उन्होंने गुलाम अली को मेहमानों के सामने अपना हुनर दिखाने की चुनौती दी। वातावरण एकदम बदल गया।

शीघ्र ही मैं अतीत में चला गया और मुझे पिता जी की कई बार बतायी कहानियाँ याद आयीं कि कैसे संगीत प्रतिद्वन्द्विताएँ वास्तविक जीवन के द्वन्द्वयुद्ध में बदल जाती थीं। मैं यह जानकर काँप गया कि प्रतिद्वन्द्विता लोगों को अनैतिक बना सकती थी। शायद मेहदी हसन ने कुछ अधिक पी ली थी। उस शाम मैंने उनका दूसरा रूप देखा। झगड़ते हुए उन्होंने राग और ताल पर अपनी पकड़ की प्रशंसा की और ज़िद की कि अन्य उनके सामने बौने हैं। हम लोगों की अन्ध भक्ति का, उपमहाद्वीप के श्रोताओं की अत्यधिक प्रशंसा का परिणाम देख रहे थे। अन्ततः ऐसा सामूहिक उन्माद एक व्यक्ति को अजेय और देवता स्वरूप होने का भ्रम पैदा करता है। हालाँकि मेहदी हसन उस समय के बहुत लोकप्रिय ग़ज़ल गायक थे और लोगों की प्रशंसा पर पलते थे, गुलाम अली आदरपूर्वक और विनम्रता

से शान्त रहा। मेहदी हसन की चुनौती से वह उत्तेजित नहीं हुआ और न ही कोई बखेड़ा खड़ा किया, केवल उसे अस्वीकार कर दिया। इस घटना से विक्षुब्ध रोहित और मैं शीघ्र ही उठकर आ गये। अगले दिन हमें पता लगा कि दोनों ने गाया और वातावरण शान्त हो गया। प्रसिद्धि इतनी आसानी से हमें भटका सकती है।

अन्ततः गुलाम अली मेरा घनिष्ठ मित्र बन गया और जब भी वह बम्बई आता हम लोग भेंट करते। यद्यपि उसके पास मेहदी हसन जैसी ईश्वर प्रदत्त आवाज़ नहीं थी, पर गुलाम अली तकनीकी तौर पर समर्थ था और कल्पनाशील भी। वह प्रत्येक शेर को नयी ताल और लय से गाता और उसकी शैली ताजा और मौलिक थी। उसने अपने आप को एक कलाकार के रूप में प्रतिष्ठित किया, उस्ताद की प्रतिलिपि नहीं बना। वह मिलनसार और हाजिर जवाब था और अकसर अपनी नयी संरचनाओं को और मज़ाक सुनाने तथा भोजन करने आता।

गुलाम को देर रात आने की आदत थी। एक बार वह रात के 12.30 बजे आया और गर्मजोशी से हारमोनियम मँगवाया। वह अपनी नयी संरचना सुनाने के लिए इतना अधीर था। राहुल ने कान में बताया कि हारमोनियम ट्यूनिंग के लिए गया हुआ है। मैंने उसे हरि जी के घर भेजा जहाँ पता लगा कि हरि जी भी नहीं हैं और हारमोनियम ताले में बन्द है। अन्ततः हमारे ऊपरवाला पड़ोसी जागा और अपना हारमोनियम दिया। गुलाम अली ने अपनी ग़ज़ल सुनायी। सुबह के 1.30 बज गये थे। एक बार और नववर्ष की पूर्वसन्ध्या पर शहर के दूसरे छोर से रात के 11.30 बजे आया। उसने कहा, "हारमोनियम लाइए, हम नववर्ष का सुरीले स्वरों से स्वागत करेंगे।" ज़ाकिर ने तबले पर संगत की और वास्तव में हमने नववर्ष का स्वागत मधुर संगीत से किया। वर्षों बाद, अस्सी के दशक में मैं डॉलर लेन संगीत सम्मेलन में भाग लेने कलकत्ता में था। रात के 12.30 बजे थे और मैं होटल में अपने प्रदर्शन की बारी के लिए प्रतीक्षा कर रहा था, जब मैंने दरवाज़े पर अधीर दस्तक सुनी। मैंने सोचा आयोजक होंगे पर सामने गुलाम अली को खड़े पाया जो सम्मेलन स्थल से मुझे साथ लिवाने आया था।

एक अन्य पाकिस्तानी संगीतकार जिसके लिए मेरे मन में बहुत आदर था—वे थे नुसरत फतह अली खान। विडम्बना देखिये, मैंने उनकी अद्‌भुत सम्मोहित करनेवाली आवाज़ पश्चिम में सुनी थी, जब वे विश्व के हमारे भाग में प्रसिद्ध नहीं थे। रंगभवन में मेरे एक प्रदर्शन के लिए वे बिना सूचना के आये और कहा कि वे मेरे संगीत के प्रशंसक हैं। मृदुभाषी, अल्पभाषी और शिष्ट नुसरत मेरे लिए एक पहेली थे। वह प्रसिद्ध आवाज़ जो गीत में आकाश को छू सकती थी, बातचीत में इतनी कोमल थी कि आपको उन्हें सुनने के लिए कानों पर जोर देना पड़ता

था। गहन आध्यात्मिक, अपनी ही संगीत की दुनिया में खोये हुए, वे मुझे सच्चे सूफी प्रतीत हुए। उनकी ऊँची उठती हुई आवाज़ और पदों पर अद्‌भुत पकड़ मुझे अलौकिक लगी। पहली बार से ही जब मैंने उन्हें अल्लाहरखा खान साहब के घर पर सुना था, मैं उनकी विलक्षण प्रतिभा का कायल हो गया था।

बदले में नुसरत साहब ने मुझे गहरा आदर दिया और अपने रिकार्ड 'सरगम' का बम्बई में विमोचन करने के लिए आमन्त्रित किया। मैं अभी अमेरिका से आया ही था कि समारोह में जाने से पहले मुँह हाथ धोने और कपड़े बदलने का ही समय था कि मित्रों और समाचारपत्रों से फोन आने लगे कि मैं समारोह में भाग न लूँ। उनके अनुसार नुसरत फतह अली ने भारतीय शास्त्रीय संगीत परिवार को भारतीय संगीत के प्रति कठोर और प्रतिकूल शब्द कहकर अपने विरुद्ध कर लिया है। मैं समारोह स्थल के लिए चल पड़ा जहाँ मुझे नाराज़ पत्रकारों का सामना करना पड़ा। उन्होंने मुझसे पूछा कि मैं इस पाकिस्तानी गायक का इतना हिमायती क्यों हूँ जबकि वह हमारे गायकों की आलोचना करने के लिए स्वतन्त्र था। एच.एम.वी. के अधिकारी दुखी लगे और शबाना आजमी और जावेद अख्तर जिन्होंने सीडी के लिए गीत लिखे थे, को छोड़कर और कोई नहीं आया। भाग्य से यह सीडी उपमहाद्वीप की उस समय की सबसे लोकप्रिय सीडी बनी।

नुसरत नौवें दशक के अन्त में पाकिस्तान से डॉक्टरी जाँच कराने और फिल्म सम्बन्धी काम करने बम्बई आये। चूँकि यह 13 जनवरी के आसपास था, ज़ाकिर ने उन्हें मेरे जन्मदिन के समारोह के लिए आमन्त्रित कर लिया। यह घनिष्ठ मित्रों का जमावड़ा था जो मेरे जन्मदिन को कभी नहीं भूलते। इसमें उस्ताद अल्लाहरखा खान, सी.आर. व्यास, पं. जसराज, यश चोपड़ा और अन्य लोग सम्मिलित हुए। हर वर्ष मेरे लिए एक आश्चर्यचकित करनेवाली बात होती और यह वर्ष भी भिन्न नहीं था। भूपेन्द्र और मीताली सिंह को गाने के लिए आमन्त्रित किया गया था। उनके गायन के बाद मेरी पत्नी ने नुसरत को भी गाने के लिए कहा। इससे पहले कि मैं मनोरमा को इसके लिए डाँटता, क्योंकि यहाँ वे एक अतिथि बनकर आनन्द उठाने आये हैं। नुसरत ने मुस्कराते हुए कहा, "मुझे ऐसे बढ़िया अवसर पर गाकर खुशी होगी।" उन्होंने बहुत बढ़िया गाया, पहले एक राग राजेश्वरी में खयाल और बाद में अपनी कुछ संरचनाएँ सुनायीं। भक्ति और उनकी आवाज़ की पवित्रता ईश्वर तक अवश्य पहुँच गयी होगी। इसके कुछ दिनों बाद ही मुझे लन्दन से फोन आया कि नुसरत फतह अली इस दुनिया में नहीं रहे। हम संगीतकार घटनाओं को कैमरे पर नहीं टेप पर रिकार्ड करते हैं। अतः मेरे पास जीवन की घटनाओं के बहुत कम चित्र हैं पर सुन्दर पलों की याद दिलाने के लिए बहुमूल्य रिकार्डिंग हैं।

चार

स्टूडियो में

नव वर्ष की एक पूर्व सन्ध्या थी (1981) जब हम नयी दिल्ली में सिलसिला की शूटिंग कर रहे थे। हम सभी ओबराय होटल में ठहरे हुए थे, जब यश जी ने शिव जी और हरि जी को नववर्ष की मौजमस्ती में सम्मिलित होने के लिए कहा। हम सब, सारे अभिनेता भी यश जी द्वारा बुक किये गये हॉल में एकत्रित थे। हमने शिव जी और हरि जी को कुछ बजाने को कहा। ज़ाकिर भाई भी वहीं थे। मैं उस शाम को श्रोताओं पर हुए प्रभाव को बयान नहीं कर सकता। यह शास्त्रीय संगीत की एक अविस्मरणीय घड़ी थी। संगीत बिना किसी रिहर्सल के सीधा अन्तर्मन से प्रस्फुटित हो रहा था। मुझे नहीं पता उन्हें कहाँ से प्रेरणा मिल रही थी। मुझे नहीं पता यह सब क्या था। मैंने शिव जी को इतनी अच्छी सन्तूर बजाते कभी नहीं सुना। मुझे याद है यह सब घंटों तक चला। आधी रात के बाद तक चला और जब यह समाप्त हुआ तो हमने केवल शारीरिक थकान ही नहीं देखी पर ऐसा लगा जैसे शिव जी की आत्मा भी पूर्णतया थककर चूर हो गयी हो। उन्होंने इतना श्रम किया था। यह सब अद्‌भुत था।

—अमिताभ बच्चन

संगीतमय कलम

जब मैंने पिताजी के आग्रह पर संगीत सीखना आरम्भ किया तो मैं उत्साही श्रोता था और आज्ञाकारी शिष्य जो पूरे मनोयोग से और दत्तचित होकर गुरुजी के पाठ पढ़ता था। एक बार जब मैंने शास्त्रीय संगीत की मूल बातें सीख लीं तो मैंने पाया कि मुझे तोते की तरह पाठ दुहराना अच्छा नहीं लगता था। नौसिखिया होने के कारण मैं अपने ढंग से बजाना चाहता था। और संरचनाओं में अपना योगदान देना चाहता था। मैं सीख रहा था। जैसे-जैसे मैं बड़ा होता गया, अपने विचारों को व्यक्त करने की इच्छा भी बलवती होती गयी। मैं कुछ भी बजाता, उसमें मेरा अपना हस्ताक्षर और शैली अवश्य होती।

संरचना करना मुझे सदा ही प्राकृतिक रूप से आता है। मुझे संरचना का पहला अवसर भाग्य से ही मिल गया। कॉलेज के दिनों में कुछ छात्रों ने एक छायानाटक प्रस्तुत करने का निर्णय लिया और मुझे उसकी संगीत संरचना के लिए कहा। हमारे प्राध्यापक नीलाम्बर देव शर्मा और रामदेव शास्त्री भी इससे जुड़े थे। नाटक बहुत सफल रहा।

मैंने अपने गुरुजी से एक बुनियादी ढाँचा सीखा था जिस पर मैं और अधिक जटिल संरचनाओं की रचना कर सकता था। जब आप एक पारम्परिक राग या ताल बजाते हैं तो आप उसके ढाँचे का व्याकरण नहीं बदल सकते। प्रत्येक ताल, लयात्मक चक्र का अपना लयात्मक विभाजन होता है। तीन भिन्न लयात्मक चक्रों में उतनी ही ताल हो सकती है, पर प्रत्येक का विभाजन भिन्न होगा। यदि मैं एक तीव्रगति (रज़ाखानी) संरचना तीन ताल, सोलह मात्रा के लयात्मक चक्र में बजा रहा हूँ तो मैं सोलहवीं मात्रा से आरम्भ कर सकता हूँ और अगले चक्र को पूरा कर सम (पहली, चौथी, बारहवीं या चौदहवीं मात्रा) पर लौट सकता हूँ। दूसरे शब्दों में संरचना के तार किसी भी अन्य स्थान से पकड़ सकता हूँ। गुरुजी ने मुझे यह सिखाया और मैंने इसका अपने ढंग से विकास किया।

निजी तौर पर मैं बन्धनों से घृणा करता हूँ और अपने आपको नियमों से

जकड़ा हुआ पाता हूँ। मेरी एक सीमा सन्तूर का चरित्र है (कुछ बहुत अद्‌भुत रचनाएँ इसके मिजाज़ से मेल नहीं खातीं)। मेरे लिए रचनाकार की आत्मा ही रचना का सार है। संगीत एक कला है, एक गन्धर्व—जैसे प्राचीन भारतीय कलाओं में दिखाया गया है—एक दैवी शक्ति से प्रेरित जो संसार और स्वर्ग के बीच परमानन्द की स्थिति में अवस्थित है। कला और भावनाएँ सहवर्ती हैं। मैं अपने जीवन और परिवेश के प्रभाव के बिना रचना नहीं कर सकता। 'मैं कौन हूँ?' और 'मैं यहाँ से कहाँ जाऊँगा?' जैसे आदि प्रश्नों का कभी उत्तर नहीं मिलता। इसलिए कलाकार अपनी निजी व्यथा को व्यक्त करने के लिए जीवन भर संघर्ष करता है। शैली अपने अन्तर्मन की भावनाओं को व्यक्त करने का एक साधन है।

मैं सदा अपने संगीत के माध्यम से शान्ति और प्रेम की अभिव्यक्ति करने के प्रयास करता हूँ। मुझे बहुत प्रसन्नता होती है जब श्रोता बताते हैं कि वे संगीत का ध्यान के लिए प्रयोग करते हैं। मेरे लिए यह चरम लक्ष्य—अपने संगीत द्वारा ईश्वर तक पहुँचना और अपनी भावनाएँ श्रोताओं के साथ बाँटना। सात सुन्दर सुर इन्द्रधनुष के सात रंगों की तरह हैं जो अपने आपमें बहुत मनोदशाओं और भावनाओं को जन्म देते हैं।

1967 में अत्यधिक लोकप्रिय 'घाटी की पुकार' के बाद 'म्यूजिक टुडे' ने मुझसे अपनी नयी संगीत परियोजना 'साउंडस्केप्स' के लिए सम्पर्क किया। इस कड़ी में पर्वतों, नदियों, रेगिस्तानों और सागरों पर विभिन्न संगीतकारों द्वारा संरचित एक-एक एलबम का प्रस्ताव था। ज़ाकिर को रेगिस्तानों के लिये, हरि जी को नदियों के लिये, सितारवादक भास्कर चन्द्रावरकर को सागरों के लिए और मुझे पर्वतों के लिए अनुबन्धित किया गया।

यह विषय मेरे मन के अनुकूल था। मैं कहीं भी होऊँ, सदा अपनी आँखें बन्दकर भव्य पर्वतों को, जिनके निकट मैं बड़ा हुआ था, देख सकता हूँ। बहुत दूर से वे इतने अधिक अकेले थे—दूर और बर्फ से ढँके हुए, पर पास से वे एक स्थान से दूसरे स्थान पर जाती हुई जनजातियों, पशुओं, फूलों और पक्षियों के घर थे। पर्वतों के लिए दोनों तत्वों को संगीतबद्ध करने के लिए मैंने झूमते डोगरी पहाड़ी संगीत और कश्मीर के लोक संगीत दोनों का सम्मिश्रण किया। मैंने सन्तूर का विस्तार से प्रयोग किया, साथ ही रबाब जैसे (कश्मीरी लोकसंगीत में प्रयुक्त) स्पेनिश गिटार का प्रयोग भी किया। दिलचस्प बात यह है कि इस संरचना में तबला नहीं है हालाँकि इसमें लोक संगीत द्वारा प्रभावित अन्य थापवाले वाद्ययन्त्र हैं। मेरा विचार था कि मैं अपनी भावनाओं को श्रोताओं के साथ बाँटूँ, हिमालय के ऊपर उगते सूर्य की शुचिता और शान्ति को श्रोताओं तक पहुँचाऊँ। 'घाटी की पुकार' की तरह 'साउंडस्केप्स' भी अत्यन्त सफल हुआ।

1995 में म्यूजिक टुडे ने 'एलीमेंट्स' नाम से एक और संग्रह का सपना देखा जिसमें इस बार वायु, अग्नि, जल, पृथ्वी और आकाश सम्मिलित होने थे। मुझे जल की संरचना करने को कहा गया। इसे मैंने स्पेनिश गिटार, बारहतारों वाले गिटार, बैस गिटार, वाइब्रोफोन और कीबोर्ड की सहायता से संरचित किया। विषय पर बहुत सोच विचार के बाद मैंने संरचना गंगास्तुति के साथ आरम्भ की। यह विचार एकदम ताजा था और मुझे एकदम से आ गया—मैंने सोचा जल की उत्पत्ति प्रत्येक भारतीय के लिए गंगा से होती है। मेरी संरचना गंगा की प्रशस्ति के रूप में प्रस्तुत हुई—गंगोत्री से लेकर यमुना और सरस्वती में इसके संगम तक। मैंने अपने अन्तर्नेत्र में नदियों के विशिष्ट रंगों को देखा जो भिन्न दिशाओं से बहती हुई एक हो जाती हैं। प्रेरणा पाकर मैंने राग दुर्गा से आरम्भ किया क्योंकि मैंने गंगा की दुर्गा के रूप में कल्पना की थी और फिर दो अन्य रागों को यमुना और सरस्वती के लिए प्रस्तुत किया।

फिर मैंने वर्षा की ध्वनि को प्रस्तुत किया। भारतीय मानसून अपनी नाटकीयता में अविस्मरणीय है। काले-घुमड़ते-ध्यानमग्न बादल, पत्तियों की खड़खड़ाहट—जब पहले समीर, फिर वर्षा उन्हें भिगोती है—वर्षा की तेज होती बौछारें, छतों पर गरजती हुई—अपना जादुई संगीत रचतीं.... वर्षा से भरा समीर और गीली धरती...। मैंने इन सबकी पुनर्रचना करने का प्रयास किया। यहाँ संगीत, रोमांस, शैली और भावनाओं से मिलकर एक सम्पूर्ण प्रभाव उत्पन्न कर रहा था। 'वर्षा में चलना' मेरी प्रिय संरचना है।

वर्षा भारत में किसानों के लिए जीवनस्रोत है, अच्छी वर्षा उत्सव का वातावरण बनाती है। वर्षा रोमांस से भी जुड़ी हुई है, अतः हमारे प्राचीन ग्रन्थों में कालिदास का मेघदूत भी है और राधाकृष्ण का वर्षा में मिलन भी। मानसून को समर्पित एक सुन्दर राग है—जिसे कविता की भाषा में मेघमल्हार कहते हैं। और 'ओस की बूँदें' नाम से एक रचना है। 'झील का मौन' प्रशान्ति को दर्शाने का प्रयास है—जब सब कुछ शान्त और मौन होता है। मैंने जल का समापन सागर पर एक रचना से किया जिसमें देवताओं द्वारा समुद्रमन्थन से उत्पन्न निनाद और आवेश दर्शाने का प्रयास किया है। इस मन्थन में अमृत और विष निकले थे, जिसे शिव यदि न पी लेते तो सारी मानवता नष्ट हो जाती।

सौभाग्यवश उसी वर्ष मुझे कुम्भ मेले में प्रदर्शन का आमन्त्रण मिला। मुझे भीड़ से और लाखों लोगों के विचार ने ही बन्द स्थानों से उत्पन्न होनेवाले भय का अनुभव कराया। ईश्वर से मेरी अपनी भेंट कभी इतने बड़े स्तर पर नहीं हुई। मैं अपने पूजा कक्ष में ही प्रार्थना करना पसन्द करता हूँ। पर मैंने इस बार सन्तूर बजाना इसलिए स्वीकार कर लिया ताकि मैं उस स्थान और क्षण को समझ सकूँ।

मैंने एक भीड़भाड़ वाले तम्बू में बजाया और बाद में मैं गंगा और यमुना (सरस्वती का जल अलग से पहचाना नहीं गया, अतः मुझे तीनों के एक होने के मिथक को मानना पड़ा) के संगम के अद्‌भुत दृश्य से प्रेरणा ली। मैंने ये सभी तत्व और अपने बचपन की कश्मीर की झीलों की यादों को अपनी संरचना में प्रयुक्त किया।

संसार के सामने सम्पूर्ण रूप में उदय होने से पहले संरचनाओं की कल्पना और उनका निर्वहन एक तरह के गर्भाधान से गुज़रना है। विचार, संस्मरण, गीतों के टुकड़े जो मैंने बचपन में माँ से सुने थे, सर्दी की एक शाम आग के इर्द-गिर्द बैठे घुमन्तू बंजारों से सुने मधुर गीत—इन सबने मुझे और मेरे विचारों को प्रभावित किया है। जब मैं संगीत रचना कर रहा होता हूँ तो अपनी ढेर सारी निजी यादों से प्रेरणा लेता हूँ। प्रकृति के सौन्दर्य ने मुझे बचपन से ही अपनी सर्वांगतता से आकृष्ट किया है। सूर्य की प्रथम किरणों से नहाकर गुलाबी हुए पर्वतों की भव्यता या फिर वर्षा का सन्देश देनेवाले पूरे नाटकीय आकाश या फिर नीले हरे समुद्र का विस्तार—प्रत्येक मुझे आज भी प्रभावित कर सकते हैं। मेरी संरचनाएँ प्रकृति, जीवन और लोगों के प्रति अपनी निजी प्रतिक्रियाओं को समाहित किये हैं।

मैं चाहकर भी अपने संगीत में लोक प्रभावों से कभी दूर नहीं रह पाया। मैंने डोगरी और कश्मीरी लोकधुनों का इतना आनन्द लिया है कि मैं इसे अपने श्रोताओं के संग बाँटना आवश्यक समझता हूँ। आज वे इतनी लोकप्रिय हैं कि मुझे पहाड़ी राग को फिर से सुनाने को कहा जाता है। इन संरचनाओं में रोमांस बहता है। अपने प्रिय के पास होने की चाह, उससे बिछुड़ने का गम, एक साथ होने का आनन्द, किसी द्वारा प्यार किये जाने की आवश्यकता, ये सब भाव पहाड़ी संगीत की संरचना में पिरोये होते हैं। इसका एक आध्यात्मिक रूप भी है—एक ऐसा एकान्त जो ईश्वर के साथ तादात्म्य होने पर ही अनुभव होता है।

संगीत एक सागर है, हम सब इसके महान् सत्व में कुछ-न-कुछ योगदान देते हैं। यह भारतीय फिल्म संगीत उद्योग के बारे में विशेष रूप से सत्य है। जब मैंने फिल्म संगीत की रचना आरम्भ की, तब तक मैं हिन्दी सिनेमा का लम्बे अर्से से अध्ययन कर चुका था। मैंने देखा कि इसमें प्रत्येक संगीत निर्देशक अपना प्रान्तीय रंग भरता था। रोशन, पं. अमरनाथ, मदनमोहन, ओ.पी. नैयर और श्याम सुन्दर अपने साथ पंजाब का लोकसंगीत लाये तो खेमचन्द्र प्रकाश और मास्टर गुलाम मोहम्मद ने राजस्थानी लोक धुनों को पिरोया। एस.डी. वर्मन आदि अपने संगीत में आसामी संगीत से प्रभावित थे, तो आर.सी. बोराल, अनिल विश्वास, सलिल चौधरी और हेमन्त कुमार ने बंगाली भटियाली, बाउल और अन्य लोक धुनों का उपयोग किया। इसी प्रकार डोगरी लोक संगीत स्वाभाविक रूप से मेरे

संगीत का भाग बना (जैसे कि—देखा एक ख्वाब) और हरि जी उत्तरप्रदेश के सुर लाए (रंग बरसे)। शादी के गीत मेरी माँ द्वारा बचपन में सुनाये विवाह गीतों से सिलसिला में प्रभावित हुए। जैसे-जैसे मैं बड़ा हुआ, शब्दों को तो भूल गया पर सुरीला संगीत मेरे मस्तिष्क में रहा और वे बारात और मेंहदी के दृश्यों के लिए उपयुक्त थे। 'लम्हे', 'फासले' और 'विजय' फिल्में इस विशिष्ट रंग के लिए बहुत सराही गयीं।

फिल्म संगीत की रचना शास्त्रीय संगीत की रचना जैसी नहीं है। यहाँ मेरे सामने दृश्य थे और वे स्पष्ट बता रहे थे कि मुझे कैसी संगीत रचना करनी है। 'सिलसिला' में 'देखा एक ख्वाब' गीत एक बेहद सुन्दर दृश्य के लिए था। अत: संगीत को भी उसी दिशा में जाना था। सुनहरे ट्यूलिपों की कतारों ने प्रसन्न और गुंजायमान लय के लिए प्रेरित किया। भारतीय सिनेमा में संगीत का काम दर्शकों को हँसाना या रुलाना है। 'ऐ मेरे वतन के लोगों' गीत में लता मंगेशकर जी की आवाज़ में इतना दर्द था कि उसने प्रधानमन्त्री जवाहरलाल नेहरू समेत समस्त राष्ट्र की आँखों में आँसू ला दिये।

मेरे लिए संरचना करना समय का पाबन्द नहीं है क्योंकि मैं प्रत्येक क्षण संगीत के बारे में ही सोचता हूँ। सिलसिला के दौरान एक बार मैं संगीत रिसर्च एकेडेमी के कार्यक्रम के लिए रेल द्वारा कोटा जा रहा था। प्रथम श्रेणी के कूपे में अकेले अचानक एक डोगरी लोकगीत के स्वर मेरे मस्तिष्क में आये। चार घंटे बाद मैंने 'सर से सरके सर की चुनरिया' की धुन की संरचना कर ली थी। एक बार हम सब यश जी के घर पर एक मनोवैज्ञानिक थ्रिलर—'डर' के प्रमुख गीत के लिए कुछ धुनें सुन रहे थे। हमने जो कुछ भी सुना, कभी भी सही नहीं लग रहा था। अचानक बिजली चली गयी और सब बत्तियाँ बुझ गयीं। हमने एक मोमबत्ती जलायी और कमरे में एक डरावनी छाया फैल गयी। मैंने हारमोनियम अपनी ओर खींचा और एक धुन गुनगुनाने लगा जो अचानक मेरे मस्तिष्क में रहस्यमय वातावरण में आ गयी थी। हमें आश्चर्य हुआ कि यह बिलकुल सही बैठी।

एक धरोहर को रिकार्ड करना

कुछ दशकों पहले भारतीय उद्योग की तरह रिकार्डिंग कम्पनियों में भी अनुभव की कमी थी। सभी संगीतकारों से अपनी शर्तों पर अनुबन्ध करते हुए एच.एम.वी. का संगीत उद्योग पर एकाधिकार था और एक प्रकार से एकच्छत्र राज्य था। वे किसी की भी छवि बना या बिगाड़ सकते थे और उनको इसका ज्ञान था। हममें से अधिकांश ने एच.एम.वी. से ऐसे अनुबन्ध किये थे जिनमें हमें अन्य कम्पनियों के साथ रिकार्ड करने की मनाही थी। आरम्भ में इससे कोई समस्या नहीं हुई क्योंकि मैं दुकानों पर अपनी एल.पी. को शीघ्र बिकते देखकर बहुत उत्तेजित था। पर जैसे–जैसे मेरे संगीत की लोकप्रियता भारत और विदेशों में बढ़ी, मैंने एच.एम.वी. से पूछा कि क्या वे मुझे विदेशी कम्पनियों के साथ रिकार्ड करने देंगे बशर्ते मैं उन्हें पहले रिकार्ड करने के लिए पूछूँ। अच्छा हुआ कि वे मान गये और मैं पहला भारतीय संगीतकार बना जिसे यह विकल्प दिया गया था। इसके तुरन्त बाद मैंने फ्रांसीसी और स्वीडन की कम्पनियों के साथ रिकार्ड किया।

परन्तु रिकार्डिंग की वास्तविक विधि ने मुझे निश्चल और अवरुद्ध कर दिया। स्टूडियो का वातावरण अच्छे संगीत का प्रेरक नहीं था और मुझे भय था कि यदि मैं इसी तरह अनुभव करता रहा तो यान्त्रिक हो जाऊँगा। संगीतकार प्रेरणा और स्वतन्त्रता से पनपते हैं पर रिकार्डिंग स्टूडियो मेरे रोमांस की भावना को अवरुद्ध करता है और मेरे मस्तिष्क को भी प्रतिबन्धित करता है। जी.एम. जोशी साहब ने मुझे एक बार बड़े गुलाम अली खान साहब के बारे में बताया जो रिकार्डिंग से घृणा करते थे।

जोशी जी खान साहब को रिकार्ड करने के लिए बहुत तत्पर थे और निराशा में उन्होंने एक कुटिल तरीका सोचा। एक शाम वे बड़े गुलाम अली साहब के घर ऐसे ही पहुँच गये। और उनको समुद्र के किनारे गाड़ी में सैर के लिए मना लिया। उस्ताद जी को थोड़े अच्छे मूड में देखकर जोशी जी उन्हें रास्ता बदल कर यह कहकर स्टूडियो ले गये कि वहाँ वे उनको संगीत सुनाएँगे। शीघ्र ही

उस्ताद जी भी गाने के मूड में आ गये। ''मेरा तानपूरा और सुर मंडल लाओ''—वे बोले। उनकी जानकारी के बिना दोनों ही वाद्ययन्त्र कार के पीछे रखे हुए थे। उनको निकालकर लाया गया। बड़े गुलाम अली साहब ने अपनी संगीत की दुनिया में खोये हुए सुबह तक गाया। उनकी जानकारी के बिना जोशी जी ने सब कुछ रिकार्ड कर लिया और उसे बाज़ार में उतार दिया।

केवल प्रेरणा ही महान् संगीत को जन्म देती है और उसके प्रदर्शन को भी। कलाकार एक संवेदनशील प्रजाति—गन्धर्व समान होते हैं जिन्हें रचनात्मक क्रियाओं के लिए बाध्य नहीं किया जा सकता। मैंने बड़े धैर्य से एच.एम.वी. वालों को समझाया कि वे सजीव रिकार्डिंग करें जिससे कलाकार का मूड भी ठीक से पकड़ा जा सकेगा। अन्ततः एच.एम.वी. मान गयी और इन चिन्ताओं के बावजूद कि अत्यधिक संवेदनशील रिकार्डिंग प्रणाली आसपास के शोर को भी पकड़ लेगी, मेरी पहली सजीव रिकार्डिंग सन् 1982 में रंगभवन में हुई। कार्यक्रम था—राग कीरवानी, जो 2500 श्रोताओं के सम्मुख ज़ाकिर के साथ सम्पन्न हुआ। मुझे आज भी उस डबल जैकेट के एल.पी. को हाथ में पकड़ने का रोमांच याद है।

इसी के आसपास मैं एक हार्वर्ड स्नातक और कार्पोरेट की पृष्ठभूमि वाले किशोर हीरानंदानी से मिला जो संगीत जगत् में संयोगवश आ गये थे। उन्हें उनके एक मित्र बड़े गुलाम अली साहब के कार्यक्रम के लिए जबरदस्ती ले गये। न केवल वे उसी समय से संगीतप्रेमी हो गये और उसके बाद प्रत्येक कार्यक्रम में जाने लगे अपितु उन्होंने अपना सारा जीवन संगीत को ही अर्पित कर दिया। उन्होंने अपनी नौकरी छोड़ दी, अपनी जमा पूँजी व्यावसायिक स्तर की ध्वनि प्रणाली और रिकार्डिंग यन्त्रों में लगा दी और वे शास्त्रीय संगीत को रिकार्ड करने लगे। आयोजकों की आज्ञा से, जिस कार्यक्रम में भी वे जाते, उसमें अपने विद्युत संयन्त्र लगाकर कार्यक्रम को ध्यानपूर्वक रिकार्ड कर लेते। बहुत शीघ्र ही वे भारत के सबसे अच्छे ध्वनि रिकार्डिस्ट बन गये और संगीत का बहुत बड़ा भंडार इकट्ठा कर लिया। ये रिकार्डिंग व्यापार के लिए भी नहीं थी, किशोर उन्हें स्पूलों पर उतार लेते और अपने आनन्द के लिए उन्हें बजाते। उनके पास अकेले मेरे ही सौ घंटे के कार्यक्रम अवश्य होंगे। वे एक न्यास बनाने की सोच रहे थे। जिसमें वे अपने संग्रह को एक सही ढंग से सुरक्षित रख सकें। पर अफसोस, ऐसा नहीं हो सका।

सबसे अधिक स्मरणीय एक सजीव रिकार्डिंग उस कार्यक्रम की थी जिसे आई.टी.सी. और बम्बई म्यूजिक सर्कल ने रंगभवन में किया था। आप कल्पना कर सकते हैं कि सजीव रिकार्डिंग में सदा जोखिम रहता है और मेरे लिए तो और भी क्योंकि मैं कर्यक्रम से पहले कभी अभ्यास नहीं करता। वास्तव में मैं

कौन-सा राग बजाऊँगा इसका निर्णय भी पहले से नहीं लेता। इस बार मैंने थियेटर में पहुँचकर राग कौंसी कान्हड़ा बजाने का मन बनाया। मुझे नहीं पता कि मेरे मूड ने, श्रोताओं ने, ज़ाकिर के बढ़िया प्रदर्शन ने या तीनों ने मिलकर उस दिन जादू कर दिया। मैं उस कार्यक्रम को कभी भुला नहीं सकूँगा—वह पूर्ण असीम सामंजस्य था। अगली सुबह मेरी खुशी का ठिकाना न था क्योंकि मेरे एक पूर्व आलोचक मोहन नादकर्णी ने एक प्रशंसा भरी समीक्षा लिखी और उसका शीर्षक दिया—'जब समय थम गया'। जब एच.एम.वी. ने बिना सम्पादन के इस रिकार्डिंग का विमोचन कर दिया तो किशोर ने सुझाया कि हम इसका यही शीर्षक रखेंगे। 'जब समय थम गया'- एच.एम.वी. की पहली दुहरी एलबम बन गयी।

कौंसी कान्हडा के बाद नेहरू केन्द्र में एक और सजीव रिकार्डिंग हुई। इसमें राग बागेश्वरी था और ज़ाकिर तबले पर मेरे साथ था। पर किशोर इसके तुरन्त बाद, संगीत का एक संग्रह बनाने के अपने सपने अधूरे छोड़कर चल बसे।

मैंने अन्य कई रिकार्डिंग कीं पर किशोर की उत्साह भरी उपस्थिति के बिना सजीव रिकार्डिंग अब मुझे इतना उत्तेजित नहीं करती थी। मुझे प्रेरणा अपने भीतर से मिली और स्टूडियो में रिकार्ड करना मेरे लिए सहज हो गया। तकनीकी विकास मेरे वाद्ययन्त्र के लिए उपयोगी सिद्ध हुआ। विशेष रूप से ध्वनि विस्तार, क्योंकि सन्तूर की ध्वनि बहुत कोमल होती है।

विषय-मूलक एलबम जैसे 'फीलिंग्स' में मैंने प्रत्येक यन्त्र का विशिष्ट ध्वनि रूप लाने के लिए स्टूडियो का उपयोग किया। 'फीलिंग्स' लीक से हटकर थी। यह एक शास्त्रीय संरचना थी जिसमें मैंने डोगरी लोक संगीत, पंजाबी लोकधुनों और विभिन्न रागों के अपने सम्मिश्रण से प्रेरणा ली थी। बिलकुल सही खनक पैदा करने के लिए मैंने ईरानी सन्तूर का प्रयोग किया और रिकार्डिंग संयन्त्रों का उपयोग तबले के गुंजाययान, सजीव बहिर्मुखी प्रकृति के उभार के लिए और सन्तूर की वायविक रहस्यवादी और आध्यात्मिक विशेषता के लिए किया। 'फीलिंग्स' एक लोकप्रिय सफलता थी। उन लोगों ने भी जो आम तौर पर शास्त्रीय संगीत नहीं सुनते, इसकी प्रशंसा की। तनावग्रस्त और अशान्त लोगों को भी इसमें शान्ति मिली।

निर्देशक की कुर्सी

सन् साठ से अस्सी के बीच मैंने नियमित रूप से फिल्म संगीत बजाया और रचा। रोमांटिक स्थितियों में जहाँ सही वातावरण चाहिए होता—वहाँ सन्तूर की बहुत माँग थी। संगीत निर्देशक पूरी संरचना मुझ पर ही छोड़ देते। वे कोई निर्देश नहीं देते केवल दृश्य के भाग मुझे दे देते। ख्वाजा अहमद अब्बास और कमाल अमरोही जैसे निर्माताओं ने मुझे अभिनय के प्रस्ताव भी दिये—सात हिन्दुस्तानी जैसी फिल्मों में। पर मेरी अभिनय में रुचि कभी नहीं थी। एक बार जब मैं कलकत्ता में रविशंकर जी के साथ उदयशंकर जी की नृत्य नाटिका 'सामान्य क्षति' के लिए बजा रहा था, अमला शंकर ने एक और सुझाव दिया। उन्होंने ज़ोर दिया कि मैं उस नाटिका में नृत्य के लिए बिलकुल उपयुक्त हूँ।

जब से फिल्म उद्योग बना है, भारत के महान् शास्त्रीय संगीतकार उसमें रुचि लेते रहे हैं। उस्ताद अमीर खान और डी.वी. पलुस्कर ने 'बैजू बावरा' में और पं. रविशंकर ने 'अनुराधा' और 'गोदान' के लिए संगीत दिया। अली अकबर खान साहब ने 'आँधियाँ', 'हमसफर' और 'हाउस होल्डर' के लिए संगीत रचना की। अन्य शास्त्रीय और फिल्मों में संगीत देने वाले संगीतकारों में पन्नालाल घोष, निखिल बैनर्जी और उस्ताद विलायत खान के नाम सम्मिलित हैं।

चूँकि मैं सन्तूर को शास्त्रीय संगीत के रूप में स्थापित करना चाहता था, 1980 तक मैं संगीत निर्देशक के रूप में प्रतिबद्ध होने के लिए तैयार नहीं था। जब मैंने यश जी के निर्देशन में 'सिलसिला' के लिए संगीत दिया तो मेरी एक शर्त थी कि मैं हरि जी के साथ काम करना चाहता था। यश जी तुरन्त मान गये। शेष अब इतिहास है। 'सिलसिला' बनाने के दौरान, बहुत स्मरणीय घड़ियाँ आयीं। एक समय यश जी ने हमें मीराबाई के भजन की संरचना करने को कहा जिसे लता जी को गाना था। पर अफसोस, इससे एक विकट स्थिति उत्पन्न हो गयी। लता जी ने पहले ही निर्णय ले लिया था कि वे मीरा का भजन तभी गाएँगी जब हृदयनाथ मंगेशकर उसकी संगीत रचना करेंगे। हम उनके पास यह प्रस्ताव

लेकर कैसे जाते? फिर भी यश जी ज़िद पर अड़े थे और दृश्य मीरा के भजन की माँग करता था।

लता जी से मेरी मित्रता 'गाइड' के दिनों से थी जिसमें उन्होंने 'पिया तोसे नैना लागे रे' गाया था और मैंने पंचम (आर.डी. वर्मन) के विशेष आग्रह पर तबला बजाया था। मैं उनकी आवाज़ और सुरों पर बढ़िया नियन्त्रण का ही नहीं अपितु उनकी समर्पित दक्षता का भी सम्मान करता था। वे प्रत्येक रिकार्डिंग को बहुत गम्भीरता से लेती थीं और जब तक अपने प्रदर्शन से संतुष्ट नहीं हो जाती थीं, धैर्यपूर्वक अभ्यास करती थीं। वे कोई परिवर्तन नहीं सुझाती थीं; समय पर आती थीं और काम समाप्त होने पर लौट जाती थीं। वे एक बड़ी कलाकार थीं और यदि उन्होंने मना कर दिया तो हम विचित्र स्थिति में पड़ जाएँगे। सो एक दिन जब उन्होंने हमारे लिए एक रिकार्डिंग समाप्त की और अच्छे मूड में थीं, मैंने अपने भजन की संरचना उन्हें सुनायी। उन्होंने आँखें मूँदकर चुपचाप सुना। हरि जी, यश जी और मैं साँस रोककर उनकी प्रतिक्रिया की प्रतीक्षा कर रहे थे। संरचना के समाप्त होते ही उन्होंने कहा—"कब रिकार्ड करें।" ये थीं लता जी, फिल्म जगत् में किसी भी युग में होने वाली विशिष्ट गायिका।

फिर थे अमिताभ बच्चन! अमिताभ से मेरे सम्बन्ध तब से हैं जब वे फिल्म जगत् में अभी अपना स्थान बना ही रहे थे। हमलोग हवाईअड्डे पर मिले थे जब उन्होंने मुझे एक एल.पी. पर हस्ताक्षर करने को कहा जिसे वे अपनी माँ को उनके जन्मदिन पर भेंटस्वरूप देना चाहते थे। उनकी पत्नी जया ने मुझे बताया कि विवाह के पहले वे दोनों मिलकर मेरा संगीत सुनते हुए शामें बिताया करते थे। अमिताभ ने सदा ही मुझे एक बेहद मेधावी और अनुशासित कलाकार के रूप में प्रभावित किया है। 'सिलसिला' के दौरान एक शाम मनोरमा और मैंने जया और उनको भोजन पर आमन्त्रित किया। उन्होंने कहा कि क्या मैं उनके लिए अपने संगीत कक्ष में अपनी कुछ सजीव संरचनाएँ बजा सकता हूँ। डेढ़ घंटे तक वह अकेले बैठकर राग 'बागेश्वरी' की संरचना सुनते रहे।

मुझे सदा ही लगा कि अमिताभ को संगीत की समझ है और उसमें रुचि है। मेरी अन्तःभावना सही निकली जब बहुत अनुनय के बाद वह 'सिलसिला' में गाने के लिए मान गये। वह शूटिंग के बाद रिकार्डिंग स्टूडियो में रात के साढ़े बारह बजे आते और ढाई बजे तक टेप सुनते रहते। कई बार तो ये तात्कालिक अनौपचारिक संगीत गोष्ठी हो जाती जिसमें मैं कोई पहाड़ी धुन सुनाता, हरि जी कोई धुन गुनगुनाते और अमिताभ उत्तर प्रदेश का लोकगीत गाते। पर जब उनकी अपनी रिकार्डिंग की बारी आती वह तय समय पर बाकी संगीतकारों के साथ आते और देर तक अभ्यास करते रहते। इतनी गम्भीर बैरीटोन आवाज़ का धनी

वह लता जी के साथ कविता पाठ में ही नहीं अपितु प्रसिद्ध गीत—'रंग बरसे' जिसे उनके पिता हिन्दी कवि डॉ. हरिवंश राय बच्चन ने लिखा था, को भी बहुत बढ़िया गाया।

हरि जी और मैंने कई फिल्मों के लिए संगीत रचना की, पर समय एक गम्भीर बाधा बन गया। प्रदर्शन करने, दौरे करने, संरचना करने और शिक्षण में मेरा इतना समय लग जाता था कि मैं फिल्मों के लिए समय निकाल ही नहीं पाता था। मुझे एकान्त में समय बिताने, ध्यान लगाने और अपने अन्तर्मन से वार्तालाप करने की इच्छा भी थी। मुझे अपने प्रबोधन के विकास के लिए शान्ति और एकान्त चाहिए था।

पाँच

धरोहर बाँटना

जब मैं छोटा था तो हम बहुत मर्यादापूर्वक रहते थे। जब भी पापा को रिकार्डिंग के लिए बुक करने के लिए फोन आता तो मम्मी बहुत उत्तेजित हो जातीं, जो मुझे आज भी याद है। तब एक दिन हमारी खुशी का ठिकाना न रहा जब पापा हमारी पहली कार एक पीली फिएट घर लाये। पापा, मम्मी और मैं बैंड स्टैंड पर आइसक्रीम खाने जाते। बच्चे के रूप में मैं पिताजी के धैर्य पर चकित रहता था। मैंने एक ही बार उन्हें अपना संयम खोते हुए देखा था, वह था—दादाजी का निधन। वे बच्चे की तरह फूट-फूटकर रोये थे।

स्कूल में मैं पिताजी के व्यवसाय के बारे में बताने में असमर्थ था और कुर्ता पाजामा पहने एक संगीतकार के प्रारूप के बारे में बुरी तरह से चिढ़ाया जाता था। तब हरि चाचा का बेटा स्कूल में दाखिल हुआ और जीवन आधी छुट्टी के समय थोड़ा सहनयोग्य हुआ क्योंकि राजीव और मैं मिलकर अपने-अपने पिता के काम का अड़तालीस अन्य बच्चों के सामने पक्ष लेते।

—रोहित शर्मा

बचपन में ही मैं पिता के कार्यक्रमों में जाने लगा था। मंच पर अब वे अजनबी थे—अपने ही संगीत में खोये वे एक भिन्न व्यक्तित्व थे। फिर तालियों की गड़गड़ाहट, उन्हें घेरे हुए प्रशंसक, उनके पैर छूते, उनके हस्ताक्षर माँगते संवाददाता और फोटोग्राफर...। इस सारी प्रशंसा से मैं प्रभावित नहीं हुआ। मुझे पता था कि कहीं भीतर पापा

इन सबसे प्रभावित नहीं होते थे और जब तक हम घर पहुँचते थे वे फिर से मेरे पापा बन जाते और इस सत्य को कोई बदल नहीं सकता था।

अठारह वर्ष के आसपास मैंने गम्भीरता से सन्तूर सीखने का निर्णय लिया। मैं जीन्स पहनता था और मम्मी की घोर विरक्ति के चलते कान में एक बाली भी पहनता था और पाश्चात्य पॉप संगीत सुनता था। पर अब सन्तूर मेरी दिनचर्या का केन्द्रबिन्दु था। आज मेरे अपने श्रोता हैं पर फिर भी मैं पिताजी के आगे नौसिखिया अनुभव करता हूँ। मुझे वे विशालपुरुष लगते है—हम सबसे महान!

—राहुल शर्मा

गुरु रूप

सन्तूर की ध्वनि इतनी कोमल और वायवीय है कि वह अकसर एक मर्मर से अधिक कुछ भी नहीं। जब मैं अन्य सन्तूरवादकों को यन्त्र को रूखी तरह से उठाते या कठोर तान निकालते सुनता हूँ तो बहुत कष्ट होता है। मेरा सन्तूर से सम्बन्ध इतना गहरा है कि मैं अनुभव करता हूँ कि प्रत्येक वादक जो इस यन्त्र को बजाना चाहता है या तो इससे पूरी तरह न्याय करे या फिर बजाना छोड़ दे।

जब मैं एक बच्चा था, हमारा घर पिताजी के शिष्यों के लिए एक शरणस्थल भी था। बम्बई जैसे भीड़भाड़ वाले शहर में शिष्यों को घर में स्थान देना असम्भव है पर मैं उन्हें मेरे साथ जितना चाहें उतना समय बिताने के लिए और घर पर खाने के लिए प्रेरित करता हूँ। जब मैं बम्बई से बाहर प्रदर्शनों के लिए जाता हूँ तो पुरुष शिष्यों को अपने साथ यात्रा करने को कहता हूँ। मैंने कभी भी शिक्षण के लिए फीस नहीं ली।

गुरु शिष्य परम्परा भारतीय शास्त्रीय संगीत का अभिन्न अंग है। एक सच्चा गुरु सदा एक शिष्य की खोज में रहता है और एक सच्चा शिष्य वह है जो अपने गुरु की उपलब्धियों को समझे। यह अत्यन्त महत्त्वपूर्ण है कि वह अपने गुरु का पूर्ण सम्मान करे, न केवल संगीतकार के रूप में अपितु एक मनुष्य के रूप में भी। एक बार जब वह ऐसा करता है तो गुरु जो शिक्षा देता है उसे ग्रहण करके उससे भी आगे निकल जाना चाहिए। केवल भावी पीढ़ियाँ ही बता पाएँगी कि गुरु इसमें सफल हुआ या नहीं।

मेरा सदा विश्वास रहा है कि एक संगीतकर का धन उसका घर, बैंक एकाउंट या कारें नहीं हैं अपितु उसके शिष्यों की योग्यता है। सारे जीवन में एक भी ऐसा शिष्य मिलना विरल है जिसमें इतना धैर्य और लगन हो कि वह गुरु से पूरी शिक्षा ग्रहण करे और उससे आगे निकल जाये। बाबा अलाउद्दीन खान बहुत भाग्यशाली थे कि वे संगीतकारों की एक जमात—जैसे उस्ताद अली अकबर खान, पं. रविशंकर और पन्नालाल घोष को प्रशिक्षण दे सके।

प्रतिबद्धता और समर्पण—दो आवश्यक गुण हैं। अतः मैं सदा अपने शिष्यों को धैर्य रखने को कहता हूँ। चमकदमक, प्रसिद्धि और बहुत सारे धन की एकदम से अपेक्षा करना बेवकूफी होगी। एक गुरु-शिष्य का सम्बन्ध स्थापित हो जाये तो वह जीवन भर चलता है या चलना चाहिए। पर शिष्य अकसर तात्कालिक प्रसिद्धि और यश के लिए अपनी निष्ठा बीच राह में ही बदल देते हैं। इन मूर्खों को शीघ्र ही अपनी गलती का अहसास हो जाता है और वे लौटने का प्रयास करते हैं। जब मेरे साथ ऐसा हुआ और एक नवयुवक छोड़कर जाने का झूठा बहाना बनाकर मेरे पास लौट आया तो मैंने उसे स्वीकार नहीं किया। मैं एक उदाहरण रखना चाहता था ताकि अन्य इस तरह की आदतों को न अपनाएँ। एक गुरु के रूप में मैं सदा एक आदर्श शिष्य की खोज में रहता हूँ—जो सन्तूर का सन्देश आगे तक ले जाये।

ज्ञान का सम्प्रेषण एक सुन्दर सम्बन्ध है। शास्त्रानुसार किसी सुपात्र शिष्य को ज्ञान प्रदान करना एक सद्‌गुण है। इसके तीन तरीके हैं—पहला एक शिष्य को अपनाकर उसे बिना किसी अपेक्षा या फीस के शिक्षित करना। दूसरा—अपनी कला के पाठ का दूसरे व्यक्ति की कला या विज्ञान के पाठ से विनिमय करना। तीसरा—अपनी कला को व्यावसायिक बना लेना और फीस लेकर प्रशिक्षण देना। आजकल ऐसे स्कूल, कॉलेज या अन्य संस्थाएँ हैं जो विद्यार्थियों को तय फीस लेकर पढ़ाती और प्रशिक्षित करती हैं। 70 के दशक में मैंने अपने श्रोताओं की रूपरेखा में क्रमिक परिवर्तन लक्षित किया। कार्यक्रमों में युवा चेहरे, भारतीय शास्त्रीय संगीत की ओर झुकते हुए नये लोग आने लगे। ज़ाहिर है स्पिकमैके के प्रयास सफल हो रहे थे और युवा श्रोता हमारे संगीत की ओर आकर्षित हो रहे थे। अगला कदम अपेक्षित था—बिना वास्तविक रुचि के केवल जोश में आकर कई युवा उन्हें शास्त्रीय संगीत में प्रशिक्षण देने के लिए आग्रह करने लगे। छात्रों की भीड़ प्रदर्शनों के बाद हमें घेरने लगी और एक अवसर देने के लिए प्रार्थना करने लगी। सबसे दृढ़निश्चयी घर तक आने लगे, बहुत उत्साहित दिखते हुए वे दरवाज़े पर आ जाते।

भारतीय शास्त्रीय संगीत को समर्पित हम कुछ लोग कुछ कठोर नियमों और आचार संहिता से बँधे हुए थे। परम्परागत, भारतीय शास्त्रीय संगीत पश्चिम की तरह संस्थाओं में नहीं पढ़ाया जाता था, भारतीय उस्ताद और पंडित अपना ज्ञान अपने पुत्रों को देते थे। इस नियम की तरह कि एक राजा का पुत्र ही गद्दी पर बैठेगा, यह सर्वविदित था कि गुरु के बाद उसका पुत्र ही परम्परा को आगे बढ़ाएगा। अगर उनकी इच्छा होती तो वे कुछ निकट शार्गिदों को अपने आस-पास इकट्ठा करके उन्हें अपना ज्ञान और बुद्धिमत्ता बाँटते। पर यह एक छोटा

दायरा होता। बाबा अलाउद्दीन खान (उनका प्रत्येक शिष्य अपने आपमें एक महान् कलाकार था) को छोड़कर इसमें हम सबको सीमित सफलता ही मिली।

धीरे-धीरे ऐसे शिष्यों को अपनाया जाने लगा जो संगीत की पृष्ठभूमि से नहीं थे—विदेशी भी, और गुरु उनको भारतीय शास्त्रीय संगीत में निष्णात करने लगे। पर गंडा बाँधने का समारोह जिसमें गुरु शिष्य की कलाई पर धागा बाँधकर उसे अपना शिष्य बनाता है—आज भी प्रचलित है। कभी-कभी बदले में शिष्य गुरु और गुरु पत्नी को धन, स्वर्ण या मिठाई देता है और इस बन्धन को पवित्र करने और शिष्य को आशीर्वाद देने के लिए अन्य संगीतकारों को भी आमन्त्रित किया जाता है।

परम्परागत गुरु वैदिक शिक्षण पद्धति के नियमों का पालन करता है। शास्त्रों में गुरु को बहुत आदर से देखा जाता है और अपना ज्ञान बाँटना सबसे पुण्य कर्म समझा जाता है। हालाँकि कुछ संगीतकारों को अपने और परिवार के भरण-पोषण के लिए गुरुदक्षिणा लेनी पड़ती थी पर अन्य भाग्यशाली थे जिन्हें राजकीय संरक्षण प्राप्त था। महाराजा संगीतकारों को बहुत आदर सत्कार देते थे जिसके बदले संगीतकारों को उनके इशारों पर नाचना पड़ता था। उन्हें लम्बे समय के लिए अकेला छोड़ दिया जाता था पर अचानक उन्हें दरबार में महाराजा और उनके मेहमानों का मनोरंजन करने के लिए बुला लिया जाता था।

आज व्यावसायिक संगीतकार होना आम बात हो गयी है। मैं अपने प्रदर्शनों और रिकार्डिंगों से काफी कमा लेता हूँ और अपने शिष्यों से कोई फीस नहीं लेता। मेरे लिए एक शिक्षक और गुरु में एक बुनियादी अन्तर है—शिक्षक प्रशिक्षण को एक व्यवसाय के रूप में लेता है जबकि गुरु अपनी प्रतिबद्धता के कारण शिक्षा देता है। भारत में गुरु केवल संगीत ही नहीं, उसके दार्शनिक और आध्यात्मिक पहलुओं का प्रशिक्षण भी देता है। हो सकता है पिताजी ने मुझमें यह मनोवृत्ति उत्पन्न की हो। अपने कई शिष्यों के रियाज़ को ध्यानपूर्वक सुनने के अतिरिक्त वे उनकी भलाई के बारे में भी चिन्तित रहते थे और निश्चित करते थे कि उन्होंने पेट भर खाना खाया और उचित समय व्यायाम में भी लगाया।

मेरा पुत्र रोहित सन् 67 में पैदा हुआ और राहुल 72 में, पर मेरी पत्नी उनमें से किसी को भी संगीत को व्यवसाय के रूप में अपनाने की सोच भी नहीं सकती थीं। वे झल्लातीं कि परिवार में एक संगीतकार ही काफी है। अत: आरम्भ में मुझे सही सम्भावना वाले शिष्यों की खोज करनी पड़ी। मेरे पहले शिष्य रतनलाल टिक्कू से मेरे जम्मू विश्वविद्यालय के प्राध्यापक ने यह कहकर परिचय करवाया कि वह मेरे संगीत को काफी समय से सुनता आया है और सीखने के लिए तत्पर है। वह भारतीय रेलवे में कार्यरत था और काम के बाद सीखने आता

था। इस तरह मेरा पहला शिष्य मुझसे आयु में बड़ा था, विवाहित था और उसके अपने बच्चे थे। पर उसने मुझे गुरु रूप में स्वीकार किया और पूरा सत्कार दिया। वह एक गम्भीर और सौम्य व्यक्ति था और जहाँ तक मुझे स्मरण है उसने कभी कक्षा से अवकाश नहीं लिया। मेरा दूसरा शिष्य बड़ौदा का नन्दकिशोर मुले था। वह एक संगीतकार का बेटा था और गायन तथा कत्थक सीख रहा था जब उसने मेरा एक प्रदर्शन देखा और सन्तूर सीखने और अपनी सारी शक्ति लगाने का निर्णय लिया। मेरी मित्र और नर्तकी प्रतिभा पंडित ने उसकी सिफारिश की थी और मैं उसे अपना शिष्य बनाकर प्रसन्न था। उसके तुरन्त बाद मद्रास से कर्नाटक गायक और वीणावादक आर. विश्वेश्वरन आया। विश्वेश और नन्दू अब स्थापित सन्तूरवादक हैं।

1973 में एक शाम मैं दिल्ली में विष्णु दिगम्बर समारोह में श्री विनयचन्द्र मुद्गल के घर पर बजा रहा था जब पं. सी. आर. व्यास ने अपने पुत्र और गायन शिष्य के बारे में चर्चा की जो अब सन्तूर सीखना चाहता था। मैं संगीत परिवार के इतने वरिष्ठ कलाकार की यह प्रार्थना मानकर प्रसन्न था। पं. व्यास ने मुझे सतीश को प्रारम्भिक ज्ञान देना तत्काल ही आरम्भ करने को कहा और इस तरह सतीश ने अपना सन्तूर जीवन आरम्भ किया।

विनय जी के सान्निध्य से मुझे सदैव सकारात्मक मानसिकता मिली। वे विनायक राव पटवर्धन के प्रतिभाशाली शिष्य रहे हैं जिन्होंने स्वयं महान् विष्णु दिगंबर पलुस्कर से शिक्षा ग्रहण की थी। पलुस्कर जी अपने आप में एक संस्था थे। उन्होंने अकेले भारतीय शास्त्रीय संगीत को उस समय पुनर्जीवित किया जब इसे बदनाम नाचने वालियों या तवायफों का क्षेत्र माना जाता था। उनके प्रयासों के कारण ही बेगम अख्तर, सिद्धेश्वरी देवी और केसरबाई केरकर आदि प्रतिभाएँ विकसित हुईं। मैं आज भी उनके नाम पर हुए कार्यक्रम में प्रदर्शन करके गर्व का अनुभव करता हूँ, हालाँकि विनय जी अब हमारे बीच नहीं हैं।

उस समय से सतीश मेरा शिष्य बना और धीरे-धीरे और कई—किरण पाल सिंह लन्दन से, हरजिन्दर पाल सिंह जबलपुर से भी उसके साथ मेरे शिष्य बने। दोनों नामधारी सम्प्रदाय के थे और उनके आध्यात्मिक गुरु जगजीत सिंह उन्हें मेरे पास लाये थे। सद्गुरु जी का प्रेरणादायक मिशन केवल आध्यात्मिक ज्ञान ही नहीं था अपितु सुपात्र संगीतकारों को उन्होंने विलायत खान साहब, रामनारायण जी, किशन महाराज जी और मेरे पास हमारी कला सीखने के लिए भेजा। मुझे आज भी गुरु जी के पीछे हाथ में बरफी, बादाम और फूल लिए उत्साही चेहरे याद हैं जो मेरे पास गंडा बन्धन समारोह के लिए आये थे। वे समर्पित शिष्य थे जो माहिम गुरुद्वारे में रहते थे और मेरे पास नियमित रूप से शिक्षा के लिए आते थे।

इसके विपरीत विश्वेश्वरन मेरे पास आने से पहले ही संगीतकार था। उसे सन्तूर सिखाना—जिस तरह का यन्त्र उसने पहले कभी नहीं बजाया था, मेरे लिए एक चुनौती थी। मुझे प्रसन्नता हुई जब उसने शीघ्र ही सही शैली सीख ली और दक्षिण में सन्तूर बजाना आरम्भ किया। उसके पहले अकसर उसकी पत्नी चित्रा नृत्य करती थी। अन्य संगीतकार जो सरोद या सितार वादक थे, मुझसे अकसर मेरी शैली के बारे में प्रश्न करते—आप लय से सम्बन्ध कैसे स्थापित करते हैं? कई संगीतकार मुझसे ताल के बारे में पूछते ताकि वे मेरी शैली को अपनी शैली में सम्मिलित कर सकें। मैं उन्हें धीरे से समझाता कि मैं उन्हीं शिष्यों को सिखाना पसन्द करता हूँ जो सन्तूर को प्राथमिकता देते हैं।

मुझे अपने सबसे योग्य शिष्य असम्भावित स्थानों में मिले। टोकियों में एक युवती ने मेरे ग्रीनरूम में आकर प्रार्थना की कि मैं उसकी बात सुनूँ। मंच प्रबन्धक एक कड़ी महिला थीं जो हर व्यक्ति को स्टेज के दरवाज़े से भगा देती थीं। पर यह लड़की किसी तरह मुझ तक पहुँचने में सफल हो गयी। उसने जल्दी से बताया कि वह मुझसे संगीत सीखना चाहती है। उसका नाम था—मारी कुमोरो; और वह तबलावादक शंकर घोष की शिष्या रही है। उसने मुझे कलकत्ता में सुना था और सन्तूर उसे इतना पसन्द आया कि एक खरीदकर मेरी रिकार्डिंग सुनकर स्वयं बजाने का प्रयास किया। उस शाम टोकियो में वह मेरे होटल में आयी और मुझे बजाकर सुनाया। मैं उसकी ईमानदारी और श्रद्धा से प्रभावित हुआ और उसे सिखाने के लिए मान गया। उसने अपने एक देशवासी की सिफारिश की। उस युवक का नाम था सिमुत्सु मियोशीता जो बम्बई आकर मेरा शिष्य बन गया। इनके अतिरिक्त ताकाहीरो भी कई वर्षों से मेरा शिष्य है।

अन्ततः मुझसे एक जर्मन जैज़ संगीतकार बी. सीवर्स ने भावपूर्ण प्रार्थना की। ये सभी प्रतिभाशाली संगीतकार बम्बई में मुझसे सीखते रहे हैं और सन्तूर में बहुत बढ़िया प्रगति कर रहे हैं।

जैसा पिता वैसा पुत्र

मेरे बेटे रोहित और राहुल शास्त्रीय संगीत सुनते हुए बड़े हुए, पर मेरी पत्नी इस बात पर अड़ी थी कि वे अन्य क्षेत्रों में अपना भविष्य खोजें। मैं उसकी इच्छा के विपरीत नहीं जाना चाहता था। एक नयी दुल्हन के रूप में उसने अपने पति को एक सम्मानजनक आय कमाने के लिए संघर्ष करते हुए देखा और असुरक्षा का अनुभव किया था। इसी प्रकार मैंने भी सोचा कि यही सही होगा कि बच्चे अपना भविष्य स्वयं चुनें। रोहित इंग्लैंड में पढ़ा, लौटकर बम्बई में बस गया और हिन्दुस्तान लीवर में काम करने लगा। पर राहुल धीरे-धीरे पर स्पष्ट रूप से अपने पिता के व्यवसाय की ओर बढ़ा। इसे नियति कहें या भाग्य, राहुल का मन संगीत में था।

जब लड़के युवा थे, मैंने दोनों को अपने वाद्ययन्त्र में गहरी रुचि लेते देखा था। मैंने अकसर देखा कि मेरी अनुपस्थिति में छोटे हाथों ने चोरी से बक्सा खोल कर सन्तूर से छेड़छाड़ की है। और एक दिन जब मैं जल्दी घर लौट आया तो मैंने दोनों को संगीत कक्ष में रंगे हाथों पकड़ लिया। बड़े से पाँच साल छोटा राहुल प्रसन्नता से सिर हिला रहा था और रोहित आँखें मूँदकर सन्तूर बजाने का प्रयास कर रहा था। मेरी पहली प्रतिक्रिया थी कि मैं उन्हें इतनी बहुमूल्य वस्तु से छेड़छाड़ करने के लिए डाँटूँ पर रोहित का भयभीत चेहरा देखकर मैंने ऐसा नहीं किया। अगले दिन मैंने रोहित से पूछा कि क्या वह मुझसे सीखना चाहेगा; और इस तरह मेरे बड़े बेटे की शिक्षा आरम्भ हुई। रोहित बहुत उत्साही शिष्य था और तेजी से सरगम सीख गया। पर नौवीं कक्षा में होने के कारण उसे पढ़ाई भी करनी थी।

जब रोहित विश्वविद्यालय चला गया तो राहुल ने बड़े भाई का साथ न होने के कारण अपने आपको अकेला पाया। उस समय मैंने उसके संगीत सुनने के गुप्त प्रेम को पहचाना। वह इतनी लय से सीटी बजाता और गुनगुनाता कि हरि जी ने उसे एक छोटी बाँसुरी खरीद दी और घोषणा कर दी कि राहुल उनका

शिष्य होगा। पर बाँसुरी उसकी कल्पना को अधिक देर तक बाँधकर नहीं रख सकी और मैंने देखा कि उसका ध्यान भटक रहा है। परीक्षा के तौर पर मैंने उसे एक की-बोर्ड खरीदकर दिया, यह देखने के लिए कि वह उसका क्या करता है। मेरा अनुमान सही था—की-बोर्ड उसे पसन्द आया। फिर मैंने उसे एक सन्तूर खरीदकर दिया। मैंने जल्दी से मनोरमा को बताया कि यह केवल मनोरंजन के लिए है। पर राहुल की रुचि और बढ़ाने के लिए मैं उसके रिश्ते के भाइयों और दूसरे मित्रों को अकसर एक घंटे के लिए बुला लेता।

दूसरे जब अभी मूल पाठ ही सीख रहे थे, राहुल ने सरगम सीख ली और तत्काल मुझे पता चल गया कि उसमें बहुत प्रतिभा है। उसकी समझ इतनी तेज थी कि वह बिना प्रयास के सन्तूर से पढ़ाई और परीक्षा और फिर सन्तूर पर ध्यान केन्द्रित कर लेता था।

सभी बारह वर्षीय बच्चों की तरह वह बहुत शीघ्र ऊब जाता था और अभ्यास से घृणा करता था। इसके विपरीत अपने बचपन से ही उसमें संरचना की प्रतिभा थीं—वह अपने आपको घंटों कमरे में बन्द कर की-बोर्ड पर संरचना करता रहता। इस समय हम चाँदनी फिल्म की संरचना कर रहे थे। मैंने राहुल को अपने साथ फिल्म के सेट पर आने को कहा। उसे आदेश सुनकर मूल बातें सीखने को कहा। उसका शिक्षार्थन तब तक चलता रहा जब तक केवल पार्श्व संगीत की संरचना शेष बची थी। यश चोपड़ा चाहते थे कि संगीत फिल्म के मूड और नायक के रोष के साथ मेल खाये और यश जी एक सख्त निर्देशक थे। मैंने राहुल से कहा कि तुमने फिल्म देखी है और हमारा विचार विमर्श भी सुना है, क्यों न तुम पार्श्व संगीत के एक भाग की संरचना करो। कुछ ही दिनों में राहुल ने कुछ संरचना कर ली थी। हमने यश जी को संगीतकार का नाम बताये बिना वह टुकड़ा सुनाया। वे बहुत प्रसन्न हुए। हमने उसी समय उसे रिकार्ड कर लिया।

जब हमने यश जी को बताया कि यह अंश किसने रचा है तो वे और भी प्रसन्न हुए। राहुल की खुशी का ठिकाना न रहा जब वह धुन 'लम्हे' (श्रीदेवी और अनिल कपूर की बाद में बनी फिल्म) में एक गीत बनी—'कभी मैं कहूँ कभी तुम कहो।' यह राहुल के व्यावसायिक रूप से संरचना करने की शुरुआत थी। उसके बाद भारतीय फिल्म संगीत में उसका काफी योगदान रहा है।

राहुल कॉलेज के दिनों में शास्त्रीय संगीत के बारे में गम्भीर हुआ। उसके बाद मुझे उसे अपने पाठ सीखने और रियाज़ करने के लिए याद नहीं कराना पड़ा। उसे प्रेरित करने के लिए मैंने ऐसे गम्भीर शिष्यों—धनंजय दैठनकर और दिलीप काले के बारे में बताया जो कष्ट सहकर मुझसे संगीत सीखते थे। वे पुणे से बस

द्वारा आते, मुझसे तीन-चार घंटे सीखते, दोपहर का भोजन करते और देर दोपहर की बस द्वारा पुणे लौटते। राहुल चुपचाप उन्हें सीखते हुए देखता।

इस समय मेरी भावनाएँ मिश्रित थीं। मुझे उसे पढ़ाने से प्रसन्नता होती थी क्योंकि वह बहुत शीघ्र सीख जाता था, पर मन-ही-मन मैं अभी आश्वस्त नहीं था कि वह शास्त्रीय संगीत सीखेगा या फिल्म संगीत की ओर मुड़ जाएगा जहाँ उसने अपना स्थान बना लिया था। एक बार वह एक कदम आगे बढ़ गया और पाश्चात्य शास्त्रीय संगीत में रुचि दिखायी। इसके लिए मैंने उससे विदेशों में संगीत संस्थाओं की ओर देखने को कहा। परम्परानुसार मैंने लगभग दो वर्ष उसे कई-कई बार राग यमन का अभ्यास कराया। मैंने उसमें अधीरता के विशिष्ट लक्षण उभरने की प्रतीक्षा की पर उसने मुझे निराश नहीं किया। वह अपनी कला में निपुणता के लिए कार्यरत रहा और मैंने देखा कि जैसे-जैसे उसका बजाना तकनीकी और रचनात्मक स्तर पर बढ़िया होता गया, उसे उसमें आनन्द आने लगा।

मैं राहुल का गुरु था पर मैं उसका पिता भी था जो उसे समझता था और उसके साथ सहानुभूति रखता था। जब उसने अपने कई विकल्पों के बारे में सोचा तो मैं चुप रहा। मैं उस पर अपने विचार और महत्त्वाकांक्षा थोपना नहीं चाहता था। हम अपने पिता के समय से बहुत आगे निकल आये थे। मेरे पिता सर्वप्रथम मेरे गुरु थे पर मैं पहले राहुल का पिता होना चाहता था, उसके बाद ही उसका गुरु। मुझे कोई अन्तर नहीं पड़ता यदि वह रोहित की तरह अपने लिए संगीत न चुनता; पर यदि वह संगीत चुनता है तो उसे अपने आपको सिद्ध करने के लिए दुगना परिश्रम करना पड़ेगा क्योंकि लोगों की अपेक्षाएँ बहुत ऊँची होंगी। लोग सदा यह देखने को उत्सुक होंगे कि पं. शिवकुमार शर्मा का पुत्र एक संगीतकार के रूप में कैसे उभरता है।

दो साल राग यमन सीखने के बाद राहुल मेरे पास आया और कहा, ''मैंने अपना निर्णय ले लिया है—मैं आज से शास्त्रीय संगीत को प्राथमिकता दूँगा।'' वह दृढ़-निश्चयी था। उसने मेरे पदचिह्नों पर चलने और मेरा शिष्य बनने का चुनाव किया था। उसके बाद राहुल पूर्णतया मेरे प्रति समर्पित हो गया और मेरे आदेश का पालन करते हुए अन्य शिष्यों के साथ बैठकर अभ्यास करने लगा। मनोरमा ने यह निर्णय स्वीकार कर लिया। 'यह नियति है'—उसने अनमना-सा होकर कहा। मैं तो बहुत प्रसन्न था। मैंने पहले ही पहचान लिया था कि राहुल के पास एक संगीतकार की सहज प्रवृत्ति है और संगीत को वह अपनी आत्मा से चाहता है। उसे एक बड़ी कमजोरी पर विजय पानी थी—वह था मंच का भय। जब वह मेरे साथ 'स्पिकमैके' के दौरे पर सुदूर हिमाचल गया तो मेरे आश्वासन देने पर भी कि वहाँ केवल छात्र ही होंगे, सब ठीक होगा, वह तानपूरा बजाने

मंच पर नहीं आया। बहुत झिझक के बाद और मेरे आश्वासनों के बावजूद वह पहली बार सेंट ज़ेवियर कॉलेज, बम्बई के एक समारोह में मेरे साथ तानपूरा बजाने आया और आलाप आरम्भ करने पर पूर्णतया सहज हो गया।

जब दोनों लड़के छोटे थे तो रोहित मेरा अनुकरण करता था—मेरी तरह शेव करते हुए गाल पर खरोंचे लग जाती थीं या फिर सन्तूर बजाने का प्रयास करते हुए तार तोड़ देना। पर आज राहुल अपने आपको मेरी तरह ढाल रहा है और इस प्रक्रिया में अपनी उपस्थिति दर्ज कराने का प्रयास कर रहा है। उसे अपनी कला को अपना सर्वस्व दे देना चाहिए। उसके पास असाधारण रूप से कठिन लयों को सुनकर पकड़ने की कला है। पर उसे अभी भी रियाज़ और केवल रियाज़ की अनुशासित जीवन शैली को अपनाये रहना होगा। अपने पिता का पुत्र होना आसान नहीं है, लोग सदा तुलना करते रहेंगे।

मैं अपने शिष्यों को सदा दौरे पर अपने साथ ले जाकर प्रशिक्षित करता हूँ। सतीश व्यास और नन्दकिशोर मुले ने मेरे साथ भारत में और विदेश में यात्राएँ की हैं। यह अनुभव एक अच्छा कलाकार बनने के लिए आवश्यक है, चाहे वह केवल सुने या तानपूरा बजाये। राहुल का महत्त्वपूर्ण दिन 1996 में नार्वे में आया जब उसने मेरे साथ बराबर बैठकर बजाया। यह एक महत्त्वपूर्ण अन्तर्राष्ट्रीय समारोह था। मैं एक बहुत बड़ा जोखिम उठा रहा था और मुझे राहुल की तैयारी में शायद थोड़ा-सा सन्देह था, और यह भी कि क्या भरा हुआ सभागार उसकी एकाग्रता को भंग तो नहीं कर देगा। सुबह जब वह मेरे कमरे में आया तो स्वाभाविक था कि वह थोड़ा व्यग्र था। ''पापा, आज मेरे भाग्य का निर्णय होना है''—उसने कहा, ''यदि सब कुछ ठीक-ठाक होता है तो अच्छा; अन्यथा मैं और कोई व्यवसाय चुन लूँगा।'' जैसे-जैसे दिन बीतता गया, राहुल शान्त और अन्तर्मुखी होता चला गया, जब हम ग्रीनरूम में ट्यूनिंग कर रहे थे, तब भी। जब हमारी बारी आयी तो शफात अहमद खान और हम को छोड़कर खाली पर खूब प्रकाशित और भव्य मंच पर हमने अपना-अपना स्थान ग्रहण किया। जब हमने तालियों की गड़गड़ाहट स्वीकार की तो मैंने राहुल की ओर देखा और उसमें आये परिवर्तन को देखकर चकित रह गया। वह मेरे साथ खड़ा था, पूरे विश्वास के साथ मुस्कराता हुआ। उसने उस शाम इतना अच्छा बजाया कि श्रोता विश्वास नहीं कर पाये कि यह उसका प्रथम सन्तूर प्रदर्शन था। उस क्षण से उसने विश्व भर में जितना सम्भव हो सका मेरे साथ दौरा किया।

उस दौरे के बाद महेश बाबू की 'बैन्यन ट्री' कम्पनी ने सन्तूर विरासत का आयोजन किया और राहुल और मैंने भारत में पहली बार एक साथ बजाया।

स्वाभाविक था कि यहाँ पर बहुत कुछ दाँव पर था पर राहुल ने निराश नहीं किया और उसके प्रदर्शन की बहुत प्रशंसा हुई।

राहुल आज भी युवा पीढ़ी में लोकप्रिय है—न केवल शास्त्रीय संगीतकार के रूप में पर एक संरचनाकार के रूप में भी। बम्बई में पत्रकारिता और टी.वी. की अति है और राहुल पहले ही बहुत ध्यान आकर्षित कर चुका है। मैं आशा करता हूँ कि वह अपना व्यक्तित्व बनाये रखे जैसे कि उसने अब तक किया है और अपनी विरासत के मूल्यों को याद रखे। ईश्वर सब शुभ करेंगे।

आठवें दशक में राह पर

आठवें दशक की यादों में ज़ाकिर का नाम अवश्य आता है। सातवें दशक के अन्त तक देश और विदेश दोनों में वह मेरे प्रदर्शनों का स्थायी अंग बन गया था। मुझे उससे अच्छा तबलावादक नहीं मिल सकता था। वह विशिष्ट था, पर इससे भी अधिक आवश्यक बात यह थी कि हम दोनों के बीच एक गहरा निजी बन्धन था और हम दोनों एक-दूसरे की संगति का बहुत आनन्द उठाते थे। संगतकारों को दोयम दर्जे का कलाकार मानना अभी भी प्रचलित था और यह इतना घटिया था कि आयोजक तबलावादक को केवल रेल का किराया और सस्ता निवास स्थान देते थे और मुख्य कलाकार को हवाई यात्रा का किराया और बढ़िया होटल का कमरा दिया जाता था। जब एच.एम.वी. ने सन् '80 के आसपास मेरी ज़ाकिर के साथ पहली रिकार्डिंग के कवर पर केवल मेरी फोटो छापने का निर्णय लिया तो मैंने बड़े स्पष्ट शब्दों में उनसे दोनों की फोटो छापने को कहा।

उन दिनों बहुत ही आदर करनेवाला और शर्मीला ज़ाकिर मेरे साथ बहुत संकोची था। वह मुझे अपने अब्बा के मित्र के रूप में देखता था, पर धीरे-धीरे यह दीवार भी गिर गयी और हम गहरे मित्र बन गये। अजनबी देशों और विदेशी धरती पर लम्बी यात्राओं के दौरान उसकी हँसानेवाली कहानियाँ सुनना अच्छा लगता था और यूरोप और अमेरिका में वह एक समारोह स्थल से दूसरे तक स्वयं गाड़ी चलाकर जाता था।

सन् 1980 में हरि जी, ज़ाकिर और मैं ज़ाकिर की जिन्दादिल और सुन्दर पत्नी टोनी द्वारा संचालित अमेरिकी दौरे पर गये। हरि जी और मैंने मंच सम्भाला, जाकिर ने तबले पर और अनुराधा चौरसिया ने तानपूरे पर संगत की। इस बार हमने अमेरिका में नये अनुभव किये। पहले रविशंकर जी की टीम के सदस्य के रूप में हमने विशाल जनसमूह के सामने प्रदर्शन किया था जो जॉर्ज हैरीसन और स्वयं रवि जी को सुनने आता था और कार्यक्रम बहुत विपुल पैमाने पर आयोजित किये जाते थे। अब हम घनिष्ठ गोष्ठियों में बजा रहे थे पर श्रोता केवल हमको

सुनने आते थे। हमारा उद्देश्य ऐसे श्रोता बनाना था जो हरि जी की बाँसुरी, मेरा सन्तूर और ज़ाकिर का तबला सुनने आयें। आरम्भ में श्रोता कम थे और अधिकतर भारतीय, विशेष रूप से यदि आयोजक भारतीय होता। हमारा संयोजक अमेरिकी होता तो भारतीय और अमेरिकी दोनों श्रोता आकृष्ट होते। धीरे-धीरे अमेरिकी लोगों की क्षीण धारा एक बड़ी नदी में परिवर्तित हो गयी। जैसे-जैसे संगीत प्रेमी नियमित श्रोता बनते चले गये, हम जब भी अमेरिका आते, वे हमारे समारोहों में आने लगे।

इसके तुरन्त बाद मैंने हैदराबाद के एक संगीतप्रेमी हबीब अहमद की कृपा से जो शिकागो में बस गया था, बीस कार्यक्रमों में एकल प्रदर्शन किया। उसकी अमीर खुसरो सोसाइटी ने शास्त्रीय संगीत को प्रोत्साहित किया और उन श्रोताओं के लिए जो हमारी कला के प्रति उत्साहित थे, मेरे जैसे संगीतकारों के कार्यक्रम आयोजित किये। धन कमाना उद्देश्य नहीं था क्योंकि आयोजन समिति केवल मेरा किराया भर देती थी। फिर भी, मेरा प्रयास धीरे-धीरे सफल हो रहा था। भारतीय शास्त्रीय संगीत के चमकते सितारे—पं. रविशंकर, उस्ताद अली अकबर खान अब उस्ताद अल्लाहरखा खान के साथ भारतीय शास्त्रीय संगीत के प्यासे भारतविदों से खचाखच भरे सभागारों में प्रदर्शन कर रहे थे। पर एक छोटे स्तर पर मैं अपने श्रोता बना रहा था। शीघ्र ही मेरे अनियमित कार्यक्रम वार्षिक अनुबन्ध हो गये और मैं न्यूयॉर्क, सानफ्रांसिस्को, लॉस एंजिल्स और शिकागो से बोस्टन, क्लीवलैंड और अन्य छोटे नगरों और विश्वविद्यालीय शहरों में बजाने लगा। हार्वर्ड में अपनी सफलता से मुझे विशेष प्रसन्नता हुई जहाँ श्रोताओं ने खड़े होकर तालियाँ बजायीं और पुनः पुनः बजाने का कहा।

भारत की तरह मैं विश्वविद्यालयों में अपने श्रोता बनाता रहा और शीघ्र ही अमेरिकी विश्वविद्यालयों ने पश्चिम में भारतीय कला और संगीत का सम्वर्द्धन करने के लिए एक संस्था (भारत में स्पिकमैके की तरह) बनायी। उनमें से कुछ ने मुझे बताया कि वे सन्तूर सुनकर ही भारतीय शास्त्रीय संगीत की ओर आकर्षित हुए। एक बार जब उन्होंने सन्तूर सुना तो शहनाई, सरोद, सितार और गायन, जो आरम्भ में उन्हें बहुत जटिल लगता था, का भी आनन्द उठाने लगे।

मेरी नये श्रोताओं की खोज के बावजूद मुझे अपने स्तर को नीचा गिराने का लोभ कभी नहीं हुआ। यदि समय सीमा है जैसा कि पश्चिम में अकसर होता है, तो मैं मस्तिष्क में मोटे तौर पर एक प्रारूप बना लेता हूँ कि कैसे निर्धारित समय में संरचना प्रस्तुत करनी है। ऐसे अवसरों पर शार्टकट लेना बहुत आसान होता है। आलाप को पूरी तरह छोड़कर सीधा तबले के साथ गति और लय पर आरम्भ से ही आ जाना नये श्रोताओं के लिए अच्छा हो सकता है पर यह मेरी

शैली कभी नहीं रही। हमारी परम्परा में आलाप, जोड़ और झाला के साथ, संरचना का सार और अभिन्न अंग होता है। मेरे निकट सुविधा के लिए आलाप से छेड़छाड़ करना एक महापाप है। नये श्रोताओं को आलाप का महत्त्व बताने और हम इसे तबले के बिना क्यों बजाते हैं, समझाने में मुझे कोई आपत्ति नहीं है। पर इसे पूरी तरह से हटा देने के बारे में हम सोच भी नहीं सकते।

भारत में हम पश्चिम की नकल करते हैं और भड़कीले वस्त्र पहने डी.जे. आँखों में तारे बसाये नयी पीढ़ी को प्रभावित करने के लिए फैशन-परस्त बनते हैं। पश्चिमवासी आज भी भारतीय संस्कृति को कौतूहल से देखते हैं। हर बार जब मैं विदेशी दौरे से लौटता हूँ, तो नये अनुभवों को मनोरमा और परिवार के साथ बाँटता हूँ। हाल ही में मैं फ्रांस में पेरिस और बोरद्यू में केवल फ्रांसीसियों के लिए प्रदर्शन कर रहा था। उन्होंने तकनीकी भाग को समझे बिना मेरे संगीत को आध्यात्मिक रूप में लिया। संगीत एक वैश्विक भाषा है और भारतीय शास्त्रीय संगीत पश्चिमी लोगों को इसके आध्यात्मिक स्वरूप के लिए अच्छा लगता है जो उनके आधुनिक संगीत (शास्त्रीय संगीत में भी) नहीं है। पं. रविशंकर ने सफलतापूर्वक एक परम्परा आरम्भ की जो आनेवाली पीढ़ी के प्रत्येक संगीतकार को लाभान्वित करेगी। हमने संगीत जगत् में अपनी पहचान बनायी है।

सन्तूर जब एक बार लोकप्रिय वाद्ययन्त्र के रूप में स्थापित हो गया तो मैं 50 के आसपास के अपने संघर्ष को याद करना नहीं भूल पाया। जब सन्तूर एक नया वाद्ययन्त्र था और कृपा का पात्र था। हितैषियों की बातें जिन्होंने मुझे अन्य वाद्ययन्त्र बजाने को कहा था इतने वर्षों बाद भी सालती हैं। अब जब कि सन्तूर और बाँसुरी ने अपने वफादार श्रोता बना लिए थे, सभी क्षेत्र के नये संगीतकार भी उसकी आभा में चमक रहे थे। सितार और सरोद के कुछ युवा कलाकारों ने अपनी पहचान बनायी और संगीत परिदृश्य पर अपना स्थान बनाया। शाहिद परवेज एक बढ़िया सितारवादक था और प्रतिभाशाली निशात खान और शुजात खान, दोनों की बहुत माँग थी। उस्ताद अमजद अली खान की शानदार शैली ने सरोद के लिए आशा के नये द्वार खोले। उस्ताद अली अकबर की पीढ़ी के बाद वही एक चमकता प्रकाश स्तम्भ था। चूँकि वह उस्ताद हाफिज अली खान साहब का प्रतिभाशाली वंशज था, ऐसा अपेक्षित ही था।

आठवें दशक में मैं किशोरी अमोनकर और पं. भीमसेन जोशी के साथ उनके कार्यक्रमों में सन्तूर बजाता था। सन्तूर और शास्त्रीय गायकी का सम्मिलन श्रोताओं को बहुत पसन्द आया और मेरा सारा समय कार्यक्रमों से भर गया। इस नयी प्रवृत्ति ने संगीत रिसर्च एकेडेमी के कई सेमिनारों में गम्भीर चर्चा को जन्म दिया। कुछ समीक्षक अभी भी तर्क देते कि सन्तूर में कई तकनीकी कमियाँ हैं। पर मैंने तर्क

का उत्तर न देते हुए केवल अपने वाद्ययन्त्र से प्रदर्शित कर दिया कि सन्तूर में बहुत पहले ही आवश्यक परिवर्तन कर दिये गये हैं। और इस प्रकार का बौद्धिक तर्क-वितर्क केवल गम्भीर सम्मेलनों में कुछ गिने-चुने संगीतकारों के बीच ही था जहाँ हम सब को प्रश्न उठाने और अपने विचार रखने का अधिकार था।

जब अपने संगीत परिवार के लोग श्रोताओं में होते हैं तो हम बहुत अच्छा प्रदर्शन करते हैं। मेरा मानना है कि सबसे रचनात्मक समीक्षा हमारे साथी या वरिष्ठ संगीतकार ही करते हैं और मैं उनकी टिप्पणियों का आदर करता हूँ। आडम्बरी संगीत समीक्षकों के शब्द मेरे लिए कोई अर्थ नहीं रखते और कुछ ज्ञानी पत्रकारों को छोड़कर जो बहुत निष्ठा और उत्साह से लिखते हैं, संगीतकार परिवार में अन्य पत्रकारों की राय गम्भीरता से नहीं ली जाती। मेरे सबसे बढ़िया प्रदर्शन डोवर लेन संगीत सम्मेलन और संगीत रिसर्च एकेडेमी के समारोहों में दिल्ली, बम्बई, पुणे, हरिबल्लभपुर, नासिक, मद्रास और ऐसे स्थानों पर हुए हैं जहाँ श्रोताओं में रसिक-संगीत के उत्कट प्रेमी होते हैं। ऐसी परिस्थितियों में एक आह्लादकारी चुनौती होती है कि आप अपना अच्छे से अच्छा प्रदर्शन करें।

मैं एक और प्रकार से भावुक हो जाता हूँ जब बँगाल के मुफस्सिल शहरों या महाराष्ट्र के गाँवों में प्रदर्शन करता हूँ, जहाँ धनाभाव के बावजूद रसिक प्रतिवर्ष समारोह आयोजित करते हैं। महानगरों में मैंने इंजीनियरों, आईटी के व्यावसायिकों और मेडिकल सम्मेलनों में बजाया है जहाँ अधिकांश श्रोता नये होते हैं। इन सभी स्थानों पर मैं अपने सिद्धान्तों पर अटल रहा हूँ और पहले गम्भीर संगीत बजाता हूँ न कि एक हल्की धुन या पहाड़ी धुन जो लोगों को आसानी से पसन्द आ जाती है। मैं सदा आशा करता हूँ कि मैं केवल गिनेचुने लोगों को निर्मल शास्त्रीय संगीत से प्रभावित कर सकूँ। यही पुरस्कार मेरे लिए काफी है।

मैंने महान् संगीतकारों को आम आदमी को छोड़कर कुछ चुनिन्दा रसिकों को उनके आकर्षक परिवेश में बजाते हुए देखा है। दूसरी ओर सुगम संगीत के गायकों के पास गम्भीर श्रोताओं के लिए कुछ नहीं होता। मैंने इस सम्बन्ध में एक अर्से से सोचा है और दोनों तरह के श्रोताओं के बीच सन्तुलन बनाने का प्रयास किया है।

हम संगीतकार एक आचार संहिता—तहज़ीब का पालन करते हैं। हम एक-दूसरे को सदा औपचारिक रूप से पुकारते हैं। हम चाहे जितना भी उकसाये जायें, प्रयास करते हैं कि किसी को नाराज़ न करें। हम सबको पं. रविशंकर और उस्ताद बिस्मिल्लाह खान के बीच रूखे सम्बन्धों का पता है पर सार्वजनिक बातचीत में वे बेहद विनम्र और औपचारिक हैं। उनके निजी सम्बन्ध और एक-दूसरे के प्रति

सही भावनाएँ दिलचस्पी पैदा करती रहती हैं पर ये सभी अफवाहों की दुनिया तक ही सीमित है।

पुरस्कार एक अभिशाप हैं और वे सदा ही कलाकारों के बीच झगड़े की जड़ होते हैं। भारतरत्न, पद्मविभूषण और पद्मश्री जैसे पुरस्कार सदा वैमनस्य पैदा करते हैं। पुरस्कार पानेवालों पर सदा अनेक बुरे कर्म करने का आरोप लगाया जाता है और विजेता को कभी भी सुपात्र नहीं समझा जाता। कभी-कभी इस आलोचना में सच्चाई होती है पर मुझे अत्यन्त क्षोभ होता है कि उस्ताद अल्लाह रखा खान को कभी बड़ा सम्मान नहीं मिला। यदि कोई इन पुरस्कारों का अधिकारी था तो वे थे खान साहब जो अन्त तक पद्मश्री ही रहे।

मैं अपने आप को यह सोचकर सान्त्वना दे लेता हूँ कि उस्ताद अल्लाहरखा खान को कोई अन्तर नहीं पड़ा। वे बहुत उदार थे और अपने संगीत में इतने मगन थे कि पुरस्कारों जैसी नगण्य बातों की परवाह नहीं करते थे। मैं पं. रविशंकर के भारतरत्न मिलने पर हुए शोर और अवांछित आलोचना से भौचक्का रह गया। यदि किसी ने अपने दम पर भारतीय शास्त्रीय संगीत को विश्वभर में लोकप्रिय बनाया है तो वे महान् संगीतकार पं. रविशंकर हैं। किसी और संगीतकार के भारत से बाहर जाने से पहले, रवि जी के सितार ने श्रोताओं को मन्त्रमुग्ध कर दिया—यहाँ तक कि जार्ज हैरीसन को भी उनका चेला बनने को प्रेरित किया। यह सच है कि उस्ताद अल्लाहरखा खान के योगदान को भी पहचाना जाना चाहिए था, पर इससे रवि जी के योगदान को कम नहीं आँका जा सकता। इसी तरह जब उस्ताद बिस्मिल्लाह खान साहब को भारतरत्न प्रदान किया गया तो कुछ लोगों ने कहा कि यह अल्पसंख्यकों को प्रसन्न करने की सामरिक चाल थी। यह सब बकवास है। उस्ताद बिस्मिल्लाह खान साहब की शहनाई की जादुई आवाज़ ने कई पीढ़ियों के श्रोताओं को बाँधकर रखा है। वे अपने दीन-हीन वाद्ययन्त्र को अपनी कड़ी मेहनत और बेहतरीन कला के बल पर अकल्पनीय ऊँचाइयों तक ले गये। मेरी पीढ़ी इन महान् कलाकारों का सम्मान करके बड़ी हुई है और दुख होता है जब उनका नाम विवेकहीन ढंग से लिया जाता है।

एक अबोधगम्य रूप में मैं कई बार पिताजी को याद करता हूँ और उनकी उपस्थिति की कमी अनुभव होती है। 1972 में जब मेरी माता जी का निधन हुआ तो वे हमारे पास रहने के लिए बम्बई आ गये। अपने प्रिय जम्मू से इतनी दूर रहना उन्हें पसन्द नहीं था और बड़े शोर-शराबे वाले शहर में अधीर थे पर व्यावहारिक कारणों से उन्हें हमारे पास रहना पड़ा। अपने जीवन के अन्तिम वर्ष में मेरा सन्तूर बजाना ही उनको शान्ति प्रदान करता था। जब भी मैं मंच पर आता, उनकी आँखों में चमक आ जाती और वे बड़े ध्यानपूर्वक मेरा बजाना सुनते। वे

अपनी प्रशंसा में इतने उदार थे जितनी मेरी गलतियों की आलोचना में। क्या पता उनकी आत्मा यहीं कहीं हो और मुझे अपने पहले सभी प्रदर्शनों से बेहतर बजाने और सम्पूर्णता की ओर बढ़ते हुए देखने के लिए आशीर्वाद दे रहे हों।

मेरे जीवन का सबसे बड़ा सत्य यह है कि मैं अकेला हूँ। मैंने अपनी यात्रा के हर कदम पर यह अनुभव किया है। वास्तव में एक समय 'मैं अकेला हूँ' मेरे लिए एक मन्त्र बन गया जिसने मुझे संघर्ष के लिए शक्ति और जीवन का सामना करने के लिए ऊर्जा प्रदान की। जैसे-जैसे आप बड़े होते जाते हैं, जीवन अकेला होता जाता है और मैं अपने भीतर शान्ति खोजता हूँ। शान्त क्षणों में मैं पुराने दिनों के उत्तेजनापूर्ण प्रदर्शनों की कमी अनुभव करता हूँ जब हमारे अग्रज, महान् संगीतकार पहली पंक्ति में बैठकर तेज प्रकाश में हमारे प्रदर्शन को बड़ी पैनी दृष्टि से आँकते थे। मैं सोचता हूँ कि एक सच्चा कलाकार कभी मरता नहीं, उसकी आत्मा हम जैसे नश्वर मनुष्यों को ऊँचाइयाँ छूने के लिए सदा प्रेरित करती रहती है।

छह

महानगर से आगे

(शिव जी के साथ प्रदर्शन करना) स्वर्ग में पहुँच जाना है, एक ऐसी जगह पहुँचना जहाँ कोई चिन्ता, झगड़ा, ऋणात्मकता, नरक कुछ नहीं है। यह एक बहुत सुन्दर स्थान पर होना है जहाँ आप सर्वोत्तम आत्माओं और जीवों की उपस्थिति में मुस्कानों और हर्ष का आनन्द ले रहे हो। शिव जी के साथ बजाते हुए सदैव ऐसी ही अनुभूति होती है—एक प्रकार के जादू की अनुभूति!

—**ज़ाकिर हुसैन**

संगीत और आध्यात्मिकता

भारत में संगीत और धर्म सदा से साथ-साथ चलते आये हैं। अनन्तकाल से हिन्दू मन्दिरों में देवी-देवताओं की प्रशंसा में भजन गाये जाते रहे हैं, उसी प्रकार जिस प्रकार मस्जिदों और चर्च में संगीत की प्रमुख भूमिका रही है। यह स्वाभाविक है कि शास्त्रीय संगीत का उपयोग आध्यात्मिक कार्यों के लिए किया जाये।

सन्तूर का संगीत योग और ध्यान के लिए उपयुक्त है। व्यस्त व्यवसायी आज के शोर भरे वातावरण में सन्तूर के शान्तिदायक गुण के लिए इसे सुनते हैं। ऐसे श्रोताओं के लिए मैंने अन्तर्ध्वनि—अन्तरात्मा का गीत की संरचना की। यह आसान काम नहीं था—मैंने कई दिन आरोही और अवरोही सुरों को परिशुद्ध करने में लगाये। इसके बाद ही मैं इसके बारे में अपने घनिष्ठ मित्रों को बता पाया। पर जैसे ही इस राग की संरचना हुई, मुझे पता था कि यह ध्यान के लिए बेहद उपयुक्त है। म्यूजिक टुडे ने उत्साह दिखाया और हमने आध्यात्मिक विचारोंवाले लोगों के लिए अन्तर्ध्वनि की संरचना की।

श्रोताओं की प्रतिक्रिया बहुत लाभप्रद रही। एक डॉक्टर ने लिखा कि उसने हाल ही में मानसरोवर की कठिन यात्रा की है और वहाँ इस कैसेट को सम्पूर्ण एकान्त में सुना। ऐसा लगा जैसे मुझे ईश्वर के दर्शन हो गये। इससे इस बात में मेरा विश्वास और भी बढ़ गया कि जब आप गम्भीरता से संगीत सुन रहे हैं तो परिवेश से बहुत अन्तर पड़ता है। अन्तर्ध्वनि ऐसे समय के लिए विशेष रूप से उपयुक्त है जब थका हुआ मस्तिष्क पूर्ण शान्ति चाहता है और अपने आपको बाहरी तनावों से दूर रखना चाहता है। एकान्त में सुनने पर यह संगीत स्नायुओं को शान्त कर देता है और श्रोता को परमानन्द की स्थिति में पहुँचा देता है। प्राणायाम और गहरी साँस की क्रियाओं का अभ्यास करनेवाले अपने शरीर के रोम-रोम में इस संगीत का अनुभव कर सकते हैं और इसका प्रभाव अत्यन्त स्फूर्तिदायक होता है।

जब मैं साठवें दशक में पहुँचा तो मुझे स्पष्ट हो गया कि मैं एक महान्

उद्देश्य के लिए संगीत-रचना कर रहा हूँ। हम सभी इस भूमंडल में नश्वर हैं और हमारा एक जीवन-लक्ष्य है। जब हमारा कार्य सम्पन्न हो जाएगा तो हम इस पृथ्वी से अचानक उठ जाएँगे जैसे कि हम आये थे। हिन्दूशास्त्र बताते हैं कि शरीर जिससे हम जाने जाते हैं—नष्ट हो जाएगा और आत्मा अनन्तकाल तक जीवित रहेगी। मैं इसमें विश्वास रखता हूँ। कुछ भी अमर नहीं है, हमारे सभी दुख और चिन्ताएँ हमारे शरीर के साथ ही नष्ट हो जाएँगी और हमारी आत्माएँ वास्तविकता के ऊँचे धरातल पर पहुँच जाएँगी। इस प्रकार चरम सत्य की खोज एक बौद्धिक अनुष्ठान न होकर आध्यात्मिक है।

उपनिषद्-अमृत में जिसे आप मेरा सत्य के साथ अन्य प्रयोग कह सकते हैं; मैंने संगीत का उपयोग आध्यात्मिकता तक पहुँचने के लिए और एक शास्त्र के सार एवं आत्मा को समझने के लिए किया है। इस शास्त्र में मेरे विश्वासों की पूँजी है। 1999 नोबेल शान्ति पुरस्कार समारोह, जिसमें मुझे आमन्त्रित किया गया था; मैंने प्रबुद्ध विद्वान स्वामी चिदानन्द जी महाराज के साथ काम किया और फिर से पाया कि संगीत आध्यात्मिकता का अभिन्न अंग है। मेरे लिए सांसारिक सम्पत्ति और भौतिक लाभ शून्य है। पुरस्कार, प्रशंसा, बड़ी-बड़ी परियोजनाएँ और एलबम विमोचन आदि पूर्वोल्लास के सूचक हैं। मेरे कर्म मुझे अन्य दिशाओं में ले जा रहे हैं—एक ऐसे भविष्य की ओर जो अतीत जैसा नहीं है, जिसमें मैंने बालसुलभ निष्कपटता से धर्म के बारे में सीखा था। जैसे ही हमने ध्यानपूर्वक श्लोकों को चुना, मैंने आधुनिक सन्दर्भ में उनका अर्थ समझा। मेरा विश्वास है कि एक संगीतकार का व्यक्तित्व उसके संगीत में झलकता है, इसलिए मैं अपने प्रयासों में जितना हो सके सत्यनिष्ठ होने का प्रयास करता हूँ। क्योंकि मुझे पता है कि श्लोक सत्य कहते हैं, मैं उनको अपने व्यवहार में लाता हूँ और आस-पास की भावनाओं को संगीत के माध्यम से सम्प्रेषित करता हूँ। मैं केवल एक माध्यम हूँ पर मुझे अपने गुरुओं और पूर्वजों का आशीर्वाद प्राप्त है, और इसलिए मैं उन सबका आभारी हूँ।

संस्कृत श्लोकोच्चारण के वेदपाठियों की पारम्परिक शैली के स्थान पर हमने अपनी संरचनाओं को रागों पर आधारित करने का निर्णय लिया। मैंने दस श्लोकों की स्वरावली भिन्न-भिन्न रागों पर आधारित की जैसे कि राग यमन, जोग, पूरिया धनाश्री, जनसम्मोहिनी, वागेश्वरी, पहाड़ी और शंकरा आदि। इस तरह से प्रत्येक श्लोक को भिन्न भाव दिया। संस्कृत के साथ-साथ हमने उच्चारणों को हिन्दी और अँग्रेज़ी में भी रिकार्ड किया ताकि साधारण व्यक्ति भी उन्हें समझ सके।

शुद्ध शास्त्रीय संगीत को ठुमरी और दादरा की सुगम शैली में ढालने के ऐतिहासिक कारण हैं। ऐसा माना जाता है कि औरंगजेब ने अपने पिता के दरबार

के संगीतकारों को एक शाही फरमान द्वारा गायन न करने का आदेश दिया। इस तरह संगीतकार सभ्य समाज से बहिष्कृत हो गये। अपनी कला को नष्ट होने से बचाने के लिए उन्होंने नाचनेवालियों के बीच शरण ली। शास्त्रीय संगीत इस भेष में बचा रहा। पर चूँकि उस पर एक लांछन लगा था इसलिए उच्च समाज के लोग अपने बच्चों को संगीत को एक व्यवसाय रूप में अपनाने से वर्जित करते रहे। बाद में पं. विष्णु दिगंबर पलुस्कर ने लाहौर में एक संगीत विद्यालय स्थापित कर संगीत शिक्षा को गम्भीरता से लेने और युवा छात्रों को प्रोत्साहित करने में एक प्रमुख भूमिका निभायी।

एक सच्चे संगीतकार के लिए संगीत एक धर्म है। संगीत बिरादरी में यह कोई महत्त्वपूर्ण नहीं है कि कोई मन्दिर में प्रार्थना करता है या मस्जिद में। हमारी कला ही हमारा धर्म है। उस्ताद बड़े गुलाम अली खान का प्रिय भजन था ओइम् तत्सत् और एक बार मैंने उस्ताद विलायत खान को टेलीविज़न पर राग भैरव की उत्पत्ति पर एक कार्यक्रम का संचालन करते हुए देखा। विद्वत्तापूर्वक और सुस्पष्ट शब्दों में उन्होंने भगवान शिव और राग भैरव, जो शिव का ही दूसरा नाम है, के बीच धार्मिक सम्बन्ध समझाया। वे इतने बढ़िया बोले कि मैं अन्य कार्यक्रम भूलकर पूरी तरह उनको ही सुनता रहा।

भारतीय शास्त्रीय संगीत की उत्पत्ति निस्संदेह प्राचीन भारतीय मिथकों से हुई है जहाँ शिव अपने डमरू के साथ लय-ताल के रचयिता हैं और सरस्वती अपनी वीणा के साथ शिक्षा और कलाओं की आराध्य देवी हैं। जो भी इसकी निर्मल मन से पूजा करता है, वे उसी की हैं। जब विभाजन ने हमारे देश का बँटवारा किया और पाकिस्तान बन गया तो बड़े गुलाम अली खान नये देश में ही रहे। एक माने हुए उस्ताद को हर प्रकार से आदर मिला सिवाय एक बात के कि उन्हें मुस्लिम सरकार ने अपना प्रिय भजन गाने से मना कर दिया। उन्होंने मुल्लाओं को समझाया कि उस भजन का धर्म से कोई सम्बन्ध नहीं है और वह उनके गुरु जी द्वारा दिया गया गुरुमन्त्र भर है, पर उनके कानों पर जूँ तक न रेंगी। अपना प्रिय लाहौर छोड़ते हुए उनका दिल तो टूट गया पर उन्होंने अपना सामान बाँधा और भारत की राह पकड़ी, जहाँ उन्होंने अपना शेष जीवन बिताया।

स्पष्ट है कि हम इतिहास को नये सिरे से नहीं लिख सकते। उदाहरणतया, अधिकांश रागों के नाम की उत्पत्ति संस्कृत से हुई है और फौजी हुकम के अनुसार उन्हें बदला नहीं जा सकता। राग भैरव, दुर्गा, बागेश्वरी और दरबारी सदा से ऐसे ही कहलाते आये हैं और सभी धर्मों के संगीतकार उन्हें शताब्दियों से इसी प्रकार गाते चले आये हैं। वास्तव में उस्ताद रहीमुद्दीन खान डागर जैसे अनेक महान् विद्वान हुए हैं जो संस्कृत श्लोकों का उच्चारण पूरे प्रभावशाली ढंग से करते थे

क्योंकि वे संस्कृत के पंडित थे। राजीव गाँधी के आग्रह पर आयोजित 'अपना उत्सव' में एक भाषण देते हुए उस्ताद नसीर अमीनुद्दीन डागर ने राग की प्रक्रिया (आलाप, जोड़, झाला) की तुलना पूजा के विभिन्न सोपानों से की है। फिर भी मुझे डर लगता है कि यह सब कुछ किसी भी समय बदल सकता है और मैं केवल प्रार्थना कर सकता हूँ कि ऐसा मेरे जीवनकाल में न हो। हमने शान्ति के लिए बहुत बड़ा मूल्य चुकाया है। हम आशा करते हैं कि यह शान्ति बनी रहे।

कुछ क्षेत्रों में जसराज जी के केवल भजन गायन की आलोचना यह कह कर हुई है कि यह हमारी कला और संस्कृति का तथाकथित भगवाकरण है। मैं निजी तौर पर सोचता हूँ कि जसराज जी का यह निर्णय उनकी आयु और आध्यात्मिक कारणों से सम्बन्धित है। पंडित भीमसेन जोशी एवं किशोरी अमोनकर भी अपने भजनगायन के लिए प्रसिद्ध हैं और भीमसेन से लगभग हर बार प्रदर्शन के अन्त में 'जो भजे हरि को सदा' गाने का आग्रह किया जाता है। भारतीय हिन्दुत्व के नारे से बहुत पहले से भजनों को पसन्द करते आये हैं। निन्दक हर समाज और युग में एक शाप रहे हैं। रामराज्य में भी उसके महान् त्याग के बावजूद सीता की आलोचना की गयी।

मुझे विश्वास है कि कुछ श्रेष्ठ पुरुषों का उदाहरण दूसरों को राह दिखाने में सफल होगा। उस्ताद अलाउद्दीन खान, एक श्रद्धालु मुस्लिम, मैहर में अपने घर के पास बने देवी के मन्दिर में सौ सीढ़ियाँ चढ़कर नब्बे वर्ष की आयु तक नियमित रूप से प्रार्थना करते थे। उनके विख्यात बेटे उस्ताद अली अकबर भी उसी प्रकार धार्मिक थे। यह जानकर कि मैं उनका और उनके संगीत का कितना आदर करता हूँ, एक मित्र ने 1962 या 63 में मुझे उनके कोलाबा स्थित घर पर ले चलने का प्रस्ताव रखा। उनके घर बिना बताये पहुँचने पर हमने एक अविस्मरणीय दृश्य देखा—उस्ताद जी सरस्वती और शिरडी साईं बाबा के चित्रों के सामने बैठकर ध्यानमग्न सरोद बजा रहे थे। अगरबत्ती के ऊपर उठते सुगन्धित धुएँ के बीच मैंने 'अल्लाह' लिखी हुई एक पट्टिका भी देखी। कई दशकों बाद जब मैं उन्हें सान फ्रैंसिस्को में मिला तब भी यही दृश्य देखा। यदि अली अकबर खान साहब को एक ही कमरे में अपना ईश्वर मिल सकता है तो अन्य लोगों को क्यों नहीं?

शास्त्रों में शिक्षण-प्रक्रिया को शिक्षा, दीक्षा और परीक्षा के रूप में देखा गया है। सबसे पहले आपको अपने गुरु से शिक्षा ग्रहण करनी है और फिर दूसरे कलाकारों की कला को देखना है और अन्त में अपनी योग्यता पहचानकर उसे एक पारम्परिक सन्दर्भ में रखना है। हम सभी अपने संस्कारों के साथ पैदा होते हैं और अधिकांश भारतीय परिवारों में हम जैसे-जैसे बड़े होते हैं, मूल्यों को ग्रहण करते चलते है। मैं प्रख्यात लोगों की प्रशंसा करते हुए बड़ा हुआ पर मैंने कभी

भी उनका अनुकरण करने की हद तक पूजा नहीं की। मुझे रवि जी का संगीत, उनका व्यावहारिक परिष्कार, उनका सन्तुलन, उनकी स्वच्छन्द जीवन शैली और उनकी संगीत के अतिरिक्त विभिन्न विषयों में रुचि प्रिय थी। उनकी विदेशों में सफलता का मैं प्रशंसक था पर मैं कभी भी उनकी तरह जीना नहीं चाहता था। मेरे संस्कार मेरे अपने हैं और मैं सदा ही उसी मार्ग पर चलता रहा हूँ जो विधाता ने मेरे लिए चुना है।

जब मैं युवक था तो रवि जी की संरचनाओं से गहरे रूप से प्रभावित था—प्रेरणादायक विविधताएँ जो कभी भी राग की निर्मलता को कम नहीं करती थीं, लय पर उनकी पकड़ जो उन्हें कठिन-से-कठिन लयचक्र बजाने के लिए स्वतन्त्र छोड़ देती थी। उन्होंने कर्नाटक संगीत से भाव लिए और भारतीय संगीत पर अपनी सच्ची छाप छोड़ी। अली अकबर साहब के भावप्रवण सरोदवादन ने भी जिसमें वे कभी भी अगली चाल की योजना नहीं बनाते थे, पर हर पल को अपने आप बहने देते थे, मुझे बहुत मन्त्रमुग्ध किया। उन्होंने बार-बार सौन्दर्य की रचना की। मैं उस्ताद विलायत खान के कवितामय, गीतिमय सितार वादन के ढंग पर भी मुग्ध था जो सितार द्वारा अद्‌भुत स्वर रचना करते थे और उनके संगीत का माधुर्य और ऐन्द्रिकता सबको मन्त्रमुग्ध कर देते थे। मुझे याद है कि मसीतखानी शैली में तीन ताल की धीमी गति के प्रयोग से मैं बहुत प्रभावित हुआ। मैंने भी सन्तूर पर इसे बजाने का प्रयास किया। पर सम्मोहन के ये क्षण, यदि मैं ऐसा कह पाऊँ तो, भी गुजर गये जैसे ही मैंने जाना कि ऐसा नहीं हो सकता। मैं सितार और सरोद की नकल नहीं कर पाया और न ही करनी चाहिए थी। मैंने सन्तूर पर अपनी ही शैली का विकास किया।

यद्यपि मेरे दादा राजपुरोहित थे और पिता पुजारी, मैंने कभी भी धार्मिक अनुष्ठान में विश्वास नहीं किया। मेरा ईश्वर पर पूरा विश्वास है और मैं उसकी उपस्थिति संगीत रचना के समय अनुभव करता हूँ पर मेरे लिए प्रार्थना एक आध्यात्मिक प्रक्रिया है। मैंने तीस वर्षों तक सान्ताक्रूज के योग संस्थान में योगाभ्यास किया है पर मैं ईश्वर को प्रकृति में पाता हूँ और भीड़वाले तीर्थस्थलों पर कभी नहीं। मेरे संस्कारों ने मुझे विश्वास दिलाया है कि मैं ध्यान और संगीत के द्वारा ईश्वर प्राप्ति कर सकता हूँ। लम्बे-चौड़े अनुष्ठान और यज्ञ दूसरों के लिए ठीक हैं पर वे मेरे लिए नहीं बने हैं। मन्दिरों में महत्त्वपूर्ण धार्मिक समारोहों में होनेवाला उन्माद और अराजकता कभी मुझे प्रभावित नहीं करते। हाँ, मैं कई बार मन्दिरों में गया हूँ और गिरिजादेवी के साथ तिरुपति धर्मस्थल पर बजाया भी है पर यह एक अपवाद था। ईश्वर को ध्यान के समय अपने मस्तिष्क के शून्य में पाना ही मेरी निजी शक्तिपीठ है। मुझे अत्यधिक प्रसन्नता होती है जब मैं महान् संगीत-रचना सुनता

हूँ—मुझे सच्चे आनन्द का अनुभव हुआ जब जम्मू में सन् 1955 में रविशंकर जी को सुना या अली अकबर भाई को ऑल इंडिया रेडियो लखनऊ पर पं. किशन महाराज के साथ दरबारी कान्हड़ा और कीरवानी बजाते सुना या फिर 50 के अन्त में या 60 के आरम्भ में पं. ओंकारनाथ ठाकुर और उस्ताद अमीरखान का गायन सुना। उन प्रदर्शनों ने जो आध्यात्मिक अनुभव दिया वह मैं कई दशकों बाद भी बता सकता हूँ। वे दिव्य अनुभव थे। ऐसे क्षण, जब आप संगीत पर ध्यान केन्द्रित कर उसमें इतना खो जाते हो कि यह भौतिक संसार लुप्त हो जाता है और आप चेतना के उदात्त स्तर तक पहुँच जाते हो—मेरे लिए यही निर्वाण है।

जैसे-जैसे मैं बड़ा होता गया, अपने वातावरण से दूर चला गया। अच्छा संगीतकार और अच्छा व्यक्ति बनने के लिए मैं अन्तर्मुखी हो गया। मनोरमा चिन्तित होकर मुझे झिड़कती कि मैं अपनी परिस्थितियों को अनुकूल बनाने के लिए चालाक और उद्यमी नहीं हूँ। मुझे उसे समझाने में कठिनाई होती कि मैं इन बातों की परवाह नहीं करता। मुझे पता था कि यदि मैंने भौतिक लाभ के लिए अपना ध्यान हटाया तो मेरे संगीत की ही क्षति होगी। इसलिए मैंने अपना कर्म किया और हर रात निर्मल अन्तःकरण के साथ सोया।

मैं भौतिक जगत् या अपने सांसारिक दायित्वों का त्याग नहीं कर सकता पर अन्तरात्मा से मैं एक अन्य धरातल पर खड़ा हूँ। मेरा एक मिशन है कि मैं अपने संगीत द्वारा लोगों के मन को छू लूँ। और मैं अपना कर्तव्य जहाँ तक हो सके निःस्वार्थ भाव से निभाऊँ। भाग्य हुआ तो मेरे शिष्य मेरा यह कार्य आगे बढ़ाएँगे और सन्तूर और उनके जीवन को चाहे थोड़े समय के लिए ही सही संगीत माधुर्य से भर देना यही मेरे लिए सच्चा परमानन्द है।

जैसे-जैसे युवा के रूप में गृहस्थधर्म का पालन किया, उसी प्रकार बड़ा होने पर वानप्रस्थ का पालन किया। तब मैंने प्रेम की अनुभूति की और आज मैं आध्यात्मिकता की अनुभूति कर रहा हूँ। मैं अपने मन के नेत्रों से एक चेहरा, एक छायाचित्र देख रहा हूँ जो मैंने बहुत पहले देखा था। मैं हँसी की प्रतिध्वनि सुनता हूँ या फिर मेरी आँखों से बाल हटाते हुए एक हाथ का स्पर्श अनुभव करता हूँ... और किसी दूसरे ही जीवन को याद करता हूँ। ये अनियमित दृश्य मुझे सताते नहीं और न ही छायामय भागते हुए आकारों का पीछा करने की इच्छा जगाते हैं—यह तब था और यह अब भी है। मेरे संगीत में रोमांस और आध्यात्मिकता का सम्मिश्रण है : प्राचीन काल की कथा जिसमें राधा कृष्ण के माध्यम से दिव्यता की खोज करती है। यह अवश्यम्भावी है कि जैसे-जैसे आप बड़े होते जाते हैं शारीरिक आवश्यकताएँ धीरे-धीरे अपना महत्त्व खोती जाती हैं और एक आध्यात्मिक खोज उनका स्थान ले लेती है।

जीवन ने सिखाया है कि संगीत और आध्यात्मिकता एक ही सत्य के दो पहलू हैं। मैं कभी-कभी अपने आपको माध्यम के रूप में देखता हूँ। बचपन से ही मैं उन आध्यात्मिक शक्तियों से गहरे रूप से प्रभावित हुआ हूँ जिनको मैंने अपने पिता या उनके मित्रों में देखा था जो घंटों रहस्यवाद और धर्म के पहलुओं की खोज करते थे। पूजा हमारे घर का एक नियम था जिससे मैं मन्त्रों और वैदिक श्लोकों को बिना प्रयास के सीख गया। पर किसी युवा की तरह मैं मन से रोमांटिक था। दुख से भरे गीतों के ठंडी शरत्कालीन रातों में बहकर आते टुकड़े मेरे मन में किसी अमूर्त वस्तु के लिए चाह पैदा करते थे। क्या यह मृगतृष्णा थी या भागते सूर्य द्वारा रचित एक सुन्दरी, धुन्धभरी वर्षा की फुहार के बीच से निकलती किरण-का पुंज... मेरी कल्पना में बसा हुआ एक आकार था।

भारतीय परम्परा में, रोमांच को अकसर आत्यात्मिकता से जोड़ा जाता है। सूफी संगीत ने सिखाया कि यदि आप प्रेम का अनुभव कर लें तो देवत्व की प्राप्ति हो जाती है। रोमांस से प्रभावित संगीत अन्ततः ब्रह्मांड के साथ एकात्म हो जाता है जैसा कि ओऽम् की ध्वनि में प्रकट होता है। मेरी कला ईश्वर के प्रति मेरी प्रार्थना है। मैं निरन्तर संगीत के मन्त्र द्वारा ईश्वर से सम्पर्क की कामना करता हूँ। आध्यात्मिक मिलन केवल क्षण भर के लिए होता है जब मैं श्रोताओं, अपने परिवेश, अपने अहम् और सर्वस्व को भूलकर संगीत में पूर्णरूपेण खो जाता हूँ।

मुझे प्रकृति से भी प्रेरणा मिली है। अभी भी सूर्योदय के समय हल्के गुलाबी आकाश की यादें मेरा पीछा करती हैं। या फिर जम्मू में साँझ के समय आकाश को नारंगी रंग में रँगे हुए सूर्य की याद आती है।—एकान्तप्रिय होने के कारण मुझे सदा एक वन में बैठकर शान्ति प्राप्त होती है। उसका सुगन्धित मौन, लकड़ी की गन्ध और बहते हुए जल की कलकल ध्वनि मेरी अशान्त आत्मा को शान्ति देते हैं और मुझे घर से दूर नये वन मार्गों पर चलकर सान्त्वना मिलती है। मैंने सौन्दर्य के दर्शन एक बच्चे की अबोध हँसी में, एक बुर्का पहने युवती की काजल लगी आँखों में, मधुबाला, जिसकी मैं अपनी पीढ़ी के लोगों की तरह प्रशंसा करता था, की मनोहारी चाल और सम्मोहक आकर्षण में किये। एक आवाज़ की ध्वनि, उसकी खनक और संरचना मुझे अभी भी प्रेरणा देते हैं। पुरुष के रूप में मैं भौतिक सुन्दरता से आकर्षित हुआ हूँ पर इस तरह की प्रेरणा से मैंने सम्बन्ध स्थापित करने की बजाय संगीतमय रचनाएँ की हैं। गुरुजी के पाठ ने मेरे मस्तिष्क को इतना प्रभावित किया है कि प्रणय निवेदन में समय नष्ट करने के बारे में मैंने कभी सोचा ही नहीं।

जिस घर में मैं बड़ा हुआ वहाँ रहस्यवादी लोग आते थे और मैं विचित्र

चमत्कारों का अभ्यस्त हो गया था जैसा कि पिताजी का मेरे 1957 में कलकत्ता यात्रा में बीमार होने के बारे में अन्तर्ज्ञान। मैं छिपकर पिताजी के अपने मित्रों के साथ आध्यात्मिक विषयों पर हो रही बहसें और प्रवचन सुनता था। पर वे क्या कह रहे हैं, मैं समझ नहीं पाता था और पूछते हुए डरता था। मैं कौन हूँ? मैं यहाँ क्यों हूँ? यहाँ से मैं कहाँ जाऊँगा? जैसे प्रश्न मेने मस्तिष्क में उठते रहते थे। बचपन की जटिलता और किशोरावस्था की अनिश्चितता विचित्र थी। आज जहाँ तक चमत्कारों और जादू की बात है, मैं अविश्वास के निलम्बन में विश्वास रखता हूँ। भारत में विचित्र घटनाएँ हर दिन होती हैं। तान्त्रिक अभी भी दैवीशक्ति की प्राप्ति के लिए कर्मकांड का देर रात श्मशानभूमि में अभ्यास करते हैं और मध्यप्रदेश में भैरों का मन्दिर है जहाँ मूर्ति की पूजा मद्य से की जाती है। मैंने वास्तव में पुरोहित को मूर्ति के सामने द्रव्य रखते और उसे कुछ ही पलों में लुप्त होते देखा है। ऐसे चमत्कार बिना किसी वैज्ञानिक स्पष्टीकरण के ही रहते हैं।

बम्बई में मेरे डॉक्टर, डॉ. शुक्ला ने मेरा परिचय कुछ आध्यात्मिक लोगों से करवाया। स्वामी मुक्तानन्द जी पहले ऐसे प्रबुद्ध आत्मा थे। अपने आश्रम में मेरे प्रदर्शन के पश्चात उन्होंने सिल्क का एक शाल मेरे कन्धों पर रखकर मुझे कई बार आशीर्वाद दिया। उन्होंने कहा तुम्हारा संगीत बहुत आध्यात्मिक है, तुमने अपने प्रदर्शन से एक जादुई सम्मोहन की रचना की। मैं भाव विह्वल हो उठा। शीघ्र ही मैंने पाया कि अधिकांश रहस्यवादी और दिव्यपुरुष संगीत को मनोभाव से चाहते हैं। कई अनुभव करते हैं कि अन्तरात्मा से सम्मिलन केवल एक निर्मल, पवित्र हृदय और संगीत के माध्यम से ही हो सकता है।

मेरी आध्यात्मिक जागृति की खोज का सबसे बड़ा क्षण तब आया जब मैं धर्मपरायण सत्य साईंबाबा के समक्ष खड़ा हुआ। वर्षों से मैंने बाबा की शक्तियों—हवा से उत्पन्न हुई विभूति, प्रसाद, अँगूठियों आदि के बारे में हजारों सन्देहपूर्ण किस्से सुन रखे थे, पर मैं संशयी था। उनको केवल ऊपरी तौर पर स्वीकार न करने के लिए दृढ़संकल्प था। मैं ऐसे घरों में भी गया जहाँ बाबा के चित्र के फ्रेम के ऊपर रहस्यमय ढंग से विभूति आ जाती है और इससे विश्वस्त नहीं हुआ। मैंने अपने आप से पूछा, ''यदि बाबा यह सब कर सकते हैं तो भी इस सबका क्या अर्थ है। मानवता के दु:खों पर इसका क्या प्रभाव है?''

1969 या 70 में मुझे अँधेरी स्थित साईं बाबा के आश्रम से सन्तूर के साथ आने का बुलावा आया। जब मैं मनोरमा के साथ वहाँ पहुँचा तो लोगों की भीड़ जिसमें बड़े प्रख्यात व्यक्ति—अभिनेता मनोज कुमार, संगीत निर्देशक कल्याण जी, पार्श्वगायक महेन्द्र कपूर और अन्य प्रसिद्ध व्यक्ति उनके दर्शन के लिए प्रतीक्षा कर रहे थे। कुछ समय पश्चात मुझे मंच पर बुलाया गया। उसके बाद जो हुआ

वह कल्पनातीत था। प्रदर्शन के बाद मैंने सन्तूर को सँभालकर रखा जबकि हजारों भक्त बाबा के पैरों पर प्रार्थना-अभ्यर्थना करते हुए गिर पड़े। अचानक मैंने बाबा को मुझे सम्बोधित करते पाया—''मुझे तुम्हारा संगीत पसन्द है, मैं तुमसे बात करना चाहता हूँ।'' उन्होंने मुझे मनोरमा के साथ फिर आने को कहा।

बहुत वर्ष पहले मैंने अपने आपसे एक बच्चे की अबोधता से पूछा था—''मैं, कहाँ से आया हूँ? मैं यहाँ से कहाँ जाऊँगा?'' मुझे कोई विश्वसनीय उत्तर नहीं मिले। उस दिन बाबा मेरे सामने थे और मेरी आत्मा के भीतर से यही प्रश्न निकलवा रहे थे। वे मेरे बारे में इतना सब कुछ जानते थे कि इस बात ने मुझे अपने आत्म सन्तोष से हिलाकर जगा दिया। केवल मेरे प्रश्नों का उत्तर नहीं मिल गया था पर उन्होंने मुझे एक अभिमन्त्रित अँगूठी भी दी। उन्होंने कहा—''मेरा घर तुम्हारे हृदय में है।''

तब से मुझे लगा कि बाबा मेरे साथ हैं—मैं कहीं भी होऊँ या कुछ भी कर रहा होऊँ—सब कुछ जानते हुए। इस अर्थ में मैं अपने आपको भाग्यवान मानता हूँ। बाबा से जो गहरा सम्बन्ध है, वह विशेष है। कई अन्य आध्यात्मिक गुरुओं की तरह बाबा भी संगीत से प्रेम करते हैं और कई संगीतकार जैसे कि पं. भीमसेन जोशी की भी उनसे घनिष्टता है। बाबा को मानवता पर इतनी उदारता से प्यार निछावर करते हुए देखना और उनको इतने निकट से जानना अपने आपमें बहुत प्रेरणादायक था। विश्वभर में भिन्न धर्मों और रंगों के बाबा के भक्तों से मिलना जो अतुल्य मानव में अपनी श्रद्धा के कारण एक-दूसरे से जुड़े हुए थे—सब अचम्भित करता है।

जितने वर्षों से मैं बाबा को जानता हूँ, बाबा की उपलब्धियाँ बढ़ती गयी हैं—स्कूल, कॉलेज, निःशुल्क अस्पताल, चिकित्सा कक्ष आदि स्थापित करना उनमें से कुछ हैं। फिर भी मेरे लिए उनके पास समय था। एक बार जब हम संगीत रिसर्च एकेडेमी के दौरे पर बंगलौर में थे, मैं अचानक उनके दर्शन की आशा से आश्रम गया। जब मै अनिश्चितता से भरा मैदान में खड़ा था, ऊपरी कमरे से आ रही उनकी आवाज़ ने मेरा स्वागत किया। उन्होंने अबोधभाव से मेरी उपस्थिति का अनुभव किया और मुझे बुलाकर शाम को आश्रम में सन्तूरवादन के लिए कहा। मैंने विजय किचलू, जोग साहब, गिरिजा देवी, मालविका कानन, पं. ए.टी. कानन और कुछ अन्य कलाकारों को एकत्रित किया और बाबा के लिए प्रदर्शन किया।

मैं भाग्यवश बाबा की षष्ठिपूर्ति पर भी उपस्थित था। उन्होंने मुझे पाँच लाख लोगों के सम्मुख सन्तूरवादन के लिए आमन्त्रित किया। जैसे ही मैंने बाबा के वचन सुने मेरी आँखों में आँसू आ गये—''शिवकुमार शर्मा मेरा सच्चा भक्त है, और यदि आप निर्वाण का अनुभव करना चाहते हैं तो उसके संगीत को सुनो।''

यह क्षण और ये शब्द मेरे हृदय में बस गये हैं और तनाव तथा दुख के समय मुझे सान्त्वना प्रदान करते हैं। विश्वभर से बाबा के भक्तों की इतनी भीड़ के सामने प्रदर्शन करना मैं कभी भुला नहीं पाऊँगा। जब मैंने समापन किया, बाबा ने मुझे अपने पास बुलाया और इतने भव्य श्रोताओं और अन्तर्राष्ट्रीय पत्रकारों के सम्मुख मेरी उँगली में हीरे की एक अँगूठी पहना दी।

मेरा विश्वास है कि बाबा, मेरे पिता और अन्य कई आध्यात्मिक व्यक्तियों के आशीर्वाद ने मुझे वह बनने के लिए प्रेरित किया जो आज मैं हूँ। यदि मुझे उनका आशीर्वाद न मिला होता तो मेरी शक्तियाँ और परिश्रम किसी काम के नहीं होते। शायद बचपन में धर्म और आध्यात्मिकता को मन में बिठाने के कारण मैं एक प्रौढ़ व्यक्ति के रूप में आध्यात्मिक पुरुषों और अनुभवों के प्रति अधिक मुक्त हुआ हूँ। एक बार ज़ाकिर और मैं वायुयान द्वारा दिल्ली आ रहे थे जब एक बिलकुल अनजान व्यक्ति मेरे पास आया और ऐसे बोला जैसे कि वह मुझे अच्छी तरह से जानता हो—''अपनी अधसीसी (माइग्रेन) का ध्यान रखो' उसने कहा, 'और यात्रा कम करो।'' मैं उस लम्बे भव्य विदेशी को पागल समझता यदि उसके शब्द सही न होते। अधसीसी के कारण मुझे नींद नहीं आती थी और मैं अपने प्रदर्शनों के लिए दौरों में इतना व्यस्त था कि इस बीमारी का इलाज नहीं करा पा रहा था। अपने जीवन और संगीत में मैं इतना व्यस्त हो गया कि इस भेंट को शीघ्र ही भूल गया।

दो वर्ष बाद मैं एक प्रदर्शन दौरे पर स्विट्ज़रलैंड में था। ज्यूरिच में प्रदर्शन के बाद मनोरमा, राहुल, फ़ज़ल, कुरैशी (ज़ाकिर का छोटा भाई) और हमारा मित्र टॉमस एक स्विस तबलावादक, सबने ल्यूसीन के पास एक छोटे से गाँव में छुट्टी मनायी। यह वास्तव में ही एक सुन्दर और शान्त गाँव था जिसमें कुछ छोटे बँगले, एक चर्च और एक डाकखाना था। जहाँ तक भी आप देख सकते थे—पर्वत और हरे मैदान थे जहाँ भेड़ें और गायें चर रही थीं। केवल गायों के गले की घंटियाँ और दूर बह रही छोटी नदियों की कलकल करती मधुर ध्वनियाँ ही चारों ओर थीं।

हम लोग देर रात तक गाते और बातें करते रहे और अगले दिन भी हम ऐसा ही करते यदि मेरी तबीयत बहुत खराब न हो गयी होती। मेरा गला सूख रहा था और शरीर तेज ज्वर से तप रहा था जो शीघ्र ही खतरे की सीमा तक बढ़ गया। टॉमस औरों की तरह चिन्तित था और उसने गम्भीरता से बताया कि आसपास कोई डॉक्टर नहीं है और केवल एक ही विकल्प है कि हम कुछ दूरी पर उसके एक मित्र के घर जायें जो एक प्रकार आस्था चिकित्सक था। मैंने धीरे से कहा कि मैं ऐसे चिकित्सक के पास नहीं जाऊँगा पर इतनी गम्भीर परिस्थितियों

में दूसरा चारा भी न था। जड़ीभूत और तेज ज्वर से लगभग मूर्छित मुझे झील के किनारे बने उस व्यक्ति के घर तक की यात्रा की कोई याद नहीं। जैसे-जैसे हम उस प्रसिद्ध आस्था चिकित्सक के घर कार चला कर गये, स्विस दृश्य मेरी खिड़की के सामने से गुजरते गये।

तब एक स्पष्ट क्षण में मैंने एक व्यक्ति को देखा जो बिलकुल अजनबी नहीं था—वह वही सुन्दर अमेरिकी था जिसे मैं दिल्ली हवाई अड्डे पर दो वर्ष पहले मिला था। गर्मजोशी से हाथ मिलाते हुए वह मुस्कराया और अपना परिचय देते हुए कहा कि मैं रिचर्ड विलिस हूँ। मुझे लगा कि मैं उसे बहुत लम्बे समय से जानता हूँ। पता लगा कि वह मेरे संगीत को काफी समय से सुनता आ रहा है और उसने मुझे भारत और विदेश में सुना है। रहस्यमय ढंग से उसने बताया कि वह पिछले जन्म से मेरा मित्र है और मेरे जीवन की निजी बातें, मेरी जीवनवृत्ति और स्वयं मेरे बारे में बताने लगा। मैं शीघ्र ही अपनी बीमारी को भूल गया। तब से रिचर्ड और मेरे बीच गहरी और बिना किसी शर्त के मित्रता है। मेरी तरह ही उसे भी विश्वास है कि प्रबोधन के लिए व्यक्ति का हृदय पवित्र होना चाहिए। भारतीय शास्त्रीय संगीत पूर्णतया आध्यात्मिक होने के कारण सही मार्गदर्शन करता हुआ मोक्ष के द्वार तक पहुँचा सकता है। मैं सोचता हूँ कि एक जैसी रुचियों वाले लोग विश्व की लाखों की भीड़ में एक-दूसरे की ओर आकर्षित हो जाते हैं।

आप चाहें तो इसे भाग्य कह सकते हैं पर डा. रामनाथ केनी और मेरा मिलना और जीवन भर के लिए मित्र बन जाना भी हमारी नियति थी। 1990 के आस-पास मनोरमा की पीठ में दर्द रहता था। प्रत्येक चिकित्सक ने ऑपरेशन की सलाह दी पर एक मित्र ने सुझाया कि हम एक परा-मनश्चिकित्सक डॉ. केनी से मिलें। बम्बई अस्पताल में यह एक बहुत व्यस्त दिन था और जब हम डॉ. केनी के कक्ष के बाहर अपनी बारी की प्रतीक्षा कर रहे थे, बरामदे में रोगी ठुँसे पड़े थे। इतनी चहल-पहल के बीच मैंने सन्तूर की सुस्पष्ट झनकार सुनी और अपने संगीत को ऐसे अनपेक्षित स्थान पर सुनकर आश्चर्यचकित रह गया।

जैसे ही मैं डॉ. केनी के अगरबत्ती से सुवासित निजी कक्ष में दाखिल हुआ यह भावना तीव्र हो गयी। एक कोने में शिरडी के साईं बाबा और गणपति को समर्पित मन्दिर था। और उसी की बगल में एक टेप रिकार्डर और भिन्न-भिन्न प्रकार की भारतीय शास्त्रीय संगीत की टेप पड़ी थीं जिसमें कई मेरी भी थीं। मुझे शीघ्र ही पता चला कि डॉ. केनी रिचर्ड विलिस की तरह मेरे संगीत से कुछ रोगियों का उपचार करते थे। उन्होंने बताया कि उन्होंने मेरे संगीत को विदेशों में भाषण प्रदर्शन के लिए भी उपयुक्त किया है। मेरी पत्नी की जाँच के बाद उन्होंने कुछ दवाएँ लिखकर दीं और मेरी जाँच करने की इच्छा प्रकट की। अपने

दयालु और नम्र स्वभाव के अनुसार उन्होंने मुझे अपनी लम्बे समय से चली आ रही अधसीसी (माइग्रेन) को गम्भीरता से न लेने के लिए डाँटा और कुछ गोलियाँ लिख दीं। कुछ ही महीनों में मनोरमा और मैं दोनों स्वस्थ हो गये।

आज डॉ. केनी हमारे परिवार के सदस्य हैं। चाहे उनका कार्यक्रम कितना भी व्यस्त हो, वे समय निकालकर मुझसे मिलते हैं और हम उनकी चिकित्सा प्रक्रिया और आध्यात्मिकता पर लम्बा विमर्श करते हैं। उन्होंने एक डॉक्टर के रूप में एक अतुलनीय पहचान बनायी है और संगीत जगत् के मेरे मित्रों जिनमें जसराज जी, अमजद जी और हरि जी भी हैं—को उनकी सलाह से लाभ हुआ है। वे कई बार रोगी का अँगूठा छूकर ही बीमारी का पता लगा लेते हैं। अपने संगीत द्वारा मैं दिव्य शक्ति को अपनी विनम्र प्रार्थना अर्पित करता हूँ।

संगीत रिसर्च एकेडेमी

जब मैं और मेरे समवर्ती 'घाटी की पुकार' जैसे संगीत की रचना करने लगे, जिसने साधारण श्रोताओं के मन को छू लिया तो हम उच्चवर्गीय संगीत सभाओं के दायरे से बहुत आगे निकल आये। मैं इसकी आशा करता था और एक बार जब मुझे शास्त्रीय संगीत के क्षेत्र में स्वीकृति मिल गयी तो मैं अपने संगीत को श्रोताओं के एक बड़े परिवार तक ले जाना चाहता था। पर हम सब आश्चर्य कर रहे थे कि अपने संगीत को मुफस्सिल शहरों और दूरदराज के अनजान गाँवों तक कैसे पहुँचाएँगे जहाँ टेलीविज़न अभी नहीं पहुँचा था।

कला प्रश्रय द्वारा ही फलफूल सकती है। आरम्भ में संगीत को राजाओं की रियायतों से संरक्षण मिला। आर्थिक चिन्ताओं से मुक्त होकर और प्रशंसा प्राप्त कर गुरुओं और उस्तादों ने अपनी बहुमूल्य संगीत परम्परा कुछ प्रतिभाशाली शिष्यों को दी। इन राज्यों के भंग होने और नवाबों और महाराजाओं के लुप्त होने पर एक कलात्मक शून्य उत्पन्न हो गया क्योंकि गुरुओं और शिष्यों के लिए जीवित रहना ही पहली प्राथमिकता हो गयी। एक नये संरक्षक की आवश्यकता थी जो दरबार से हटकर शिक्षा के लिए सुरक्षित आश्रय प्रदान कर सके—एक ऐसा स्थान जहाँ संगीत का अपने पवित्रतम रूप में रक्षण और संवर्धन सुनिश्चित किया जा सके।

भारत के दूरदराज के इलाकों में सदा गम्भीर और प्रतिबद्ध संगीत प्रेमी रहे हैं जो संजीव संगीत सुनने के पात्र हैं। इक्का-दुक्का सम्मेलनों ने कलाकारों को ऐसे इलाकों में मंच तो प्रदान किया पर धनाभाव के कारण अकसर सच्चे आयोजकों का जोश ठंडा पड़ जाता था। बम्बई में हरिदास संगीत सम्मेलन, विष्णु दिगम्बर समारोह दिल्ली में और ग्वालियर में तानसेन समारोह फलफूल रहे थे पर कम प्रभाव और समर्थन वाले आयोजकों के लिए बड़े समारोह आयोजित करना एक चुनौती थी। अन्ततः धन-सीमा के कारण बड़े शहरों को छोड़कर अन्य शहरों के वासी महान् संगीत सुनने से वंचित रह गये।

1977 में आई.टी.सी. इस रिक्तता को भरने के लिए आगे आया और शास्त्रीय संगीत में रुचि दिखानेवाला पहला निगम बना। कलकत्ता की ऐतिहासिक इमारत अलदीन में जहाँ प्रशिक्षण दिया जाता था, संगीत रिसर्च एकेडेमी (एस.आर.ए.) की स्थापना हुई। भारतीय शास्त्रीय संगीत को एक समृद्ध कला के रूप में पुनर्जीवित कर उसे आधुनिक सन्दर्भ में स्थापित करने की योजना बनायी। एस.आर.ए. आशा करती थी कि युवा संगीतकार अपने चुने हुए मार्ग पर स्थापित हों और उन्हें मंच, विश्वास और प्रदर्शन के अवसर मिलें। सम्मान्य न्यास मंडल में पं.रविशंकर, सत्यजीत राय और येहूदी मेन्यूहीन थे। एस.आर.ए. एक बड़ी संस्था से भिन्न थी क्योंकि यहाँ एक समय से चली आ रही गुरु-शिष्य परम्परा को कायम रखा गया था ताकि नये कलाकार गुरुचरणों में संगीत शिक्षा प्राप्त कर सकें। प्राचीन परम्परानुसार प्रत्येक गुरु के पास तीन या चार आवासीय शिष्य थे। शिष्यों के लिए एक बड़ा पुस्तकालय था जिसमें अब तक की अज्ञात परिष्कृतियाँ जैसे कि ध्वनिनियन्त्रण और सौन्दर्यशास्त्र और वाणी सुधार पर पुस्तकें थीं और रिकार्ड किये हुए संगीत का भंडार था। बैठकों और समारोहों ने सुनिश्चित किया कि गुरु, शिष्य और एकेडेमी के बाहर के उसके सहयोगियों को एक मंच मिले जहाँ वे अधिक-से-अधिक राष्ट्रीय और अन्तर्राष्ट्रीय श्रोताओं तक पहुँच सकें।

मुझे बहुत प्रसन्नता हुई। गुरु शिष्य परम्परा को नये दृष्टिकोण से पुनर्जीवित किया जा रहा था जिससे नयी प्रतिभाओं को प्रेरित किया जा सके। आईटीसी जैसी बहुराष्ट्रीय कम्पनी का शास्त्रीय संगीत को समर्थन देना अच्छी बात थी और मुझे यह जानकर अत्यन्त प्रसन्नता हुई कि पं. विजय किचलू इसके अध्यक्ष होंगे। विजय भाई केवल एक गम्भीर संगीतप्रेमी ही नहीं थे अपितु स्वयं एक संगीतकार थे जो भारत के प्रख्यात संगीतकारों के स्वभाव और सनकों को समझते थे। विजय भाई ही थे जिन्होंने उस्ताद निसार हुसैन खान, निवृत्ति बुआ सरनायक, हीराबाई बरोडकर, गिरिजादेवी, लताफत हुसैन खान और अन्य संगीतकारों को, जो अपने भिन्न-भिन्न घरानों का प्रतिनिधित्व कर रहे थे, कलकत्ता के बाहरी इलाके में इस शान्त स्थल पर रहने के लिए बुलाया। आरम्भ में सभी एस.आर.ए. गुरु गायक थे और प्रदर्शन के दौरों पर हरि जी, वी.जी. जोग साहब और मुझे कार्यक्रमों को वाद्यसंगीत से सन्तुलित करने के लिए आमन्त्रित किया जाता था।

युवा प्रतिभाओं को प्रोत्साहन देना, समारोह आयोजित करना, युवा संगीतकारों के लिए एक विशिष्ट पुस्तकालय स्थापित करना आदि बड़ी जिम्मेदारियाँ एस.आर.ए. के अध्यक्ष के कन्धों पर थीं। पर जैसा कि विजय ने सर्वप्रथम बताया, इन जिम्मेदारियों के साथ-साथ पुरस्कार भी थे। उन्हें बहुत गर्व हुआ जब अपने अप्रतिम शिष्यों जैसे कि अजय चक्रवर्ती और राशिद खान ने अन्तर्राष्ट्रीय क्षेत्र में अपनी पहचान

बनाई। आई.टी.सी. को श्रेय जाता है कि उसने हर कदम पर एस.आर.ए. जैसी अनुभवहीन संस्था को अपनी प्रतिष्ठा स्थापित करने में सहायता की। वे दैनंदिन विषयों से दूर रहे और विजय भाई को संस्था को चलाने के पूर्णाधिकार दे दिये। यह बुद्धिमत्ता थी क्योंकि संगीतकार तुनकमिजाज़ होते हैं—हम से जिस तरह का व्यवहार किया जाता है उससे कोई प्रदर्शन अच्छा या बुरा हो सकता है। विजय भाई ने प्रत्येक गुरु से ध्यानपूर्वक सम्बन्ध स्थापित किये, उनको धैर्यपूर्वक सुना और जब कभी आवश्यकता हुई अशान्त कलाकारों को शान्त किया। उनकी सहायता से एस.आर.ए. संगीतकार एक बड़ा परिवार बन गये। मैंने सदा एस.आर.ए. में अच्छा समय बिताया है और मैं आज भी कलकत्ता जाने पर वहाँ जाना चाहता हूँ।

एस.आर.ए. के हर प्रदर्शन में एक वरिष्ठ गुरु, एक यन्त्रवादक और एक शिष्य होता है ताकि सबको बजाने का अवसर मिल सके। दूर के शहरों और गाँवों में बुनियादी ढाँचा आईटीसी ने मुहैया कराया जिसके अन्तर्गत विक्रय शाखाएँ प्रत्येक भारतीय प्रान्त में हैं। अकसर भीड़ के लिए बड़े-बड़े पंडाल बनाये गये, एक अच्छी ध्वनि प्रणाली का प्रबन्ध किया गया ताकि शहर के साधनों से दूर होने के कारण संगीत की गुणवत्ता पर बुरा प्रभाव न पड़े। जहाँ तक पारिश्रमिक की बात है, हमने ये प्रदर्शन निःशुल्क किये क्योंकि वहाँ हम अपना योगदान देने गये थे न कि कुछ लेने। हम केवल अपनी कलादेवी, सरस्वती को जो विधि हमें आती थी, उससे नमन कर रहे थे।

जब हम प्रदर्शन नहीं कर रहे होते तो या तो एक-दूसरे का चुटकुलों और किस्सों से मनोरंजन करते या फिर संगीत पर चर्चा करते। गुरु और शिष्य एकत्रित होकर किसी राग की उत्पत्ति के विषय में या उसे कैसे गाया जाना चाहिए, इस पर बहस करते या फिर भिन्न घरानों की अपनी विशेषताओं की तुलना करते। प्रश्नों की झड़ी लग जाती—अपनी शैली किसी अन्य घराने की शैली से बढ़िया क्यों है? लय और ताल में क्या सम्बन्ध है, आदि। हम अपने आपको तात्कालिक संगोष्ठियों में भाग लेते पाते। सत्तर के दशक में एस.आर.ए. की उपलब्धि समान मनोभावों वाले संगीतकारों के बीच आपसी भाईचारा पैदा करना थी। स्वयं मैंने अपने साथी संगीतकारों से बहुत कुछ सीखा; जैसे एक प्रदर्शन के बाद जोग साहब ने मुझे बुलाकर मेरे उस रात के प्रदर्शन की तुलना मेरे पहले के प्रदर्शनों से की। यह अपना और शिष्यों का प्रदर्शन बेहतर करने के लिए मार्गदर्शन जैसा था।

इन दौरों पर आवास व्यवस्था बिलकुल बुनियादी पर सदा साफ सुथरी होती थी। हाँ, कुछ अच्छे अपवाद भी थे—एक बार आगरा में हमने वैलकम ग्रुप के मुगल शेराटन में प्रदर्शन किया और कुछ दिन बहुत ऐशोआराम में बिताये। वाहन अलग विषय था; एक बार हमने विजय भाई को ड्राइवर से अप्रसन्न होकर स्वयं

बस चलाते हुए देखा। धैर्य की प्रतिमा कानन साहब ड्राइवर को अपने सही रास्ते पर बस चलाने को और गलत दिशा में तेज न चलाने को कह रहे थे। उनके चेहरे के निहायत गम्भीर भाव से हम सब हँसी के मारे लोट-पोट हो गये और हमारी गालों पर आँसू बहने लगे। खाने के समय ज़ाकिर (अन्य के साथ) हमें हँसाता रहता था।

एक बार हिमाचल से दिल्ली आते हुए ड्राइवर रास्ता भूल गया। सदा की तरह ड्राइवर के पास बैठे कानन साहब अपने आपको इसके लिए जिम्मेवार ठहरा रहे थे क्योंकि वे हमारे मार्गदर्शक का काम कर रहे थे। उन्होंने ड्राइवर को गाड़ी खड़ा करके स्थानीय लोगों से सहायता लेने के लिए कहा। वहाँ की बोली से अनभिज्ञ ड्राइवर ने शायद उनकी हिदायतों को गलत समझ लिया और हम एक बिलकुल गलत दिशा की ओर चल दिये। ड्राइवर ने फिर पूछा पर एक बार फिर वह गलत समझा। सबको बहुत गुस्सा आने लगा क्योंकि अँधेरा हो रहा था और हम दिल्ली के मुख्यमार्ग के आसपास भी नहीं थे। अन्त में कानन साहब ने स्थिति को सँभाला और बस से नीचे उतरकर एक बैलगाड़ी वाले से दिल्ली का मार्ग पूछा। ड्राइवर ने हरियाणवी में कहा कि हम ठीक रास्ते के लिए उसके पीछे-पीछे चलें। कानन साहब ने विजय मुद्रा में ड्राइवर को कहा—''बैलगाड़ी के पीछे-पीछे चलो, अब हम ठीक रास्ते पर हैं।'' अगले दो घंटों के लिए हमारी बस मुख्य मार्ग के लिए बैलगाड़ी के पीछे-पीछे चली और हमारी अधीरता बढ़ती रही। आज भी जब हम मिलते हैं तो इस घटना पर हँसते हैं।

यदि मैं कहूँ कि मैंने एस.आर.ए. के साथ कश्मीर से कन्याकुमारी तक की यात्रा की है, तो यह अतिशयोक्ति नहीं होगी। प्रत्येक क्षेत्रीय दौरा छः सप्ताह तक चलता था। प्रत्येक वर्ष हम एक भिन्न राज्य में जाते थे—राजस्थान, केरल, महाराष्ट्र, पश्चिम बंगाल, आसाम आदि जिन्होंने हमारा परिचय भारत की समृद्ध और भिन्न-भिन्न परम्पराओं से करवाया। हमने चाहे हॉल के या पंडाल के नीचे प्रदर्शन किया, लोगों की प्रतिक्रिया बहुत प्रेरणादायक थी। जब प्रदर्शन समाप्त होता तो हम बैठते—कभी-कभी कम्बल लपेटकर और एक-दूसरे की बात सुनते। बाहर काली स्याह रात, करोड़ों सितारों से जगमगाती थी—ऐसा दृश्य जो हम नगरों में कभी नहीं देख पाये। उन क्षणों का सौन्दर्य आज भी मेरे मस्तिष्क पर चित्रलिखित है।

इन दौरों से शिष्यों को गुरु को हर समय आदर देनेवाली अटल गुरु शिष्य परम्परा से अस्थायी राहत मिल जाती थी। थोड़े से भी असन्तोष या अवज्ञा को कठोरता से देखा जाता था। पर विजय किचलू को पता था कि समय बदल रहा है और आचार-व्यवहार भी। दौरों पर गुरु-शिष्य एक ही धरातल पर होते थे

और एक-दूसरे से अलग तरीकों से वार्तालाप कर सकते थे। इस हलके फुलके वातावरण से कलकत्ता की संस्था की औपचारिकता कम हो जाती थी। पीछे, एस.आर.ए. में गुरु-शिष्य परम्परा की दिनचर्या और अनुशासन में कोई बदलाव नहीं था। रियाज़, पाठ और हर बुधवार को एक अनौपचारिक प्रदर्शन होता था। औचित्य और निष्पक्षता के लिए एक समिति सुनिश्चित करती थी कि शिष्य रियाज़ करें और अपने गुरु की आज्ञा का पालन करें। इसी प्रकार समिति गुरुओं से भी वार्तालाप द्वारा सुनिश्चित करती थी कि वे अपने उत्तरदायित्व का पूरी ईमानदारी और स्वच्छन्द रूप से निर्वहन करें। यह एक संवेदनशील स्थिति थी क्योंकि गुरु अपने शिष्यों के प्रति कितने भी उत्तरदायी क्यों न हों, वे अपने ज्ञान और अन्तर्दृष्टि को अपनी सन्तान के लिए सुरक्षित रखना चाहते थे। शिष्य कितना भी समर्पित क्यों न हों, गुरु कुछ गोपनीय बातें मृत्युपर्यन्त अपने साथ ही रखते थे या अपने पुत्र को ही बताते थे। यह कल्पों से उनकी जीवनपद्धति रही है और एस.आर.ए. को इसे बदलना सम्भव नहीं है। पर संस्था ने गुरुओं को इस बात के लिए मना लिया था कि वे शिष्यों को बढ़िया-से-बढ़िया तालीम और प्रशिक्षण दें।

एस.आर.ए. विभिन्न दिलचस्प विषयों पर सेमिनार भी आयोजित करता था—जैसे कि भारतीय शास्त्रीय संगीत का परिदृश्य और कैसे सरकर इसमें योगदान कर सकती है, भारतीय शास्त्रीय संगीत में उत्तर-दक्षिण विभाजन, ऑल इंडिया रेडियो और दूरदर्शन की भारतीय शास्त्रीय संगीत के संवर्द्धन में भूमिका आदि। सदा सुविचारित रूप से प्रस्तुत सेमिनार के बाद सायंकालीन प्रदर्शन होता था।

एस.आर.ए. के वार्षिक सम्मेल की कलकत्ता, दिल्ली और बम्बई में उत्सुकता-पूर्वक प्रतीक्षा की जाती है। मुझे एक अवसर याद है जब मैंने कलकत्ता सम्मेलन में गिरिजा जी के तुरन्त बाद सन्तूरवादन किया। सदा की तरह श्रोताओं में देश भर के सितारे—उस्ताद विलायत खान, डागर साहब, एस. बालाचन्द्र, लालगुड़ी जयरामन, बालामुरली कृष्ण आदि थे। इन विशिष्ट कलाकारों से प्रेरित होकर और भाग्य से ज़ाकिर के साथ मैंने राग चन्द्रकौंस बजाने का निर्णय किया। आलाप आरम्भ करने से पहले मैंने 2500 श्रोताओं का बड़ा जनसमूह और एक नि:स्तब्ध वातावरण तथा प्रत्याशी चेहरे अपनी आँखों के आगे देखे। पता नहीं ऐसा क्या था—उस क्षण का प्रभाव, श्रोताओं और मुझमें बढ़िया सामंजस्य, पर उस शाम ज़ाकिर और मैंने अपने जीवन का एक बढ़िया प्रदर्शन किया। तालियों की गड़गड़ाहट बन्द नहीं हुई जब तक एस.आर.ए. ने घोषणा नहीं कर दी कि समारोह ग्यारह बजे की समय सीमा के आगे भी चलेगा जब बसें श्रोताओं को अपने-अपने घर ले जाएँगी। उस रात हमने अर्धरात्रि के बाद तक बजाया था फिर भी श्रोताओं ने और सुनने की प्रार्थना की।

इसी प्रकार बाद में मैं विलायत खान साहब की प्रशंसा से भी भावुक हो उठा। उन्होंने मेरा संगीत एक लम्बे समय से नहीं सुना था और उनकी प्रशंसा मेरे लिए बहुमूल्य थी। युवावस्था में विलायत खान साहब जैसे संगीतकार हमारे आदर्श थे और उनके मुँह से प्रशंसा सुनकर मुझे अत्यन्त प्रसन्नता हुई। शायद मैं कहीं भीतर से दुखी था कि आरम्भ में जब मैंने सन्तूर बजानी आरम्भ की तो इसको सहज रूप से स्वीकार नहीं किया गया था। देर तक मैं एक बाहरी व्यक्ति अनुभव करता रहा और आज अचानक खान साहब की भूरि-भूरि प्रशंसा ने मुझे भावप्रवण कर दिया। कोई भी पुरस्कार मुझे इससे अधिक प्रसन्नता नहीं दे सकता था।

एक और अविस्मरणीय अवसर, एस.आर.ए. के अन्तर्गत मेरा सीरी फोर्ट दिल्ली में प्रदर्शन था। इस बार श्रोताओं में राष्ट्रपति वेंकटरमन, जिनकी दाहिनी ओर पं. रविशंकर और बायीं ओर उस्ताद विलायत खान बैठे थे और किशोरी अमोनकर जी, बालामुरली कृष्ण जी, पं. किशन महाराज, उस्ताद अल्लाहरखा खान साहब, सितारा देवी, गिरिजा देवी, राजन-साजन मिश्र और बहुत से अन्य लोग सम्मिलित थे। एक बार फिर श्रोताओं ने दुबारा बजाने को कहा।

एस.आर.ए. के दौरे चल रहे हैं और अब विश्वभर में फैल गये हैं। दशकों पहले की तुलना में जब ये आरम्भ हुए थे; मैं बूढ़ा हो चला हूँ और जितना चाहता हूँ उतना समय इनके लिए नहीं निकाल पाता हूँ। फिर भी, जब भी सम्भव होता है मैं एस.आर.ए. दल के साथ यात्रा करता हूँ। अभी हाल में सन् 2001 में हम राजस्थान गये थे। एकेडेमी अभी भी अलदीन में स्थित है पर इसका आधुनिकीकरण हो गया है और अब उसके योग्य निदेशक हैं—श्री अमित मुखर्जी।

स्पिकमैके

जबकि एस.आर.ए. का मिशन कलाकारों को प्रशिक्षित करना और संगीत को देश के दूरदराज के कोनों में ले जाना था, स्पिकमैके (सोसायटी फॉर प्रोमोशन ऑव इंडियन क्लासिकल म्यूजिक एंड कल्चर अमंग्स्ट यूथ) की कार्यसूची थोड़ी विस्तृत थी, जिसका उद्देश्य था— शास्त्रीय संगीत का युवा पीढ़ी से परिचय कराना। किरण सेठ द्वारा स्थापित यह समूह संगीत के प्रारम्भिक ज्ञान को 70 के दशक के संगीत से अनभिज्ञ अधिकांश छात्रों तक पहुँचाना चाहता था। जब आई.आई.टी. के प्रोफेसर किरण विदेश से पढ़कर लौटे वे यहाँ के युवाओं को पूरी तरह से उत्कृष्ट लक्ष्य की ओर प्रेरित करना चाहते थे। और इसी लिए उन्होंने यहाँ के युवाओं को अपनी संस्था में सकारात्मक भविष्य की ओर ले जाने के निश्चय के साथ स्पिकमैके की स्थापना की।

यद्यपि उनका उद्‌देश्य उत्कृष्ट था, इस बारे में लोगों की स्वीकृति बहुत कठिन थी। उनके लिए जो मनोरंजक गतिविधियाँ थीं उन्हें छोड़कर गम्भीर संगीत की ओर आने का आरम्भ में छात्रों ने विरोध किया। संगीतकारों को भी सन्देह था और वे सोच रहे थे कि क्या उन्हें अपना बहुमूल्य समय उन छात्रों के लिए नष्ट करना चाहिए जो शास्त्रीय संगीत का महत्त्व बिलकुल नहीं जानते। एक व्यावहारिक स्तर पर कलाकारों की यात्रा और आवास के प्रबन्ध के लिए धन जुटाना कठिन था। पर किरण संघर्ष करते रहे।

मैं उनका समर्थन कर बहुत पुलकित हुआ। दशकों तक मैं देश भर में ठसाठस भरे हुए सभागारों में प्रदर्शन करता आया था जहाँ संगीतकार युवा होते थे पर श्रोता अकसर प्रौढ़ या वरिष्ठ नागरिक होते थे। स्पिकमैके से मैं प्रभावित हुआ—यह कम-से-कम कल के श्रोताओं तक पहुँचने का एक माध्यम था। मैंने अपनी बिरादरी के मित्रों—हरि जी, जसराज जी, किशोरीजी आदि से बात की और उन्हें उत्साही पाया। शीघ्र ही हममें से बहुत से कलाकारों ने अपने आपको अध्ययन-कक्षों में पाया—एक अध्यापक के अनजाने रूप में। हम अपने सम्भाषण-प्रदर्शन का आरम्भ

छात्रों को थोड़ा शास्त्रीय संगीत के विषय में, थोड़ा उसकी विरासत के बारे में और उसकी आधुनिक परम्पराओं के बारे में बात करते और वाद्ययन्त्र बजाने के साथ-साथ राग के बारे में भी समझाते।

यह आसान काम नहीं था। 1977 में पहले प्रदर्शन में केवल चार छात्र आये और उन्हें उनकी रुचि के लिए अन्य छात्रों के उपहास का पात्र बनना पड़ा। अधिकांश दूर ही रहे क्योंकि वे अपने खाली पीरियड को शास्त्रीय संगीत पर भारी भरकम विमर्श के लिए नष्ट नहीं करना चाहते थे। पर धीरे-धीरे भटकते हुए कुछ छात्र आने लगे और अन्ततः काफी भीड़ होने लगी। उनके विरोध को तोड़ना और उनके मस्तिष्क को संगीत की ओर झुकाना एक चुनौती थी। पर एक बार जो सम्भाषण-प्रदर्शन के लिए आये तो कई सच्चे भक्त हो गये और अपने दैनिक जीवन में शास्त्रीय संगीत सुनने लगे। छात्रों को गम्भीर संगीत प्रेमी बनाना और राग तथा सुर के बारे में उनका ज्ञान यही स्पिकमैके की सबसे बड़ी उपलब्धि रही है।

दिल्ली में साधारण शुरुआत के बाद देशभर में स्पिकमैके के अध्याय खुल गये और इसे न केवल संगीतकारों; अपितु चित्रकारों, वास्तुकारोंनर्तकों, कवियों और लेखकों का सहयोग भी प्राप्त हुआ। खर्चे कम करने के लिए हम लोग रेल या बस द्वारा यात्रा करते और निःशुल्क कला प्रदर्शन करते। यात्रा चाहे कितनी भी कठिन हो और सभागार कितना भी गर्म—स्पिकमैके के लिए प्रदर्शन करना चामत्कारिक था। युवा चेहरों को श्रोताओं के बीच देख और उन्हें गम्भीर प्रश्न पूछते हुए देखकर मुझे अत्यन्त हर्ष हुआ। छात्रों के पास एक विरल अवसर था जब वे वरिष्ठ कलाकरों के साथ सीधे वार्तालाप कर सकते थे। अन्ततः वे संस्था से और गहराई से जुड़ गये। छोटी-छोटी चीज़ों पर अब ध्यान दिया जाने लगा—उदाहरण के लिए, हमारे ग्रीनरूम बड़े ध्यानपूर्वक सजाये गये। फर्श पर साफ दरियाँ बिछायी गयीं, एक कोने में अगरबत्ती और स्वागत के लिए फूल आदि का प्रबन्ध किया जाने लगा। श्रीनगर से लेकर धूलियाजान (आसाम) तक स्पिकमैके के प्रदर्शन मुझे सदा प्रेरित करते हैं। मेरा कार्यक्रम कितना भी व्यस्त क्यों न हो, मैं सदैव उनके कार्यक्रमों को समय देने का प्रयास करता हूँ क्योंकि मैं श्रोताओं में नयी पीढ़ी के संगीतप्रेमी देखता हूँ जो हमारी परम्परा को अगली पीढ़ी तक ले जायेंगे।

अन्ततः स्पिकमैके इस आन्दोलन को विदेशों में ले गया और हमने हार्वर्ड, एम.आई.टी और कई अन्य अमेरिकी विश्वविद्यालयों में सम्भाषण प्रदर्शन किये। अकसर अमेरिका में भारतीय छात्र मुझे बताते कि मैंने आपको पहली बार भारत में स्पिकमैके के कार्यक्रम में सुना था और तभी से वे शास्त्रीय संगीत की प्रशंसा

करने लगे थे। जब मैं ऐसी टिप्पणी सुनता तो मुझे लगता कि स्पिकमैके एक अर्थपूर्ण प्रयोग रहा है—परिसरों में बिताया सारा समय, युवा लोगों से सम्भाषण-प्रदर्शनों में वार्तालाप और बाद में कैंटीन में गर्मागर्म चाय के कप सभी अर्थपूर्ण थे।

हाँ, कॉलेज के छात्र कॉलेज के छात्र ही रहेंगे जब मैं इन युवक-युवतियों से बात करना आरम्भ करता हूँ तो उनमें थोड़ा संकोच पाता हूँ पर धीरे-धीरे स्वाभाविक अरुचि दूर हो जाती है और हमारे बीच एक पुल बन जाता है। मैं सदा इस बात का ध्यान रखता हूँ कि उनको समानता का दर्जा दूँ। कभी-कभी एक विद्रोही भी मिलता है, पर यह ठीक ही है। एक बार एक छात्र ने मुझसे फिल्म संगीत के बारे में प्रश्न पूछे और 'चाँदनी' से एक गीत बजाने को कहा। यहाँ मैंने जिस राग पर वह गीत आधारित था, उस पर और लोक संगीत पर बात करने का सुअवसर देखा। एक बार पटियाला (पंजाब) में जब मैं आलाप आरम्भ कर रहा था, तो अचानक बिजली चली गयी और मैंने कुछ उत्सुक लोगों की फुसफुसाहट और धीमी हँसी, हलकी अधीरता देखी। मैं बजाता रहा और जैसे ही सन्तूर के कोमल स्वर अँधेरे में गूँजे, धीरे-धीरे शान्ति व्याप्त हो गयी। एक छात्र ने एक मोमबत्ती लाकर मेरे सामने रख दी और मैंने सारा कार्यक्रम अँधेरे में सम्पन्न किया। यह एक सुन्दर अनुभव था। कुछ छात्रों ने अपने मनोभावों को बाँटते हुए मुझे मेरे संगीत के बारे में लिखा और यह भी कि परीक्षा के लिए पढ़ते समय वे सन्तूर सुनना पसन्द करते हैं। मुझे सन्तूर पर कविताएँ प्राप्त हुईं और एक तो संस्कृत में है।

एक व्यावसायिक कलाकार होने के नाते मैं अनुभव करता हूँ कि आयोजकों से वरिष्ठ संगीतकार होने के कारण सही पारिश्रमिक लेना चाहिए। दूसरी ओर हमें स्पिकमैके के मिशन की सफलता के लिए सब कुछ करना चाहिए जिसमें निःशुल्क कार्यक्रम करना भी सम्मिलित है। शास्त्रीय संगीतकारों, कलाकारों और लेखकों से बातचीत करना अपनी संस्कृति और विरासत के बारे में जानने का सबसे अच्छा तरीका है—जो हमारी शिक्षा का अनिवार्य अंग है। मुझे विश्वास है कि स्पिकमैके युवाओं को कलाओं के प्रति जागरूक होने के लिए प्रेरित करता रहेगा।

सात

भविष्य की ओर

मैं शिव जी को तीन दशकों से जानता हूँ। मेरे लिए उन जैसा और कोई नहीं है। यह भाव नेहरू केन्द्र में उनके पष्ठिपूर्ति समारोह के समय और बलवती हो गया। जैसे ही समारोह का समापन हुआ और सभी उपस्थित संगीतकार एक के बाद एक महान् संगीतकार को नमन करने आये, मेरा मन भर आया और मेरी आँखों में आँसू आ गये। हमारे उथले सिनेमा जगत् की तुलना में जहाँ सच्ची भावनाएँ विरल होती हैं, यहाँ एक महान् व्यक्ति की उपस्थिति थी जिसके लिए सारी शास्त्रीय संगीत बिरादरी एकत्रित हुई थी। ज़ाकिर की प्रशस्ति महान् थी—उसने उपस्थित जनसमूह को—जहाँ लोग सभागार के बीच के रास्ते और कोनों पर खड़े थे, कहा कि उनमें से कितने संगीतकार हैं। पंचानबे प्रतिशत से अधिक लोग खड़े हो गये।

—यश चोपड़ा

भारतीय कलाओं की स्थिति : कलाएँ और भारत राष्ट्र

मेरे मन में अपने देश के प्रति गहरा प्रेम और सम्मान है। मैं पूरी ईमानदारी से कहता हूँ कि भारत में बस जाने के अपने निर्णय पर मुझे कभी पश्चाताप नहीं हुआ जबकि मेरे बहुत से संगीत सहयोगियों ने ग्रीनकार्ड लेकर विदेशों में अधिक धन को चुना। मेरी जड़ें यहाँ हैं, यह मेरे पूर्वजों की धरती है। भारतीय कस्बों, शहरों और गाँवों में जाकर प्रदर्शन करने से बढ़कर प्रसन्नता कभी नहीं मिलती। जब मेरे शिष्य सन्तूर की आवाज को अपने श्रोताओं के बीच ले जाते हैं तो मुझे और भी प्रसन्नता होती है। स्पिकमैके के सम्भाषण-प्रदर्शनों में उत्सुक छात्रों के चेहरों को देखकर मुझे सन्तोष होता है कि मैंने सही चुनाव किया। मैंने विदेशों के कितने भी दौरे क्यों न किये हों पर मेरा स्थान यहीं है।

मैं युवा राजीव गाँधी से पं. जवाहरलाल नेहरू की तृतीय पुण्यतिथि पर मिला था और बाद में उनके प्रधानमन्त्री बनने के बाद भी कई अवसरों पर मिला। थोड़ी देर के लिए मैं बहुत प्रभावित हुआ कि वह इतनी अच्छी तरह से देश को चला रहे हैं। उन्होंने 'अपना उत्सव' जो भारतीय कलाओं और हस्तकलाओं पर केन्द्रित था, को समर्थन दिया। उन्होंने इंग्लैंड, फ्रांस, स्विट्जरलैंड, रूस और अमेरिका में भारतीय समारोहों को आयोजित करने के लिए सराहनापूर्ण पहल की। एस.आर.ए. का भी इन समारोहों में योगदान था और ईमानदारी से कहूँ तो हम सबके लिए जिन्होंने भारत में ही रहने का वरण किया था, वे गौरव के क्षण थे। चाहे वह छत्तीसगढ़ की तीजनबाई हो या फिर राजस्थान के कठपुतली कलाकार—सभी का विश्व भर में सम्मान हुआ। विजय किचलू के कहने पर मेरीलैंड विश्वविद्यालय ने भारतीय संगीत पर एक संगोष्ठी का आयोजन किया। मैं अपने साथ ईरानी सन्तूर, हंगेरियन सिम्बालोम और जर्मन हैकब्रेट की रिकार्डिंग, भारतीय सन्तूर से एक तुलनात्मक प्रदर्शन के लिए ले गया था। यह भारतीय सांस्कृतिक धरोहर को प्रस्तुत करने का महान् अवसर था।

पर राजनीतिक अशान्ति के कारण इन सभी उद्दीपित गतिविधियों पर रोक लग गयी। राजीव गाँधी की श्रीलंका के तमिल उग्रवादियों द्वारा त्रासद हत्या के बाद 'भारतीय सांस्कृतिक सम्बन्ध परिषद्' फिर से इन गतिविधियों का संचालन करने लगी। कल्पनाहीन बाबू लीक पर चलते हुए मध्यम स्तर के संगीतकार और नर्तकों को विदेश भेजने लगे—यह सोचकर कि वे कुछ रुपये बचाकर देश का बड़ा हित कर रहे हैं। विदेशों में भारतीय कलाओं की साख गिर गयी और तबसे हमारे सांस्कृतिक दलों का स्वागत आधे भरे सभागारों से होने लगा।

एस.आर.ए. और कुछ अन्य निजी संगठनों को छोड़कर मेरे विचार में केवल भारत भवन भोपाल ही सुचारु रूप से संचालित संस्था है जो भारतीय कलाओं का संवर्द्धन कर रही है। ये भारतीय कलाओं और संस्कृति के अग्रणी हैं जो प्रामाणिक रूप से अपनी जिम्मेदारियों के प्रति सजग हैं और उनकी प्रदर्शनियाँ और प्रदर्शन सदा उच्चकोटि के होते हैं। राजनीति और लालफीताशाही जो सरकारी संस्थाओं के लिए अभिशाप हैं, और कत्थक केन्द्र, संगीत नाटक अकादेमी और ललित कला अकादेमी में व्याप्त हैं, अभी तक भारत भवन को प्रभावित नहीं कर पाये हैं। कलाकारों, संगीतकारों और नर्तकों की इस प्रकार की संस्थाओं में सक्रिय भागीदारी होनी चाहिए और उन्हें अपना खाली समय इनकी परामर्श समितियों को देना चाहिए। तभी सुयोग्य प्रतिभाओं को बढ़ावा मिल पाएगा।

सरकार को इंग्लैंड की तरह स्वायत्त कलापरिषदों के गठन का प्रयास करना चाहिए। वे संस्थाएँ सरकार के पैसे से चलेंगी पर सर्वथा स्वतन्त्र रूप से, बिना सरकारी हस्तक्षेप के कार्य करेंगी। ये व्यावसायिक रुख अपनाकर, जहाँ कोई पक्षपात न हो, कलाओं और कलाकारों की महान् सेवा कर सकती हैं। सदस्यों की संचालन परिषद् वर्ष में एक बार बैठकर निर्णय करे कि किन व्यक्तियों या दलों को समर्थन देना है। अत: केवल एक व्यक्ति के स्थान पर विशेषज्ञों की एक सामूहिक परिषद् निर्णय लेगी। राष्ट्रीय संग्रहालय एक और क्षेत्र है जिसका परीक्षण शीघ्रता से होना चाहिए। मैं आरम्भिक महान् कलाकारों की रिकार्डिंग के बारे में विशेष रूप से चिन्तित हूँ। यह स्पष्ट नहीं है कि वे कहाँ हैं और क्या उनका वैज्ञानिक तरीके से परिरक्षण किया जा रहा है।

स्पष्टतया इसलिए कि मैं अभी भारतीय नागरिक हूँ भारत निवासी हूँ मैं सोचता हूँ कि भारतीय सांस्कृतिक सम्बन्ध परिषद् की त्रुटियों को सामने लाना मेरा जन्मसिद्ध अधिकार है। भाग्यवश हम अभी भी अपने मन की बात कह सकते हैं। सीमा पार अपने भाइयों को कठिनाइयाँ झेलते हुए देखकर मुझे बेहद दुख हुआ है कि वहाँ उस्ताद सलामत अली खान साहब जैसे महान् शास्त्रीय संगीतकारों

को कभी–कभार प्रदर्शन के लिए चोरी से लन्दन जाना पड़ता है क्योंकि पाकिस्तान में उनके लिए कोई अवसर नहीं है। कट्टरपन्थी शासकों ने कठोर नियम बनाये हैं और संस्कृति पुलिस प्रत्येक रचनात्मक लिखित अभिव्यक्ति की जाँच और सेंसर करती है। ऐसे अनुर्वर वातावरण में स्वाभाविक है कि कलात्मक अभिव्यक्ति का यदि पूरी तरह से गला नहीं घोंटा जाता तो उस पर कठोर नियन्त्रण तो रखा ही जाता है।

शान्ति

अपनी पष्ठिपूर्ति के अवसर पर मुझे अपने साथी संगीतकारों, मित्रों, सहयोगियों और असंख्य लोगों जिन्हें मैं कभी नहीं मिला था पर जो मुझे मेरे संगीत द्वारा जानते थे, शुभकामनाएँ मिलीं। उत्सव के दौरान जिसे मेरे शिष्य सतीश व्यास ने सुविचारित ढंग से आयोजित किया था, मेरे मन में एक असंगत विचार आया—मैंने पत्रकारों की भीड़ टीवी, कैमरों और चमकीले प्रकाश को देखा और जाना कि मेरे बचपन के जम्मू के दिन बहुत पीछे छूट गये हैं। हमारे पास कोई कैमरा नहीं था, अतः जन्मदिन समारोह के कोई चित्र नहीं थे। पंडित जी आते थे और उस अवसर पर एक पूजा की जाती थी। तत्पश्चात् माता जी गरीबों को भोजन खिलाती थीं और फिर मुझे खाना मिलता था। मैं स्वीकार करता हूँ कि अपने मन में मैं उस शान्त अनुष्ठान की इच्छा करता हूँ। उन्मत्त प्रसन्नता, शानोशौकत, केक और फूल मेरे लिए कोई अर्थ नहीं रखते। मैं उस दिन को अकेले प्रार्थना और ध्यान में बिताकर बहुत प्रसन्न होऊँगा। अपने संगीत द्वारा आनन्द की खोज करते हुए बिताया प्रत्येक दिन मेरे लिए एक समारोह है। पर हमें समाज में रहना है और दूसरों के लिए जीना है। अतः प्रत्येक वर्ष मैं अपने परिवार को कुछ निकट के संगीत सहयोगियों को घर पर बुलाकर छोटा समारोह मनाने देता हूँ।

मैं एक निहायत निजी व्यक्ति हूँ और सदा ही अध्यात्म से गहराई से जुड़ा रहा हूँ। जहाँ तक मुझे याद है—योग, प्रार्थना और ध्यान लम्बे समय से मेरे जीवन के अंग रहे हैं। मैं आत्मसंयम में विश्वास रखता हूँ और सिगरेट और शराब नहीं पीता। अच्छा भोजन मेरी एक बड़ी कमजोरी है—मुझे मसालेदार तरी पसन्द है और मैं कोरमा और गोश्तबा का उतना ही आनन्द लेता हूँ जितना कि आम आदमी। पर कई बार मैं इससे भी परहेज करता हूँ और यदि देर रात प्रदर्शन करना हो तो सूप और सलाद से ही काम चला लेता हूँ। जब मैं किसी दार्शनिक प्रश्न से जूझ रहा होता हूँ तो अपने कमरे में बन्द होकर दूसरों से विमर्श के बदले स्वयं ही उसे सुलझा लेता हूँ। इस अर्थ में आप मुझे एकान्तप्रिय, एक अन्तर्मुखी कह

सकते हैं। अन्तर्जाल, टीवी और समाचारपत्र मुझे सामयिक घटनाओं से अवगत कराते हैं और समाचारों के अतिरिक्त, क्रिकेट में मेरी रुचि है और यदि हो सके तो अपने बेटों के साथ मैं कभी कोई टेस्ट मैच देखना नहीं भूलता। पर मैं सबसे अधिक शान्त तब होता हूँ जब अकेला होता हूँ।

मैं अपना कटुतम आलोचक हूँ। मैं अपने प्रदर्शन को अपने मापदंड से तोलता हूँ और आज तक मैं अपने प्रदर्शन से पूरी तरह संतुष्ट नहीं हुआ हूँ। कुछ-न-कुछ कमी हर बार रह जाती है। जिस दिन मैं वह सन्तोष प्राप्त कर लूँगा, वह मेरे लिए निर्वाण की तरह होगा—असीम आध्यात्मिक उन्नयन। चाटुकारिता आकर्षक होती है पर यह आत्मबोध के पथ से दूर ले जाती है। जब मैं लोगों की तालियाँ सुनता हूँ तो अपने आपको थोड़ा तटस्थ रखने का प्रयास करता हूँ ताकि यह मेरे अन्तर्मन तक न पहुँच पाये। जब मैं सन्तूर बजाता हूँ तो श्रोताओं के चेहरों के हावभाव और अनैच्छिक उद्गार ही उनकी प्रशंसा जताने के लिए पर्याप्त है। प्रशंसा और वाहवाही हमारे अहम् के लिए बाम का काम करती है और शीघ्र ही वे हमारे प्रदर्शन का मानदंड बन जाती है। "हाँ जी, क्या तालियाँ मिलीं, कितनी शाबाशी मिली जी, क्या बोलें?" जब मेरे शिष्य अपने प्रदर्शन और श्रोताओं की प्रशंसा के विषय में बढ़चढ़ कर बात करते हैं तो मैं दूसरी ओर देखने लगता हूँ। क्या वे विनम्रता का वह पाठ जो मैंने उन्हें सिखाया था, इतनी जल्दी भूल गये? मैं उन्हें अपने मस्तिष्क को व्यर्थ की प्रशंसा से दूर रखने एवं और अधिक ऊँचाइयों को छूने में ध्यान लगाने के लिए कहता हूँ।

यहाँ मुझे तानसेन और अकबर की किंवदती याद आ जाती है। एक बार जब अकबर तानसेन की उसी आवाज़, प्रवीणता और संगीत ज्ञान की अत्यधिक प्रशंसा कर रहा था, उसके मन में एक विचार आया। उसने सोचा यदि तानसेन इतना अच्छा है तो अल्लाह ही जानता है कि इसके गुरु जी कितने महान् होंगे। अतः उसने तानसेन को अपने गुरु जी को बुलाने के लिए कहा। इस पर तानसेन पीला पड़ गया और विनम्रता से समझाया कि उसके गुरु जी स्वामी हरिदास दरबार में ही नहीं आएँगे अपितु किसी के भी सामने प्रदर्शन नहीं करेंगे—बादशाह के सामने भी नहीं। वे केवल भक्तिगीत ही गाते थे।

पर अकबर ने ज़िद की। वह संगीत भक्त था और जब उसे पता चल गया था कि एक महान् संगीतकार ऐसा भी है जिसे उसने कभी नहीं सुना, तो उसने मथुरा, वृंदावन, जहाँ स्वामी जी रहते थे, भेष बदलकर जाने और स्वामी जी को एक बार सुनने का निर्णय किया। अतः वे वहाँ गये और तानसेन सीधे स्वामी जी को प्रणाम करने पहुँचा। शिष्य की अगली कठिनाई थी—स्वामी जी को गाने

के लिए कहना क्योंकि शिष्टाचार उसे ऐसा करने से वर्जित करता था। अतः तानसेन ने अपना तानपूरा लिया और जानबूझ कर बेसुरा गाने लगा।

स्वामी जी को शिष्य के प्रदर्शन पर क्रोध आया और तानपूरा छीनकर तानसेन को सुनने के लिए कहा। उन्होंने वही राग स्वयं गाना आरम्भ किया और क्या बढ़िया गया। स्वामी जी की ईश्वर प्रदत्त आवाज़ अब आकाश की ऊँचाइयाँ छूने लगी और अकबर वशीभूत हो गया। अकबर ने आज तक इतनी अप्रतिम आवाज़ कभी नहीं सुनी थी—और न ही इतनी निर्मल और सादा पवित्रता देखी थी। बाद में उसने तानसेन से कहा—"स्वामी जी और तुममें इतना अन्तर कैसे हो सकता है?"

तानसेन जो स्वयं अपने समय के प्रख्यात संगीतकार थे, ने उत्तर दिया—"श्रीमान मैं आपको प्रसन्न करने के लिए गाता हूँ और स्वामी जी ईश्वर को प्रसन्न करने के लिये।"

शायद मैं इस संसार में, जिसमें मैं छह दशकों से अधिक समय से रह रहा हूँ, एक बेमेल और परकीय व्यक्ति हूँ। पर मैं कहीं अपने भीतर एक शून्य और मोहभंग की स्थिति पाता हूँ। अपने जीवन काल में मैंने अपने आसपास मूल्यों का विघटन और रिश्वतखोरी देखी है और मैंने देखा है कि लोगों पर विश्वास करना कई बार मुसीबत में फँसना है।

वर्षों से मैं अपने घर के पास एक छोटे स्थान की आवश्यकता अनुभव करता हूँ, जहाँ मैं अपने शिष्यों को पढ़ा सकूँ और जो बाहर से आनेवाले शिष्यों के लिए अस्थायी आवास हो। गोरेगाँव में एक आदर्श जमीन का टुकड़ा ढूँढ़कर मुझे अत्यन्त हर्ष हुआ। मैंने अपनी सारी जमा पूँजी इस स्थान में लगा दी और सुन्दर बगीचा बनाया और एक कुआँ भी खुदवाया। अचानक बम्बई नगर निगम ने हमें बताया कि वह जमीन हमारी नहीं थी—उस पर हमने अवैध रूप से कब्जा किया था। पता लगा कि हम अकेले नहीं थे। हरि जी ने हमारे साथ वाला प्लॉट खरीदा था और हम दोनों को वहाँ से हट जाने को कहा गया। तब तक उसका विकास करनेवाला अलोप हो गया था और हम बम्बई के एक और जमीन घोटाले के शिकार बन चुके थे।

मैं अपने आपसे पूछता हूँ कि क्या मेरा बेटा राहुल आधुनिक फंदों से बच पाएगा? अपनी परिस्थितियों की तुलना करना सही नहीं होगा—बम्बई देश का व्यावसायिक केन्द्र है, मोहक अमीरों और प्रसिद्ध लोगों का भड़कीला शहर, एक शहर जो तेज गति से भागता है... जम्मू की शान्त सड़कों से कितना भिन्न। पर मैं राहुल में उन्हीं मूल्यों का आदर देखता हूँ जिन्होंने मेरे जीवन को अनुप्राणित किया है। वह आध्यात्मिक और केन्द्रित है—कभी भी जल्दी में या असावधान नहीं होता।

मेरे बहुत कम मित्र हैं। मेरे लिए मित्रता जीवन भर के लिए है और हरि जी और जसराज जी दो ऐसे मित्र है जिन्हें मैं सच्चे मित्र कहता हूँ। हरि जी की तरह जसराज जी भी भाईतुल्य रहे हैं। मैंने उनके साथ भी बहुत कुछ बाँटा है। हाल ही में न्यूयार्क जाते हुए हम एक-दूसरे से हीथ्रो एयरपोर्ट पर मिल गये। एक-दूसरे के बारे में जानने और पुराने समय को याद करने का यह एक महान् पुनर्मिलन का अवसर था। जम्मू में गोपाल कृष्ण, गिरिधारी कौल और दलबीर सिंह बचपन के मित्र हैं जिन्हें मैं जब भी जम्मू जाता हूँ अवश्य मिलता हूँ। वे भी अब पिता और दादा हैं, पर जब हम मिलते हैं तो वर्ष पिघल जाते हैं और हम रेडियो सीलोन पर तलत महमूद और लता मंगेशकर को बिनाका गीतमाला में सुनना चाव से याद करते हैं।

15 अगस्त 1997 को हमारे देश ने हर्षपूर्वक स्वतन्त्रता की पचासवीं वर्षगाँठ मनायी। प्रसन्नता का वातावरण था और सभी मतभेद कुछ समय के लिए भुला दिये गये थे। जब सभी भारतीयों ने मिलकर एक बेहतर भविष्य निर्माण का प्रण लिया। इस स्मरणीय क्षण को मनाने के लिए बम्बई के नेशनल सेंटर फॉर द परफार्मिंग आर्ट्स ने जुगलबन्दी कार्यक्रमों का आयोजन किया जिसमें लोकप्रिय जोड़ियाँ—ज़ाकिर हुसैन के साथ पं. रविशंकर और अनुष्का शंकर, पं. बिरजू महाराज और पं. केलुचरण महापात्र और हरि जी और मैं सम्मिलित हुए।

भावपूर्ण वातावरण के चलते हरि जी और मैंने न केवल भारत, हमारी जन्मभूमि को अपितु इसकी शास्त्रीय संगीत परम्परा जिस द्वारा इनकी जातियों और धर्मों को एक सूत्र में पिरोया जाता है, के लिए श्रद्धांजलि भेंट करने का निर्णय लिया। केवल हिन्दू ही भारतीय शास्त्रीय संगीत पर अपना अधिकार नहीं जमा सकते क्योंकि इसका आरम्भ वैदिक श्लोकों से हुआ था। भारत के मुस्लिम और सिख समुदाय ने इसे फ़ारसी और अरबी स्रोतों के योग से समान रूप से समृद्ध किया है। बताया जाता है कि गुरुनानक ने सबद कीर्तन को रबाब के साथ मार्मिक रूप से प्रस्तुत किया जो एक मुस्लिम वाद्ययन्त्र है। हम उस शाम बताना चाहते थे कि भाषा, जाति और संस्कृति की विविधता के बावजूद भारत मूलरूप से एक है। बहुत सोच विचार के पश्चात हमने भैरवी चुना जो प्राचीन रागिनी मानी जाती है, जिसे माना जाता है कि मूल रूप से इन्द्रपुरी के देवी-देवताओं ने गाया था। हमने देशभर के लोकगीतों को लेकर भैरवी में एक संगीतमाला के रूप में प्रस्तुत किया। वास्तव में हमने भारतीय शास्त्रीय संगीत की यात्रा को मन्दिरों से लेकर आम आदमी तक पहुँचते दर्शाया। ज़ाकिर ने तबले पर कमाल कर दिया और श्रोताओं की प्रतिक्रिया मैं भुला नहीं सकूँगा।

भारत की स्वर्णिम जयन्ती मनाते हुए मैंने पाया कि मैं पचास वर्षों से सन्तूर

बजा रहा हूँ। इन पाँच दशकों ने भारतीय शास्त्रीय संगीत को अपरिवर्तनीय रूप से बदल दिया है। राजसी प्रश्रय के समाप्त होने के बाद इसे समृद्ध करने का दायित्व संगीत संस्थाओं और ऑल इंडिया रेडियो पर आ गया। शास्त्रीय संगीत के अन्धकार युग में जब इसे तिरस्कार से देखा जाता था, नाचनेवालियों और बाई जी ने इसकी रक्षा की। सबसे अन्धकारमय समय में विष्णु नारायण भातखंडे जी ने सार्वजनिक संगीत समारोह आयोजित करके इसे आम आदमी तक ले जाने का मिशन बनाया। विष्णु दिगंबर पलुस्कर जी ने एक कदम आगे बढ़कर एक शास्त्रीय संगीत विद्यालय की स्थापना की। फिर उन्होंने संगीत पर विद्वत्तापूर्ण पुस्तकें लिखीं जिनमें उभरते और व्यावसायिक संगीतकार शिक्षा ग्रहण कर सकें।

भारत के स्वाधीनता संघर्ष की तरह सन्तूर के लिए मेरा संघर्ष भी लम्बा और कठिन रहा है। शास्त्रीय संगीत के परिदृश्य पर सन्तूर की कोई उपस्थिति नहीं थी जब तक मैंने उसे प्रस्थापित नहीं किया। आज मैं उसी मंच पर बजा रहा हूँ जिस पर पं. रविशंकर सितार बजाते हैं। मेरा सपना सही रूप में साकार हुआ। और यह जानकर कि राहुल और मेरे अन्य शिष्य इसे कीर्ति के शिखर पर ले जाएँगे, यह मेरे लिए वास्तव में उत्सव का समय बन गया।

हम दहलीज़ पारकर इक्कीसवीं शताब्दी में और नयी सहस्राब्दी में प्रवेश कर चुके हैं। भारतीय संगीतकारों को अपने जीवन काल में ही अन्तर्राष्ट्रीय स्तर पर सम्मान पाते देखना मेरे लिए अत्यन्त हर्षदायक है। मैं आशा करता हूँ कि यह अपेक्षतया नया झुकाव जारी रहेगा।

सतीश व्यास, नन्दकिशोर मुले, आर. विश्वेश्वरन, धनंजय दैठनकर, सुरेन्द्र नरलेकर, बाल चन्द्र फड़नवीस, भरत देसाई, पंकज शर्मा, तरुण भट्टाचार्य, शिवाशीष, हरिदास, हरजिंदर सिंह, लन्दन से किरण पाल सिंह, मेरी कोमोरो, मियासीता और ताकाहीरो जापान से, बी.सीवर्स और रायनेर जर्मनी से, करुणा परेरा श्रीलंका से और जावेद ईरान से कुछ बढ़िया संगीतकार हैं, जिन्हें मैं अपने जीवन काल में प्रशिक्षित कर सका हूँ। मैं अपनी परम्परा उनके हाथों में सौंपता हूँ। वे सभी अब कलाकार हैं और समय ही बताएगा कि वे सन्तूरवादन के स्तर में कितना योगदान देते हैं।

पर हम कष्टदायक समय में रह रहे हैं। प्रत्येक सरकार हमें एकाधिक रामराज्य का वचन देती है। जबकि गरीबी हटाओ इन्दिरा गाँधी की पुकार थी, मंडल कमीशन जिसके विरोध में कई युवाओं ने अपने प्राण गँवाये, दूसरी सरकार की प्राथमिकता थी। ये वोट हथियाने के लिए नारे भर थे। बेरोजगारी, जुर्म, बढ़ती जनसंख्या और प्रदूषण बहुत बड़ी समस्याएँ हैं जिनकी ओर क्रमिक सरकारें आँखें फेरती रही हैं और इन सबके ऊपर गुटबन्दी और साम्प्रदायिकता का कोढ़ भी

है। अपने बहुमूल्य संसाधनों को शिक्षा, आवास, सिंचाई और गाँवों में पेयजल की सुविधाएँ मुहैया कराने की बजाय हम अपना राष्ट्रीय धन अस्त्र-शस्त्र और रक्षा में लगा रहे हैं। कारगिल ने हमारे सैनिकों का मनोबल बढ़ाया होगा पर कश्मीर का घाव अभी भी हरा है।

एक भारतीय के नाते मैं सोचता हूँ कि बाबरी मस्जिद की घटना कभी घटित न होती। हमें पुराने घावों को भरना है और नये घावों से बचना है। हमारे नेताओं को वेदान्त की शिक्षा 'वसुधैव कुटुम्बकम्' का पाठ सीखना चाहिए। जब विभाजन हुआ तो मैं एक बच्चा था और अपने बचपन के मित्रों और पड़ोसियों को खोकर बहुत रोया था। पर हम उसके परिणाम अभी भी भुगत रहे हैं। बाबरी मस्जिद का नृशंस विध्वंस, स्वर्ण मन्दिर पर धावा, विभिन्न मन्दिरों को अपवित्र करना, ग्राहम स्टेन्स को जिन्दा जलाना और गुजरात के दंगे कुछ काले धब्बे और निन्दनीय कार्य हैं, जिनकी भारतवासियों को निन्दा करनी चाहिए। यह पढ़कर मैं भयभीत हो जाता हूँ कि सती और दहेज के लिए हत्याएँ हमारे देश में आज भी हो रही हैं और एक अनुसूचित जाति के नागरिक के हजारों वर्ष पुरानी परम्परा तोड़कर उच्च वर्ग के लिए बने कुएँ से पानी पीने की घटनाओं पर दंगे भड़क उठते हैं। पर एक अरुंधती राय और अमर्त्य सेन बुकर और नोबेल पुरस्कार जीतकर देश का गौरव बढ़ाते हैं। यह भारत का द्वित्व है कि यहाँ उज्ज्वल प्रकाश और गहन अन्धकार दोनों सहवर्ती हैं।

मुझे हिंसा और धार्मिक अहिष्णुता से घृणा है और आश्चर्य है कि राजनेता संगीतकारों से पाठ सीखकर सच्ची धर्मनिरपेक्षता का पालन क्यों नहीं करते। संगीत के क्षेत्र में यह बिलकुल साधारण बात है कि अली अकबर खान साहब, विलायत खान साहब या बिस्मिल्लाह खान साहब भगवान शिव या देवी सरस्वती की आराधना में कोई संरचना बजाएँ। यह एक विडम्बना है कि हाल के कुछ वर्षों में जब सारा देश एक हो गया था तो वह कारगिल युद्ध के दौरान हुआ था। जब हमारी सेना जिसमें हिन्दू, सिख, मुस्लिम और क्रिश्चियन सभी थे, गर्व से भारतीय सेना के रूप में उभरकर सामने आयी। मैं अपने भारतीय भाइयों से अपील करता हूँ कि वे अपनी जड़ों को पहचान कर धार्मिक सहिष्णुता के वैदिक दर्शन को अपनाएँ। यह स्वाभविक है कि साम, दाम, दंड, भेद की चाणक्य नीति शासक नीति हो सकती है पर क्या सत्ता हथियाने के लिए नैतिकता का त्याग करना सही है? मैं इस बात के विरोध में अपनी शक्तिहीनता पर खिन्न हूँ कि देश में किसी भी समय खूनखराबा हो सकता है जिसमें निर्दोष लोगों की हत्या की जाएगी। कर्ण-भेदी गोलियों की बौछार और लड़ाई के भयानक कोलाहल में मेरी आवाज़ डूब जाएगी। पर यदि उन क्रोधित लोगों में से जो गुस्से और पागलपन में अन्धे

हो गये हैं, कुछ मेरे संगीत को सुनकर कुछ क्षण के लिए शान्ति का अनुभव करें तो मैं अपनी लड़ाई जीत जाऊँगा। यदि आप एक भाषा सीखना चाहते हैं तो आप एक समय एक अक्षर सीखें।

1999 में हरि जी और मुझे नोबेल शान्ति पुरस्कार समारोह में प्रदर्शन के लिए आमन्त्रित किये जाने का गौरव प्राप्त हुआ। प्रदर्शन से पहले मैंने आठ हज़ार गणमान्य लोगों की भीड़ को बताया कि भारतीय परम्परा में किसी भी शुभ अवसर का आरम्भ या अन्त 'ओऽम् शान्ति' से किया जाता है, जिसका अर्थ है 'विश्व में शान्ति हो'। तब हमने राग वनस्पति बजाया, कुछ शान्ति पर वैदिक श्लोक पढ़े और फिर अन्त में पारम्परिक शान्तिपाठ किया। हमारे सन्देश का स्वागत किया गया। उस शाम अपने शब्दों और संगीत में मेरा यह दृढ़ विश्वास था कि हमारा देश सौभाग्यशाली है और ईश्वर के आशीर्वाद और हमारे सन्तों-महात्माओं की साधना और प्रार्थना ही विनाश से हमारी रक्षा करेगी।

❑ ❑ ❑

पिता एवं गुरु पं. उमादत्त शर्मा

रेडियो जम्मू से प्रसारण के लिए तबला बजाते हुए (1954)

संतूर बजाते हुए, जम्मू (1956)

मूलराज और गुलाम अहमद के साथ रेडियो कश्मीर पर संतूरवादन (1956)

रिकार्डिंग के बाद मनोरमा और आशा भोंसले के साथ, बम्बई (1966)

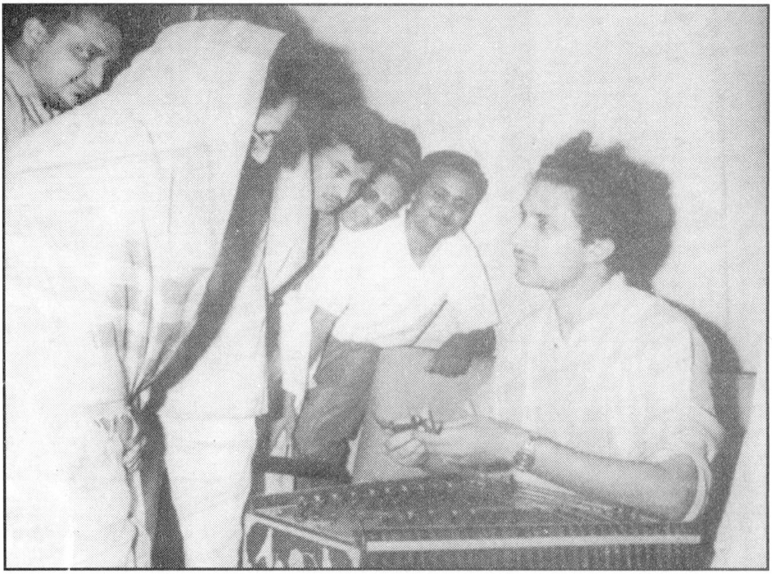

महारानी जामनगर को सन्तूर के बारे में बताते हुए, बड़ौदा (1970)

हॉलीवुड अभिनेता पीटर सैलर्स (बाएँ), सारंगीवादक सुलतान खान, उस्ताद अल्लाहरक्खा खान, पंडित रविशंकर और हरिप्रसाद चौरसिया के साथ अमेरिका दौरे पर (1974)

पिता और पुत्र : उस्ताद अल्लाहरक्खा खान के साथ अमेरिका में , 1968 (ऊपर) और और
ज़ाकिर हुसैन के साथ आई.टी.सी. संगीत सम्मेलन दिल्ली में, 1984 (नीचे)

पुत्र रोहित के प्रथम जन्मदिवस पर, मनोरमा और मित्रों के साथ, बम्बई (1969)

थिएटर-डी-ला-विले में नृत्य प्रदर्शन के बाद साथी कलाकारों के साथ, पेरिस (1970)

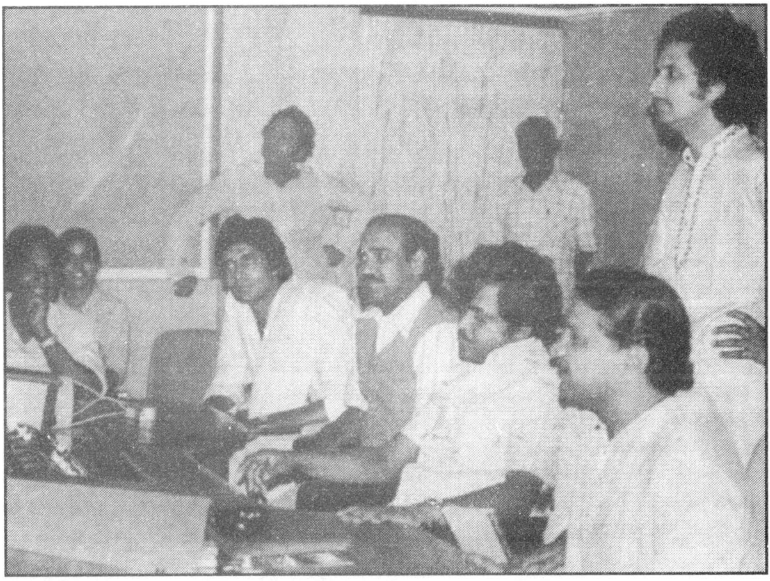

फिल्म सिलसिला की रिकार्डिंग करते हुए पंडित रामनारायण, अमिताभ बच्चन और हरि जी के साथ, बम्बई (1980)

मनोरमा के साथ अपने बगीचे में, बम्बई (1981)

मनोरमा रोहित और राहुल के साथ, बम्बई (1982)

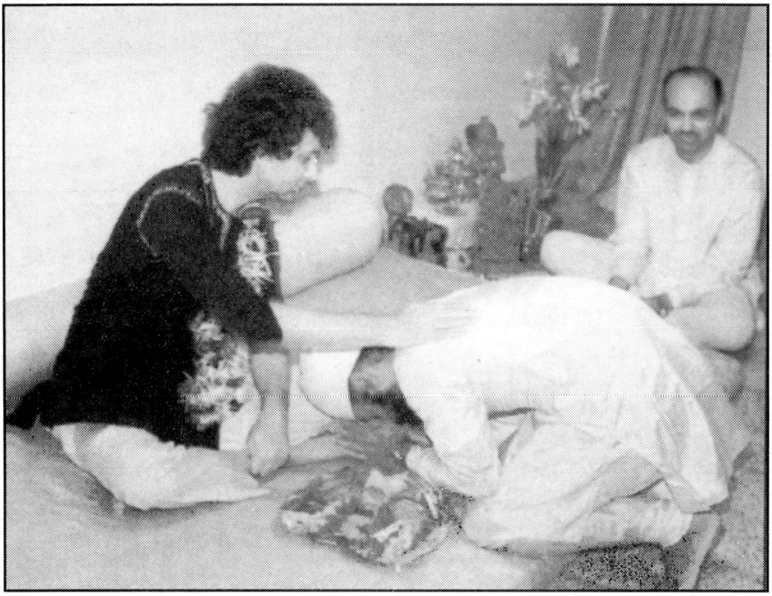

हरजिन्दरपाल सिंह और सतीश व्यास के साथ गुरु-पूर्णिमा महोत्सव पर, बम्बई (1984)

जाकिर हुसैन, उनकी पत्नी टोनी और हरि जी के साथ घर पर, बम्बई (1985)

अनिंदो चैटर्जी, हरि जी, ज़ाकिर और मल्हार कुलकर्णी, न्यूयार्क (1985)

मेहदी हसन और सतीश व्यास (दाँए) के साथ, बम्बई (1985)

मनोरमा, हरि जी और शफात अहमद खान के साथ, बम्बई (1996)

सरोदवादक उस्ताद अली अकबर खान के साथ उनके पचहत्तरवें जन्मदिवस पर, नेहरू सेंटर बम्बई (1997)

शफात अहमद खान और राहुल के साथ अपने बगीचे में, बम्बई (1995)

राहुल, मनोरमा, पौत्री अनन्या, पुत्रवधू मयूरी और रोहित के साथ, बम्बई (2002)

प्रदर्शन के दौरान, पुणे (2001)

गुरु शुभ्रा गुहा और उल्हास कशलकर आई.टी.सी. संगीत रिसर्च एकेडेमी, कलकत्ता

षष्ठिपूर्ति समारोह पर अमजद अली, पंडित जसराज, उस्ताद अल्लाहरक्खा खान, मनोरमा, पं. सी.आर. व्यास, हरिप्रसाद चौरसिया, अब्दुल हलीम जाफ़र खान और ज़ाकिर हुसैन के साथ नेहरू केन्द्र, बम्बई (1998)

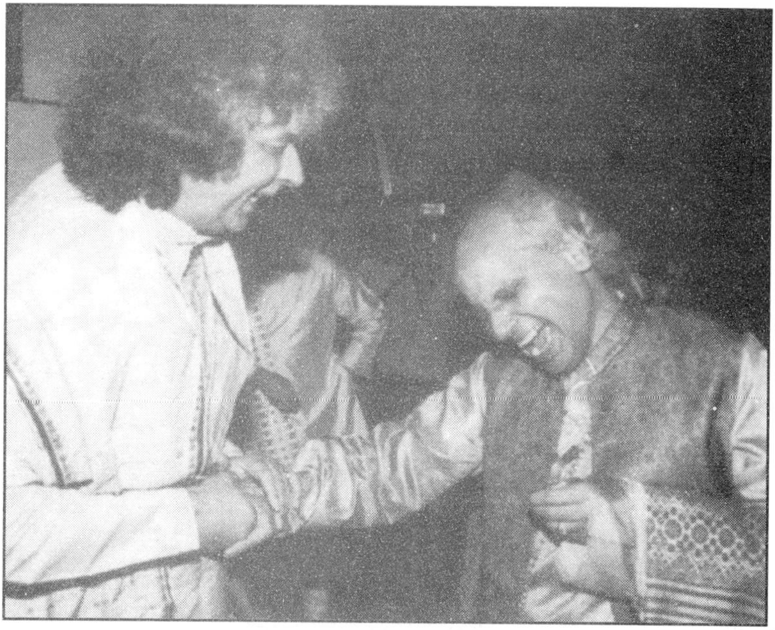

जसराज जी (ऊपर) और हरि जी (नीचे) षष्ठिपूर्ति समारोह पर, बम्बई (1998)

महामहिम राष्ट्रपति के.आर. नारायणन से पद्म-विभूषण प्राप्त करते हुए, दिल्ली (2001)

णाणं

पयासयं

वीर नि. सं. 2470

ई. सन 1944

भारतीय ज्ञानपीठ